D0635119

L'ENFER DE VERRE

LA TOUR INFERNALE

THOMAS SCORTIA
et
FRANK ROBINSON

L'ENFER DE VERRE

LA TOUR INFERNALE

PRESSES POCKET
116, RUE DU BAC, PARIS

Le titre original de cet ouvrage est :

THE GLASS INFERNO

Traduit de l'anglais par Simonne Huinh
et Philippe Sabathé

DÉBUT DE SOIRÉE

UNE bête sauvage vient au monde en un lieu déterminé, à une heure précise.

Le feu, lui, prit naissance en fin d'après-midi dans une petite pièce blottie à l'intérieur d'un des plus récents gratte-ciel qui se hérissent au-dessus de la ville. Bien qu'on ne la montrât pas aux visiteurs de l'immeuble, la pièce avait son utilité, et une odeur indéfinissable, caractéristique. Elle était également plus encombrée qu'à l'ordinaire.

Il était un peu plus de 5 heures quand on ouvrit la porte. Ensuite, les tubes fluorescents clignotèrent. Une pause, longue, le léger frottement d'un objet que l'on déplace, puis le bruit d'un interrupteur et les lampes s'éteignirent. Dans le rectangle lumineux du seuil, des yeux cillèrent, inspectant vaguement la pièce durant quelques secondes. Des épaules vinrent masquer brièvement l'éclairage venu du couloir. Après, la porte se rabattit et la pièce fut plongée dans l'obscurité.

Non pas une nuit totale, d'ailleurs. Car une étincelle brilla dans un angle au bout d'une cordelette effilochée. Le cordon ombilical de la bête.

Dans la pièce, la température commençait à baisser, à cause de la fraîcheur automnale qui régnait au-dehors.

1

LE mercredi après-midi, vers 16 heures 30, la vague de froid venue du Canada passa au nord de la ville. Sur Lee Avenue, en face de la National Curtainwall Building, les jeunes arbres dépouillés de leur feuillage d'automne se plaquèrent brutalement contre les grilles de fer forgé qui les entouraient. Des nuages bas coururent dans le ciel, la pluie fine se transforma en neige fondue et glacée. Des ouvriers qui habillaient les lampadaires de Pères Noëls de plastique se cramponnèrent désespérément à leurs échelles dont les barreaux commençaient à se couvrir de givre. Des employés de bureau, libérés de bonne heure pour le congé du Thanksgiving Day, se réfugièrent sous le maigre abri que leur offraient les porches des maisons ou bien s'engouffraient dans les stations de métro.

A six pâtés de maisons de là, affalé sur le volant de sa voiture de location, Craig Barton mâchonnait nerveusement le bout de son cigarillo éteint. Un feu rouge avait stoppé la circulation et, par instants, une bouffée d'air froid s'infiltrait dans la voiture, chassant la tiédeur fournie par un chauffage défectueux. « La fin rêvée pour une foutue journée », maugréa intérieurement Barton. Coincé à l'aéroport pendant une heure, puis un tacot qui refusait de démarrer, et maintenant, pour couronner l'ensemble, un embouteillage. Il ne pourrait arriver au bureau avant le départ des autres et n'aurait donc pas l'occasion de demander pourquoi Leroux l'avait convoqué. Il interviendrait à froid et Leroux n'était pas un homme qu'on affrontait sans être averti.

De toute manière, la soirée ne serait pas plaisante. Jenny l'avait fait appeler à l'aéroport pour lui transmettre l'invitation à dîner de Leroux — invitation inattendue et qui la mécontentait manifestement ; au reste, depuis quelques semaines, rien ne convenait à sa femme. Pour peu que le dîner s'éternisât et que le temps s'aggravât davantage, ils achèveraient sans doute la soirée dans un hôtel plutôt que chez les parents de Jenny, à Southport. D'où, immanquablement, larmes et récriminations de la part de Jenny. Il ne lui serait jamais venu à l'idée que son mari pouvait être lui aussi irrité de se voir rappeler alors qu'il menait une négociation particulièrement délicate.

Le feu passant au vert, Barton appuya sur l'accélérateur et progressa de 40 mètres avant d'être à nouveau immobilisé. Là, il pouvait apercevoir la Tour de Verre — on avait ainsi surnommé la National Curtainwall Building — qui, tout près, dressait sa tour sur fond de nuages sombres. Il retint son souffle. Seigneur, que c'est beau! Une onde d'orgueil l'envahit soudain, tout comme le jour où, trois mois auparavant, il avait assisté à l'inauguration — sans Jenny, naturellement.

Il serra les dents sur son cigarillo et fixa intensément l'immeuble. Bon Dieu, il avait de quoi être fier — autant que l'était Leroux. Soixante-six étages de panneaux de verre blond et d'aluminium anodisé. On avait choisi cet emplacement dans la partie nord du quartier de la finance en sorte que l'immeuble n'ait aucun rival à proximité. On n'avait pas non plus lésiné sur la superficie du terrain — le bâtiment était environné d'espaces immenses et agréables où l'on n'avait pas l'impression d'être obligé d'écarter la foule pour accéder à l'entrée. Soixante-six étages dont trente à usage commercial et trente-six résidentiels se dressaient, nets, sans prolongement. Côté sud, un mur fermait le puits de service, le cœur du building, et servait de toile de fond à l'ascenseur extérieur, cette Cage de Verre qui conduisait au Panoramic du sommet. Barton cligna de l'œil pour repérer la tache lumineuse qui allait se hisser jusqu'au restaurant pratiquement situé en plein ciel. Oui, décidément, ce n'était pas trop mal réussi. Dans les drugstores, les cartes postales les plus vendues étaient celles reproduisant la Tour de Verre la nuit ; c'était devenu le symbole de la ville.

La circulation devint soudain plus fluide et, quelques minutes plus tard, Barton descendit la rampe qui traversait un des jardins pour aboutir au garage souterrain. Il arrêta sa voiture devant la cabine du gardien et mit pied à terre. La température était agréable à l'intérieur de l'immeuble.

— Jusqu'à quelle heure, Monsieur? s'enquit l'employé en se glissant derrière le volant.

— Probablement 11 heures. Pendant que vous y êtes, faites-moi le plein, s'il vous plaît.

Il gagna l'ascenseur situé au-delà des pompes à essence et monta jusqu'au hall du rez-de-chaussée. Avant que la porte se fût refermée sur lui, il perçut le vrombissement d'un démarrage en trombe et le crissement des pneus. Il sourit — en fait, certaines choses dans le monde ne changeraient jamais.

Au rez-de-chaussée, le hall semblait plus achevé que lors de son dernier passage. Dans les vitrines s'étalaient des jades, des cartes de Noël, des appareils photo d'importation et des électrophones stéréo. L'une d'elles proposait à l'intention des touristes des chemises et des shorts aux impressions multicolores de style hawaiien. Barton s'attarda un instant pour les contempler. En deux ans de travail pour la National Curtainwall, il n'avait pas trouvé le moyen de se réserver les deux semaines de repos traditionnelles en août. Sa rancœur s'accentua, mais il se calma vite. Promis, juré, ce serait pour l'année prochaine. Et il entra dans l'ascenseur qui le conduisit au hall principal.

En s'engageant dans l'immense salle en rotonde, il éprouva une nouvelle fierté. L'espace d'un moment, il eut envie de se découvrir comme dans une cathédrale. Les proportions au sol étaient presque classiques dans leurs rapports et les parois extérieures de verre teinté s'élevaient sur deux étages, donnant aux occupants une impression de plein air. A l'extrémité de ce hall, les hautes portes de bronze de la Surety National. De l'autre côté, en saillie dans la salle elle-même, le mur à revêtement de dalles du puits de service qui enfermait les rampes des ascenseurs ainsi que toutes les conduites d'électricité, d'eau chaude et de gaz du building. La Cage de Verre, elle, perçait un flanc du puits de service, près de l'entrée, et grimpait le long de la paroi nue et externe jusqu'au Panoramic.

Se rappelant que Jenny ne l'avait jamais empruntée, Barton se dit qu'il l'y entraînerait après le dîner — l'excursion adoucirait peut-être la mauvaise humeur de la jeune femme. Pendant la montée ou la descente, la cabine était plongée dans l'obscurité, l'éclairage n'était visible de la rue qu'à la base — et l'illusion d'être ainsi suspendu dans le vide au-dessus de la ville coupait le souffle.

Le hall était envahi d'employés quittant leurs bureaux dans un flot si dense que Barton se faisait l'effet d'un saumon remontant le courant. Trois mille personnes s'activaient dans ce gratte-ciel et l'on eût pu croire qu'elles s'en allaient toutes en même temps! Barton se fraya un passage jusqu'au comptoir des renseignements, face aux ascenseurs desservant les étages commerciaux. L'hôtesse lui adressa un sourire stéréotypé — c'était une fille brune portant un élégant uniforme rouge et or, coiffée d'une toque ronde comme une boîte à pilules.

— Je regrette, Monsieur, tout est retenu pour la soirée au restaurant du Panoramic.

« Six mois, et on le prenait déjà pour un touriste », songea Barton.

— J'appartiens à l'équipe de Wyndom Leroux. Pas de message pour moi ? Je dois dîner avec lui.

Elle feuilleta avec soin les paperasses sur son comptoir.

— Il n'a retenu que pour 8 heures et je ne vois pas d'autre message. Puis-je vous...

— Merci, coupa-t-il, tournant les talons.

Autant aller déposer sa valise dans les bureaux, faire un brin de toilette et monter au bar du Panoramic. Il était presque parvenu à l'ascenseur lorsqu'il remarqua Dan Garfunkel, le chef des services de sécurité, qui parlait à un jeune garde. Garfunkel était un homme massif qui, après vingt ans dans la police, avait passé les dix années suivantes au cabinet de police privée Burns. En costume sombre, il arborait pour tout insigne de ses fonctions un émetteur-récepteur accroché à sa ceinture sur la hanche gauche. Mais tout en lui dénonçait le « flic ». Il s'exprimait sur un ton à la fois calme et sec, et faisait partie de ces rares individus capables d'engueuler quelqu'un dans un simple murmure. C'était d'ailleurs précisément ce qu'il faisait quand Barton s'approcha.

— Je sais que ce n'est pas ton tour, mais il me manque deux gars et tu es le dernier sur le tableau de service, donc à toi de jouer! Que ça te plaise ou non, il me faut un flic qui se résigne à faire des heures supplémentaires de nuit. N'oublie pas que, l'immeuble fermant à 6 heures, tu dois dès ce moment-là vérifier les cartes d'identification. Les réservations pour le restaurant du Panoramic, tu les expédies à Sue. En cas de difficultés, tu m'avertis par l'émetteur. Ne fais pas le mariole avec les gens, ici, tu relèves des relations publiques autant que de la sécurité. Et je ne veux pas qu'on se plaigne des mômes qui traînent dans le hall.

Impassible, le garde acquiesça et s'éloigna. Garfunkel dévisagea froidement Barton, cherchant à placer un nom sur ce visage qu'il connaissait, et d'un seul coup se le rappela :

— Un brave type qui a fait quatre ans dans la police militaire, expliqua-t-il. Mais personne n'a plus envie de travailler, ils cherchent tous à être indépendants. Quelques flocons de neige et les voilà malades. A moins que ce ne soit la bagnole qui n'a pas démarré ou la grand-mère inopinément débarquée de Dubuque!

— Combien de gens vous manque-t-il?

— Le tiers de l'équipe ne s'est pas présenté — chacun avec le même bon prétexte. Pour ma part, je vais être contraint de passer la soirée dans la salle de contrôle à épier avec Iates les écrans de télévision du circuit intérieur. Drôle de méthode pour veiller à la sécurité, surtout avec les innombrables vols à l'étalage, cambriolages et autres actes de vandalisme qu'on nous signale! Tenez, le mois dernier, on a même eu un viol! Je harcèle le patron pour qu'il fasse installer dans les escaliers des détecteurs à infrarouges qui permettraient de repérer les intrus, mais personne ne veut dépenser de l'argent!

— Comment marche la location à bail?

— Tout est pratiquement loué dans les étages commerciaux et ceux des boutiques. Du 50ᵉ au 64ᵉ étage, c'est encore à peu près désert et certains appartements sont encore inachevés. Ah! essayez donc de faire des rondes dans cette pagaille! En plus, il y a ce Quantrell et ses émissions télévisées. Il enquiquine vraiment le patron. Un tas de gens le regardent et s'affolent. A mon avis, Mr Leroux devrait poursuivre ce salaud en justice.

A San Francisco, Barton avait vaguement entendu parler des émissions de Quantrell, mais il ramena la conversation sur les étages résidentiels.

— Comment s'en tire Jernigan? interrogea-t-il.

Harry Jernigan était arrivé de chez Burns en même temps que Garfunkel. C'était un beau Noir d'une trentaine d'années, à la carrure athlétique. Il était l'adjoint du chef de la sécurité, particulièrement chargé des étages résidentiels. Barton qui l'avait rencontré une fois avait été frappé par sa dignité et sa distinction naturelle.

— Formidable, ce Harry! s'exclama Garfunkel en souriant. Au début, quelques-uns des locataires plus âgés l'appelaient « petit gars », mais ils se sont tenus à carreau quand ils ont appris qu'il était diplômé des Beaux-Arts. Beaucoup de femmes lui font les yeux doux, mais lui demeure imperturbable. Elles verdiraient de jalousie si elles savaient ce qui l'attend chez lui! Pourtant, il me fait pitié, car il a plus de parents à nourrir que la Shell n'a de puits de pétrole! C'est un gars bien, Mr Barton, et si je partais d'ici un jour... Enfin, dans l'avenir, les humbles hériteront du monde.

— Les temps changent, Dan. Il réussira.

— Vous et moi, on le pense peut-être, mais ce n'est pas l'opinion générale. Sinon, il aurait pu monnayer ses diplômes.

Le hall se vidait rapidement. Quelques personnes s'attardaient près du bureau des réservations. Des femmes de ménage, pour la plupart des Portoricaines, bavardaient en espagnol en attendant un ascenseur. Garfunkel partit pour ses rondes et Barton reprit sa mallette pour gagner les ascenseurs. Il salua une des femmes qu'il avait déjà vue lorsqu'il faisait des heures supplémentaires au moment de l'inauguration — une certaine Albina Obligado, à la chevelure grisonnante et à la mâchoire couronnée d'or. Elle incarnait si bien la Terre nourricière qu'elle en était réconfortante.

Un ascenseur se vida et les femmes de ménage s'y engouffrèrent, mais Albina s'effaça devant Barton. Lui faisant signe de passer devant, il appuya sur le bouton du dernier ascenseur de la file. A cet instant, un détail dans le revêtement de marbre de la colonne lui tira l'œil. Le ciment autour des dalles s'effritait. Du travail mal fini, grommela-t-il intérieurement. Mais fronçant les sourcils, il y regarda de plus près. En fait de marbre, c'était un synthétique en polyester. Barton ne l'avait pas encore remarqué parce que les synthétiques fournissent d'excellentes imitations, visuellement parlant. Seulement, il était certain que ce n'était pas le matériau commandé par les architectes responsables de l'aménagement intérieur. Il y avait quelque part dans la chaîne de construction quelqu'un qui s'était fait posséder, et d'autres qui s'étaient rempli les poches!

Un homme s'approcha et Barton le salua. C'était Ian Douglas, l'un des premiers locataires commerciaux, qu'il connaissait vaguement. Son associé et lui dirigeaient un atelier de décoration à l'étage situé au-dessous des bureaux directoriaux de la National Curtainwall. Douglas était un homme plutôt fort, toujours vêtu d'une façon un peu trop raffinée pour sa carrure. Sans doute amateur de natation dans son adolescence, il avait aujourd'hui tendance à s'amollir. Quarante-cinq ans environ. Son associé devait compter dix bonnes années de moins.

— Vilaine soirée, hein? observa l'architecte.

— Euh... oui, sinistre, marmonna l'autre qui avait sursauté.

Il était plutôt laconique et Barton songea que quelque chose devait le tracasser. Les affaires ne marchaient probablement pas et le décorateur revenait travailler après avoir dîné rapidement.

Les portes de l'ascenseur glissèrent sans bruit, livrant passage aux deux hommes qui s'introduisirent dans la cabine. Bouton du 18e pour Barton, du 17e pour Douglas. Les portes allaient se refermer lorsqu'un grand gaillard efflanqué, en uniforme fripé de portier, se rua vers eux.

— Attendez, les gars, je...

Du pied, Barton bloqua l'ouverture équipée d'un œil électronique. Les portes se rouvrirent et le nouvel arrivant se faufila dans l'appareil en souriant :

— Ah! merci beaucoup, Mr Barton!

— Pas de quoi, Krost.

Barton n'aimait pas Michael Krost, que l'on avait nommé inspecteur de l'entretien pour cinq étages commerciaux, dont ceux de la National Curtainwall. D'âge moyen, l'air maussade, une grosse tête sous une chevelure grise touffue, Krost avait une allure furtive qui exaspérait Barton. Le bruit courait que c'était un ivrogne et on l'avait un jour surpris saoul à son poste. Leroux était intervenu pour qu'il conservât son emploi, sans doute en souvenir du passé. Krost venait en effet du Melton Building, où la National Curtainwall avait son siège avant d'émigrer dans la Tour de Verre.

— On est content de vous savoir à nouveau parmi nous, Mr Barton, reprit Krost. L'autre soir encore, je disais à Daisy que vous étiez sur la côte Ouest en train de leur montrer comment opèrent un grand architecte et son équipe de constructeurs. Ah! Mr Leroux doit vous tenir en haute estime pour vous avoir mis sur un projet comme celui-là!

Douglas recula au fond de la cabine pour fuir l'odeur

rance de bière mêlée de moisi qui flottait autour de Krost.

— Quel étage, Krost? questionna Barton avec indifférence.

— Le 20e, Monsieur, sourit l'autre, découvrant des dents jaunâtres. Il faut que j'aille secouer les femmes de ménage.

Au 17e, Douglas sortit, manifestement soulagé de s'éloigner de Krost. Quand ce fut le tour de l'architecte, Krost cria :

— Daisy et moi, on vous souhaite un bon week-end, Monsieur!

Les bureaux de la National Curtainwall occupaient tout l'étage ainsi qu'une partie des deux au-dessus. L'entrée débouchant sur les pièces réservées à la direction était située au fond et, en temps normal, on défilait devant trois secrétaires avant d'y parvenir. Ce soir, tout était désert. Barton secoua son chapeau avant de l'accrocher au portemanteau. Quelques lampes brillaient dans les services du Credit Union et dans divers autres bureaux. Après tout, se dit Barton, il avait encore une chance de tomber sur quelqu'un bien renseigné. Le personnel du Credit Union devait évidemment travailler à la comptabilité. La National Curtainwall employait près de cinq cents personnes uniquement dans ces locaux, beaucoup d'entre elles avaient dû retirer de l'argent, en liquide ou en bons de caisse pour le week-end prolongé.

Barton alluma dans son bureau personnel, posa sa mallette sur le parquet et s'approcha de la fenêtre pour contempler le crépuscule sur la ville que masquaient à demi la neige et les nuages. Oh! Jenny et lui coucheraient sûrement à l'hôtel cette nuit! Il se refuserait à tout prix à rouler jusqu'à Southport après le dîner. D'ailleurs, ce serait peut-être le bon moment pour discuter avec Jenny de ce qui n'allait pas entre eux depuis deux ans.

Barton desserra sa cravate et suspendit son veston dans le vestiaire attenant au bureau. Il se rendit ensuite dans le hall de l'étage. La section architecture était éclairée. Barton pénétra dans la première pièce après avoir frappé à la porte.

— Vous devriez être chez vous devant la télévision, Joe. Pourquoi ce zèle? s'enquit-il.

Joe Moore était l'un des rares à la N.C. avec qui il se sentît réellement à l'aise. De cinq ans son cadet, c'était un architecte plein d'allant dont le seul défaut — si c'en était un — était de préférer passer ses soirées au bowling et ses samedis après-midi au golf plutôt que de s'échiner pour la Curtainwall. Non qu'il manquât d'ambition, mais il avait de l'existence une certaine notion lucide sur laquelle il calquait une attitude que, au fond, Barton admirait.

Moore repoussa son siège pour se placer dans la lumière.

— La nouvelle folie de Leroux. Jetez un coup d'œil.

Regardant par-dessus l'épaule de son collègue, Barton aperçut une perspective en couleur d'une nouvelle tour.

— C'est pour Saint Louis. Le terrain a été acheté et défriché l'an dernier. On entreprendra les fondations dans un mois... Une fois commencés, les travaux devraient aller vite en dépit de la saison.

Barton se pencha sur la planche. C'était véritablement un building splendide qui ferait honneur à n'importe quelle ville. Mais brusquement, il sentit une rougeur s'étaler sur sa nuque.

— Vous savez, enchaîna lentement Moore, on trouve ces ressemblances dans les grands ensembles où tous les logements sont bâtis selon le même plan directeur. Seuls diffèrent la disposition extérieure et les détails... Les garages se trouvent sur la gauche et non sur la droite, etc. Pourquoi Saint Louis n'aurait-il pas sa Tour de Verre?

Ce sera bleu et non pas or, on installera l'ascenseur extérieur sur la face nord et l'on étudiera des modifications sur la façade...

— Les industriels vont se payer la tête de Leroux, railla Barton.

— Croyez-vous ? Calculez les économies réalisées, la rapidité de construction. On élimine pratiquement les dépenses d'architecture. Connaissant par avance la plupart des problèmes, on les résout avant qu'ils ne se posent. Leroux vendra un somptueux immeuble à un prix modéré et il réalisera une opération financière fructueuse, ne serait-ce qu'en temps épargné.

— C'est une blague ou quoi ?

— Cette perspective coûte en tout cas cinq mille dollars.

— Ce n'est pas un concepteur, mais un retoucheur qu'il faut à Leroux, fulmina Barton. Il sait que je ne marcherai pas !

— Il pense peut-être réussir à vous amadouer.

— Sur un truc de ce genre ? Allons, Joe, fit-il en s'asseyant sur le fauteuil le plus proche, qui est l'architecte en chef ?

Silence. Moore considéra la perspective et leva la tête :

— Je n'ai pas pu refuser parce que le boulot s'accompagnait d'une promotion et d'un solide paquet d'argent.

— Vous ne ferez plus de plans, mais seulement des calques, lança Barton, méprisant.

— J'ai vraiment besoin de cet argent si ça peut aider à guérir ma femme Beth, rétorqua Moore, impassible. Leroux a toujours été mécontent que je ne sois pas à sa botte. Il a vu là sa chance et il a agi en conséquence. Désormais, je lui appartiens — corps, âme et talent, et par tous les temps !

Rien à dire, pensa Barton. Moore devait jouer ses dernières cartes, il n'avait plus le choix.

— Comment va Jenny? interrogea Moore, piochant une cigarette.

— Bien. Arrivée hier, elle a couché chez les Leroux et fait des courses avec Thelma toute la journée. Nous devons nous retrouver pour dîner au Panoramic à 8 heures. Service commandé.

— Ça ne lui plaira pas!

— Oh! j'en entendrai sûrement parler! admit Barton en effleurant la perspective. Pourquoi le vieux veut-il me voir? Pour ça?

— Il y fera certainement allusion, mais ce n'est sans doute pas la vraie raison. Avez-vous vu ce journaliste nommé Quantrell à la télévision?

— Garfunkel m'a touché deux mots de son émission.

— Quantrell présente une série sur Leroux et la Tour de Verre. Et c'est très populaire.

— En quoi cela me concerne-t-il? s'étonna Barton. Je n'ai jamais rencontré cet homme et jamais vu son émission. Qu'est-ce que c'est que cette histoire?

— Moi, je ne sais que ce qu'on en raconte. Vous êtes très lié avec l'adjoint du chef de la brigade des pompiers, Mario Infantino, non? Et il est aussi chef de la circonscription? Vous avez assisté avec lui aux réunions de la commission établissant la réglementation contre les incendies? Vous appartenez au même régiment de l'armée de réserve?

— Et alors?

— Leroux est persuadé que c'est Infantino qui fournit à Quantrell des renseignements confidentiels sur la National Curtainwall.

— Je ne saisis toujours pas. Un, Mario ne ferait pas ça. Deux, où obtiendrait-il ses renseignements?

— A mon avis, c'est précisément la question que Leroux veut vous poser. C'est du moins le bruit qui court.

— Pour Beth, vous avez toute ma sympathie, Joe. Merci pour les ragots — et ne travaillez pas trop tard!

Il se leva et se dirigea vers les lavabos de la direction, faisant la sourde oreille aux appels de Moore. Il avait besoin de se rafraîchir à grands jets d'eau froide.

L'espace d'un moment, la pièce accapara son esprit. Un rêve de sybarite, ces toilettes, avec marbre de Florence, robinetterie dorée en forme de dauphins sur les lavabos et une paroi tout en glaces. Le genre de w.-c. que Douglas aurait aimé dessiner — en se le disant, Barton sourit de son préjugé.

Tout en remplissant le lavabo, il réfléchit à ce qu'il pourrait déclarer à Leroux. Lorsqu'il l'avait rencontré, il était premier architecte chez Wexler & Haines. La Tour de Verre avait été leur œuvre. Leroux lui avait été sympathique et l'avait favorablement impressionné par ses connaissances en matière d'architecture et de technique de construction. Il lui avait proposé d'entrer à la National Curtainwall comme vice-président. Barton avait accepté à l'époque même où il rompait avec Quinn Reynolds pour épouser Jenny, dont il s'était épris quelques mois auparavant.

Une erreur, il s'en apercevait maintenant. Pour eux deux, d'ailleurs. Il s'aspergea longuement le visage d'eau froide et commença à se détendre.

Il avait surtout été déçu de ne pas avoir eu l'occasion de surveiller les équipes chargées de la construction de la Tour de Verre. Au lieu de lui en confier la responsabilité, Leroux l'avait expédié à Boston pendant un an et demi, puis à San Francisco pour l'expertise préliminaire d'une construction prévue dans le quartier des docks, près de l'autoroute Embarcadero. Une fausse mission, non seulement en raison des problèmes légaux concernant les vices de constructions de San Andreas, précautions à prendre contre les secousses sismiques fréquentes dans la région, mais aussi de l'opposition croissante des autorités à l'égard des immeubles géants. Puis, il y avait deux jours de cela, Leroux l'avait rappelé alors qu'il s'apprêtait à se présenter devant la Commission d'Inspection. Il désirait le voir, avait-il précisé, dès que possible à propos de divers problèmes assez vagues. Cela ne lui ressemblait pas, et une note dans sa voix avait troublé Barton.

Celui-ci s'essuya les mains, renoua sa cravate devant la glace et s'examina non sans surprise. Les tempes qui grisonnaient, les joues qui s'empâtaient, les pattes d'oie au coin des yeux... A trente-huit ans, les parties de squash au club et les bains de vapeur ne parvenaient pas à effacer le double menton qui se dessinait ni à empêcher le corps de s'alourdir. Même Jenny — ou elle particulièrement! — s'était aperçue qu'il changeait.

Agé de soixante ans, Leroux, lui, en paraissait dix de moins. Il réussissait bien dans les affaires, il était fait pour cela. Il clamait qu'il s'était élevé à la force du poignet, mais il avait certainement fréquenté en réalité une bonne université. Du moins s'était-il fabriqué une légende selon laquelle il avait besogné dans les champs pétroliers de Louisiane, puis épousé Thelma et racheté l'entreprise de construction de son beau-père. Sous son emprise, cette petite société avait pris une extension considérable. Il avait créé une branche d'adjudications et ouvert la National Curtainwall en édifiant un petit immeuble à Raleigh après la guerre de Corée. Et voilà qu'il se préparait à... à quoi donc?

Et Barton lui-même, qu'est-ce qui l'attendait? Le problème était simple. Il voulait être son propre patron, il ne voulait pas qu'on lui volât ses constructions. Que faire pour y parvenir?

La colère l'envahit, mais il se maîtrisa et retourna dans son cabinet de travail. Six heures moins cinq

— trop tôt pour monter au Panoramic, pour essayer de trouver dans l'alcool le cran de prononcer des mots qu'il regretterait plus tard.

Il alluma le téléviseur placé au-dessus de la bibliothèque, s'assit dans son fauteuil pivotant et alluma un cigarillo. A 6 heures, on donnerait le bulletin d'informations. C'était l'occasion de regarder Quantrell et d'écouter ses récriminations.

2

Jeffrey Quantrell se pencha en avant :

— Hé! taxi, si vous ne pouvez rouler plus vite, déposez-moi devant les Tours au lieu d'aller jusqu'à l'entrée latérale. Je suis en retard!

— C'est à cause de la circulation occasionnée par les départs en vacances, Mr Quantrell. Beaucoup de gens sont sortis avant l'heure.

Quantrell se rejeta contre le dossier de la banquette, la tête et le cou enfouis dans le col de fourrure de son pardessus. Tout le monde n'avait pas la chance d'être reconnu par les chauffeurs de taxi! se dit-il. C'était un des avantages de passer à 18 heures et à 23 heures avec quelque chose à dire. La chaîne télévisée KYS vous gratifiait sinon d'une fortune, du moins de la notoriété.

Le taxi stoppa devant les Clairmont Towers dans un éclaboussement d'eau jaillie des flaques éparses. Aux guirlandes de houx décorant l'entrée des Tours s'accrochaient déjà des stalactites.

Quantrell frissonna, cala son chapeau sur ses oreilles et ouvrit la portière.

— Gardez tout! cria-t-il en jetant un billet au chauffeur.

Luttant contre les bourrasques, glissant sur la neige fondue, il courut vers l'entrée, poussa la porte à tambour et s'engouffra dans le bâtiment. Aussitôt, ses lunettes s'embuèrent sous l'effet de la chaleur.

— Sale nuit, hein, Mr Quantrell? remarqua Frank, le vieux marchand de journaux.

Quantrell s'empara du journal qu'il lui tendait en échange d'une pièce de monnaie et se précipita vers l'ascenseur. Tirant de sa poche un mouchoir, il essuya ses verres de lunettes et ne réussit qu'à les troubler davantage. La porte s'ouvrit au 30e étage, celui qu'occupaient les studios TV de la KYS tandis que les stations radio à modulation d'amplitude et à modulation de fréquence étaient installées à l'étage en dessous. Les Clairmont Towers se dressaient sur quarante étages et dans l'élégant penthouse du sommet résidait le vieux William Glade Clairmont, propriétaire milliardaire du building, des stations radio et TV, ainsi que d'une douzaine d'autres sociétés réparties dans l'État.

En sortant de la cabine, Quantrell emprunta le couloir jusqu'à la salle de rédaction sans se soucier de répondre aux saluts qui l'accueillirent. Il n'était pas d'humeur sociable, surtout à l'égard de confrères qui, il ne l'ignorait pas, ne le portaient pas dans leur cœur. Selon lui, d'ailleurs, la gentillesse n'aidait pas à grimper les échelons de la réussite.

La salle de rédaction ressemblait à toutes les autres,

sorte de ruche en folie, encombrée de tables, de machines à écrire crépitantes, de quelques écrans de contrôle encastrés dans le mur, face à des boxes réservés à certains grands reporters tels que Quantrell.

Celui-ci se débarrassa de son chapeau, le secoua, dénoua la ceinture de son pardessus qu'il suspendit à une patère et s'élança vers la salle vitrée où les télétypes débitaient leurs bandes d'informations. Le temps mis à part, les bandes n'annonçaient rien de capital, ce qui signifiait que Quantrell disposerait pour sa chronique d'un délai plus long. Cela l'enchanta, car il avait de quoi le remplir.

Il se versa une tasse de café tout en préparant mentalement le plan de son papier. Sandy entra avec le texte qu'il lui avait dicté par téléphone.

— Terminé! s'écria-t-elle. J'en remets une copie à Bridgeport?

— Sandy, aucun producteur n'a droit de censure sur mes émissions, dit-il calmement. Par conséquent, inutile de les leur soumettre avant l'heure.

Il considéra le visage soigneusement maquillé de la jeune femme en pensant qu'elle devait avoir un rendez-vous pour la soirée.

— Alors, on sort? insinua-t-il en douceur.

Elle se figea sur le seuil, le fixa avec ce mélange d'attirance et de répulsion que doit éprouver un oiseau face à un serpent.

— Oui, un nouveau flirt que je dois rejoindre après le bulletin de 11 heures, admit-elle à contrecœur.

Quantrell la jugeait sans séduction, mais elle s'était entichée de lui. Et il savait qu'elle s'en voulait de ne pas dominer ses sentiments. Mais elle avait pour lui trop d'importance pour qu'il pût se permettre de la laisser échapper.

— Dommage, Sandy. J'espérais qu'on croquerait

un morceau ensemble après l'émission... Enfin, si ça compte pour vous, ce rendez-vous, ne le décommandez pas. Je m'en voudrais de jouer les briseurs de cœurs!

Elle hésita une seconde et il épia, avec un intérêt clinique, la lutte qui se livrait en elle.

— Oh!... je pourrais sans doute... imaginer un prétexte... avoir la migraine ou n'importe quoi...

— Merci, Sandy, je vous en serais très reconnaissant, dit-il, aimable sans en faire trop.

Il se promit intérieurement de lui accorder désormais plus d'attention. Il lui fallait exercer un pouvoir sur ses assistantes. Sandy était l'une des meilleures et elle avait vent de tout ce qui se tramait dans la maison.

— Infantino n'a pas appelé?

— Non, vous attendiez un coup de fil? s'étonna-t-elle.

— Oui, ça ne fait rien...

Il relut vivement le texte de son émission, y ajouta des annotations et remit à Sandy une liasse de notes qu'il sortit de sa poche.

— Des encarts de dernière minute, expliqua-t-il. Voulez-vous me les mettre au propre? Il me faut le tout dans une demi-heure.

— Hé, il y en a long! protesta-t-elle en feuilletant les documents.

— Sandy, m'avez-vous jamais fait faux bond? murmura-t-il, gentil.

Au moment de tourner les talons, elle reprit :

— Mr Bridgeport vous cherche.

— Je m'en doute! marmonna-t-il.

Herb Bridgeport était chef des informations et producteur de l'émission. Ce presque obèse sans méchanceté vivait dans la hantise d'un froncement de sourcils du directeur de la station ou d'un éclat du maître des Towers.

Quantrell consulta sa montre — juste le temps de se

raser et de se maquiller avant d'avoir l'antenne. Extirpant d'un tiroir de son bureau un rasoir électrique, il gagna les toilettes. Tour en se rasant, il récapitula vivement les différents points de son papier, émettant parfois un grognement de satisfaction à l'idée d'une phrase-choc. C'était décidément pour lui le métier rêvé. Possédant un timbre à la fois sonore et profond, teinté d'ironie, il avait aussi l'art de repérer ceux qui savaient où déterrer les cadavres. Dans le cas de la Tour de Verre, c'était Will Shevelson, l'ancien chef de chantier que l'on avait saqué alors que le travail était aux deux tiers achevé et qui haïssait l'audace de Leroux. Et naturellement, il y avait aussi Infantino. Infantino était en quelque sorte le responsable de la brigade des pompiers. Il lui suffisait de se déboutonner devant les journalistes pour se retrouver au bas de l'échelle!

En se frottant le menton, Quantrell constata sans plaisir qu'il s'épaississait. On le filmait toujours pleine face, l'obligeant à observer un régime continuel pour conserver ses joues creuses et cette intensité qui rendaient son visage télégénique. Pour se maquiller, il ne lui fallait qu'une minute.

Quand ce fut terminé, il enfila une chemise propre, noua avec soin une cravate à grands ramages. Le style conservateur. Jeune sans forcer à l'image sur la jeunesse. C'était ce que les spectateurs aimaient et cela lui donnait un aspect très actuel. Il se coiffa vivement, en regrettant de ne pas disposer d'un séchoir et éteignit les tubes au-dessus des miroirs.

Encore dix minutes et il aurait l'antenne. En quittant les lavabos il faillit se heurter à Bridgeport.

— Ah! Jeff, j'ai à vous parler! haleta le gros homme.

— Plus tard, c'est presque l'heure de l'émission.

— Le Vieux est très ennuyé, insista Bridgeport, au bord des larmes.

— Je n'ai plus le temps. Voyons-nous après l'émission.

Fourrant la main dans sa poche, Quantrell s'aperçut qu'il avait oublié son briquet près du lavabo et retourna le chercher. Après avoir allumé une cigarette, il tripota son beau briquet en contemplant la flamme qui dansait.

Des flammes. Pivotant sur lui-même, il considéra par la fenêtre la Tour de Verre, flèche d'or contre le ciel bas. Il aligna la flamme sur la flèche du gratte-ciel. Un plus un — la plus simple des équations.

— Cinq minutes, Jeff! appela soudain la voix de Sandy devant la porte des toilettes.

Une fois encore, il contempla la flamme, puis la Tour de Verre.

— J'arrive! répondit-il enfin.

3

Mario Infantino était nerveux. Il n'était pas même sensible à l'odeur de minestrone et de rôti qui s'échappait de la cuisine. Encore douze minutes avant les informations de 18 heures, mais ce soir le grand coup serait frappé. Depuis deux semaines Quantrell mijotait quelque chose. Il ne s'était pas écoulé un jour sans qu'il eût téléphoné, bien que Mario insistât pour qu'il prît contact avec l'attaché aux relations publiques. Au début, Mario avait été content de bavarder avec lui sous l'œil des caméras. Toutefois, à la façon dont on avait présenté les choses à l'écran, il avait compris qu'il avait l'air de rechercher une quelconque publicité personnelle. Or la situation était déjà assez tendue dans le service.

Il sélectionna la Chaîne 4 sur le téléviseur et se rassit pour regarder la fin du film précédant les informations. Aussitôt, trois jeunes garçons surgirent en trombe :

— Dis, Papa, on peut regarder *Le Far West*, s'il te plaît ?

— Oh, Papa, la semaine dernière, tu avais promis qu'on pourrait voir *Hanrahan, détective privé !*

— Ah non, moi je préfère *Galactic Rover !*

Infantino soupira. A la caserne, il parlait souvent de ses fils comme de « la ménagerie », et il répétait volontiers à David Lencho, un bleu de sa compagnie, qu'il avait un mal fou à dompter ses fauves. Lencho rêvait de se marier et Infantino se plaisait à lui décrire les difficultés d'élever une famille. Il adorait ses fils, bien sûr. Mais certains soirs — aujourd'hui, par exemple — il les aurait volontiers envoyés au diable !

— Écoutez, les gosses, je voudrais regarder les informations. Alors, contentez-vous du poste de la salle de jeu au sous-sol.

— Oh ! c'est du noir et blanc !

Entendant l'aîné, Jerry, marmonner une réflexion à propos de Quantrell, Infantino lui étreignit brutalement le bras :

— Si tu t'exprimes encore en ces termes devant ta mère, je te tanne la peau des fesses !

L'enfant tiqua, un peu honteux, son père le lâcha.

— Doris ! appela-t-il, soudain très las.

Sa femme sortit de la cuisine, s'essuya les mains, écarta une mèche qui lui barrait le front.

— Emmène les enfants, j'aimerais écouter les informations, pria-t-il.

A son retour, la jeune femme proposa :

— Veux-tu un plateau pour ne pas changer de place? Les enfants iront eux-mêmes se servir pendant que nous dînerons tranquillement ici.

— Excellente idée! Je tiens à savoir ce que va débiter ce salaud.

— Il t'a encore téléphoné aujourd'hui? s'inquiéta-t-elle.

— Oui, mais je ne lui ai pas répondu.

— Ah! si seulement tu avais eu l'astuce de le fuir plus tôt!

— Oh! ne m'asticote pas, Doris! grogna-t-il. Tu sais bien que je le regrette autant que toi.

Elle lui pressa l'épaule d'un geste tendre, descendit au sous-sol prévenir ses fils que le repas était prêt et disposa les plateaux sur de petites tables. Infantino grignota ce qu'elle lui servit pendant que défilaient les titres du bulletin d'informations. Ensuite, Quantrell parut à l'écran, avec cet air grave et concentré qui charmait les téléspectateurs :

— Pour moi, il se fiche totalement du public! affirma Doris à mi-voix.

— Chut!

Quantrell démarra avec des séries de statistiques, illustrées par des graphiques projetés derrière lui. La population d'un building de moyenne importance un jour de semaine, la difficulté d'évacuer tant de gens par les escaliers en cas de sinistre, le risque d'utiliser les ascenseurs, les dangers d'incendie avec les matériaux modernes, et l'impossibilité où l'on se trouvait de contrôler ce qu'apportaient les occupants. Quelques clichés d'incendies survenus en Amérique du Sud et au Japon, ainsi qu'une séquence particulièrement saisissante d'un incendie dans un gratte-ciel de Sao Paulo, au Brésil. Suivit une pause publicitaire, et Quantrell demanda aux spectateurs de ne pas quitter l'écoute : il allait consacrer cinq minutes à un fait prouvant que si certains promoteurs n'étaient pas au-dessus de la loi, ils étaient cependant capables de la tourner.

— Tu n'as pas touché à ton assiette, Mario!

— Je n'ai pas faim.

— C'est exact, ce qu'il dit?

— Malheureusement, oui! Je paierais cher pour pouvoir démontrer le contraire!

Lorsque Quantrell réapparut sur l'écran, il se trouvait cette fois devant un gros plan de la Tour de Verre.

— On m'a accusé de m'attaquer au building que vous distinguez derrière moi, déclara-t-il. Les mêmes personnes répètent que les dizaines de gratte-ciel dominant la ville sont pratiquement des carcasses à l'épreuve du feu, mais bourrées de matières combustibles qui suffiraient à les faire flamber comme des boîtes d'allumettes. Ces gens ont raison — il existe des centaines de ces constructions. On peut évidemment adopter des mesures de protection efficaces. L'une d'elles est le système d'arrosage, généralement impopulaire auprès des locataires parce que inesthétique, auprès des constructeurs parce que coûteux. Certains promoteurs modernes ont néanmoins installé des dispositifs d'arrosage un peu partout, moyennant sans doute une réduction des primes d'assurances. Mais nos lois locales de construction n'exigent pas qu'un immeuble puisse être totalement inondé en cas de sinistre et tant qu'il en sera ainsi, la concurrence privera de cette protection la plupart des locataires des buildings géants.

« Le ministère de la Construction ne ferme cependant pas les yeux sur les risques d'incendie que courent les gratte-ciel et la réglementation contre l'incendie a d'autres exigences vis-à-vis des promoteurs. Il est vrai que l'adhésion à cette réglementation est souvent discutée entre l'entrepreneur local et l'inspecteur à la construction. Au fait, signalons que ces inspecteurs sont pour la majorité honnêtes et relativement mal payés. On pourrait donc aisément les imaginer succombant à la tentation. Pourtant, l'édification de ces gratte-ciel qui barrent notre horizon implique d'énormes investissements financiers et les investisseurs ont, pour atteindre leur but, d'autres moyens que la corruption.

« Ainsi, sachez que d'après la réglementation de la ville, tous les immeubles d'une certaine hauteur ont des escaliers pressurisés destinés à éloigner la fumée et à ménager l'évacuation des occupants par l'intérieur. C'est une protection vitale, assez peu onéreuse. Écoutez ce que Mario Infantino dit à ce propos. Il est, souvenez-vous-en, le plus jeune et le mieux averti des commandants de pompiers de l'État, adjoint du colonel de la brigade. »

Infantino jura avec fureur et Doris voulut l'apaiser en posant sa main sur son épaule. Sur l'écran, l'image de Quantrell avait fait place à celle d'Infantino prise au cours d'une interview réalisée dans la rue quelques semaines auparavant.

— Naturellement, lança la voix d'Infantino, l'escalier pressurisé est un moyen direct pour emprisonner la fumée au cours d'un incendie dans un grand building. Il offre pour un prix minime une protection valable. En tant que dispositif de protection, il est certainement inférieur au système d'arrosage. Mais dans les bâtiments qui ne sont que *partiellement* protégés par l'arrosage, le type d'escalier pressurisé peut être plus important pour la sécurité de la majorité des occupants.

Le journaliste revint sur l'écran :

— Nos téléspectateurs apprendront peut-être avec stupeur que l'article de la réglementation exigeant un escalier pressurisé a été abrogé par le Conseil municipal peu après l'édification de la Tour de Verre, et bien après la délivrance des permis de construire cette tour. Coïncidence? Peut-être.

Derrière lui, on glissa un plan architectural d'une partie de la Tour de Verre. La date inscrite au bas était parfaitement lisible.

— Ces croquis remontant à la période où l'on envisageait la construction de la Tour de Verre attestent que le plan n'a jamais prévu un escalier pressurisé malgré la réglementation en vigueur à ce moment-là. Savait-on par avance que cette réglementation serait modifiée une fois le building achevé? Était-ce un vœu? Un simple espoir? Comme d'habitude, la direction de la National Curtainwall n'a rien à déclarer. Personne à l'Hôtel de Ville ne semble connaître la réponse. Nous avons essayé de joindre Mario Infantino, ce commandant de pompiers généralement si bien renseigné, mais nous n'avons pu le contacter, ce qui fait qu'il n'est pas en mesure de commenter l'affaire.

« Pourtant, quelqu'un savait, c'est incontestable. Et nous l'affirmons une fois de plus, les gros investisseurs ont leur propre loi qu'ils rédigent eux-mêmes. Bonsoir à tous et puisse Dieu veiller sur nous — sur ceux d'entre nous particulièrement qui habitent haut dans le ciel! »

Infantino se jeta sur le téléviseur et coupa la transmission.

— Salaud de journaliste à scandale! pesta-t-il. Ce n'était qu'un avertissement à mon intention — « ou tu joues le jeu où je te fais balancer comme les autres! » Ce n'était pas sa question, mais lui que je fuyais. Ce fumier a déformé mes propos!

— Il augmente le malaise entre le colonel Fuchs et toi, non?

— Il ne m'aide pas, en effet! Fuchs est persuadé

que je tente ma chance dans son dos. Que va-t-il s'imaginer après ce coup-là?

— Ne discute plus avec ce journaliste. Tout ce que tu pourrais dire se retournerait contre toi.

— Que je l'ouvre ou non, le résultat sera le même! grinça Infantino, exaspéré. J'ai été stupide, j'ai trop bavardé dans le passé. Si je la boucle maintenant, on croira que c'est sur ordre du service ou pire, que je me suis laissé acheter!

Les trois garçons firent bruyamment irruption dans le salon et se mirent à courir dans tous les sens.

— Ah! les gosses, du calme, j'ai d'autres soucis en tête! gronda leur père.

— C'est l'heure de vous coucher, intervint Doris.

— On ne va pas en classe, demain! s'exclama une voix plaintive après un silence consterné.

— C'est bon, retournez voir la télévision pendant une heure, mais à une condition — ne nous dérangez pas!

Ils repartirent avec fracas vers le sous-sol.

— Bon sang, je ne supporterai pas le silence! avoua Infantino en se carrant dans son fauteuil.

Après réflexion, sa femme vint s'asseoir sur ses genoux.

— Finalement, murmura-t-elle, la vaisselle peut attendre.

Il la serra dans ses bras musclés, heureux de sentir contre lui la tiédeur de son corps. La senteur du parfum dont elle usait lui montait aux narines. Il enfouit son visage contre la chevelure de la jeune femme, respira profondément et l'embrassa tout en la parcourant de ses mains caressantes.

— Les enfants, rappela paisiblement Doris.

— On a une heure de répit!

Elle éclata de rire quand il l'embrassa sur l'oreille,

puis sur les lèvres, avant de se lever en l'entraînant dans son mouvement. Légère et ardente, elle se pressa contre lui tandis qu'il l'emportait vers la chambre.

4

— C'est le type le plus égocentrique que j'aie jamais vu! affirma Rosette. Il se prend pour quelqu'un quand il est devant les caméras!

Harry Jernigan allait répondre lorsqu'une lampe rouge brilla sur le tableau derrière lui. Il décrocha le téléphone :

— Ici Jernigan, de la Sécurité... Non, Madame, répliqua-t-il après avoir écouté en grimaçant. Nous n'avons pas d'issue de secours à l'extérieur de l'immeuble. En cas d'urgence, restez chez vous en attendant nos instructions ou empruntez l'escalier de secours signalé au bout du couloir. N'utilisez surtout pas l'ascenseur. Oui, évidemment, quarante-sept étages, c'est beaucoup... Je vous en prie, Madame.

Quand il eut raccroché, Rosette, seins moulés par sa blouse, se pencha sur le comptoir.

— Apparemment, d'autres que nous ont regardé la télévision!

Tournant le bouton, Jernigan posa le récepteur portatif sur le sol près de lui. La soirée avait été calme et, pour la première fois, il avait pu suivre intégralement l'émission de Quantrell.

— Tout le monde regardait, soyez-en sûre! C'était Mrs Klinger, du 4710. Elle voulait savoir pourquoi nous n'avons pas d'issue de secours en cas d'incendie... Ah! Rosie, plus ils sont riches, moins ils ont de cervelle!

— Et vous, Harry, qu'en pensez-vous? fit la jeune femme avec une note d'inquiétude dans la voix.

— Que c'est un salaud, vous l'avez dit! riposta Jernigan, que les critiques sur la Tour de Verre irritaient comme s'il en était le propriétaire. Pourquoi diable s'en prend-il à nous? Il y a dans la ville des dizaines, des centaines de buildings qui deviendraient des pièges en cas d'incendie et ce type ne cesse de s'attaquer au nôtre! Pour moi, c'est un règlement de comptes quelconque!

— Mais il y a des points sur lesquels vous le croyez? insista Rosette, sagace.

Mains nouées derrière la tête, Jernigan se carra dans son fauteuil.

— Oui et non, reconnut-il. Sur certains faits, il a des idées sommaires. Tenez, dans certains coins du bâtiment, je ne me hasarderais pour rien au monde à allumer une cigarette!

— Avez-vous visité certains des appartements meublés? Une allumette là-dedans et ça flamberait comme une torche. Ce qui m'intéresse, c'est la façon de me tirer de là si ça se produit.

— Comme moi, Rosie — à pied! Voyons, ne vous tracassez plus.

Mrs Klinger n'avait pas été la première à lui téléphoner pour s'enquérir du plan d'évacuation. Chaque fois que Quantrell passait à l'antenne, Jernigan recevait deux ou trois appels de locataires inquiets.

— Comment va Marnie? questionna Rosette.

— Vous n'avez rien de mieux à faire qu'à jacasser?

— C'est veille de fête et je ne suis pas de service. J'ai le temps de vous demander des nouvelles de Marnie.

— Elle va bien, et contrairement à certaines, elle travaille!

— Leroy vous surnomme toujours le nègre de la Tour?

Jernigan pinça les lèvres. Leroy était son frère cadet. Après avoir abandonné ses études, il s'était joint à un groupe d'extrémistes et se plaisait à traîner autour du Black Knights Bar, à quelques dizaines de mètres de la maison, imaginant ce qu'il ferait aux Blancs le jour où éclaterait la révolution. Il maudissait à ce point les Blancs qu'il refusait l'allocation-chômage aussi bien qu'un emploi.

— Il n'a pas changé, hélas!

— Que deviennent Melvin et sa femme?

Melvin, l'aîné de Leroy, dont il n'avait pas la violence, était un raté qui ne restait jamais longtemps dans une place. Il avait cessé d'émarger au chômage lorsque, trois mois plus tôt, sa femme avait trouvé un poste de secrétaire.

— Melvin est chez moi, comme d'habitude, trancha brièvement Jernigan. Tiens, vous avez oublié de m'interroger sur Jimmie!

— Il vous méprise d'avoir tant de cran...

— Et il n'accepterait pas, pour tout l'or du monde, de vivre avec moi si j'étais son seul parent vivant! Une chance pour moi!

Au bruissement des portes d'un ascenseur, Jernigan tourna un visage au masque impassible. Pour des raisons de sécurité entre autres, le hall résidentiel était un lieu de transition entre les étages d'habitation et les commerciaux. Pour se rendre aux appartements situés au-dessus du 30e étage, il fallait le traverser pour emprunter d'autres ascenseurs. Jernigan était précisément chargé de filtrer les visiteurs.

— Ah! Miss Mueller, sourit-il avant de redevenir

grave pour ajouter : — Bonsoir, Monsieur Claiborne.

De tous les locataires, Miss Lisa Mueller était celle qu'il préférait. Forte, le teint rose, cette institutrice en retraite paraissait dix ans de moins que ses soixante ans.

— Vous êtes sortie par ce temps ?

— Voyons, c'est un temps favorable ! s'écria la vieille dame avec ironie. Même si Harlee ne partage pas mon opinion !

Très mince, Claiborne devait avoir cinq ans de moins que Lisa, mais il faisait davantage avec sa moustache blanche et son élégance de mannequin de cire. En le regardant, Jernigan retint un sourire — pour l'heure, l'homme était trempé et de mauvaise humeur bien qu'il s'efforçât de faire bonne figure.

— Encore quelques promenades de ce genre et c'est à l'hôpital que j'irai vous rendre visite, Lisolette !

— Allons, la marche est excellente pour votre santé... Et vous, Rosie, pas de service, ce soir ?

— Non, Mademoiselle, répondit Rosie, aimable. Mr Harris m'ayant autorisée à partir à 7 heures, je bavardais un instant avec Harry avant de filer.

— Les Harris ne sortent pas ce soir ?

— Oh ! Une fois rentré du bureau, Mr Harris n'a généralement pas envie de mettre le nez dehors !

— Je voulais passer voir Sharon. J'ai des billets pour les Ballets de Leningrad. Ça lui plaira, non ?

Jernigan ressentit une certaine gêne. Comme toutes les femmes âgées sans famille, Lisa était très seule et elle avait pris en affection la petite Sharon Harris. L'adolescente avait le même enthousiasme culturel que sa vieille amie, mais ses parents ne cachaient pas leur désapprobation. Captant le regard de Rosie, Jernigan devina qu'elle était au courant de la situation.

— Sharon sera sûrement ravie, déclara-t-il, songeant

que les parents s'opposeraient à coup sûr au projet de Lisa.

— Au fait, les Albrecht sont-ils là? s'enquit Lisa.

— Je le crois, mais je ne peux pas sonner chez eux, ils ne m'entendraient pas.

— Être ainsi sourds et muets, c'est atroce! s'interposa Rosie.

— Le plus terrible, c'est qu'ils ne peuvent entendre leurs trois enfants ni leur parler, renchérit Jernigan.

— Ah si, ils correspondent par signes! protesta Lisa. Et puis une famille qui s'aime n'a pas grand-chose à se dire. Il lui suffit de se comprendre... Zut, je ne me doutais pas de l'heure, ajouta-t-elle, consultant sa montre. Mon chat Schiller sera furieux de dîner si tard! Bonne soirée, Rosie. A 9 heures, Harlee? Avez-vous retenu une table au restaurant du Panoramic?

— Naturellement, ma chère.

Lisolette Mueller était déjà dans l'ascenseur, laissant à sa suite une senteur de lilas.

— Quelle femme extraordinaire! murmura Claiborne.

— C'est vrai... approuva Jernigan.

Mais il éprouvait à l'égard de l'homme des sentiments mitigés et regrettait qu'il fût si lié avec Lisa. A leur âge, pouvait-on considérer ces relations comme un flirt?... Pourquoi pas, après tout? Et Rosie qui s'attardait, jetant à Claiborne des regards en coin! Celle-là savait quelque chose qu'elle mourait d'envie de confier à Jernigan quand il serait seul.

— Miss Mueller est originaire de Saint Louis, n'est-ce pas? Institutrice en retraite? observa Claiborne.

— Elle ne vous l'a pas dit? répliqua prudemment Jernigan.

— Ce doit être difficile pour une femme de cet âge de joindre les deux bouts. Avec l'inflation, les retraites ne pèsent plus lourd... A moins qu'elle n'ait fait un héritage... Tiens, je m'en souviens tout d'un coup, elle a fait allusion devant moi à une affaire de famille, une brasserie qui a été absorbée par une grosse société, je crois.

— Je l'ignore, trancha froidement Jernigan. La vie des locataires leur est personnelle, je n'ai pas à les questionner à ce sujet.

Claiborne réalisa avec quelque retard qu'il avait poussé trop loin.

— Comme vous avez raison! assura-t-il en s'éloignant vers l'ascenseur. Mais c'est une femme si sympathique!

— Aucun doute là-dessus! marmonna Rosie dès qu'il fut loin. C'est surtout son argent qu'il apprécie! Ce mauvais payeur règle systématiquement son loyer avec deux mois de retard. Un vrai gigolo, celui-là.

— Tiens, on a encore fouiné, Rosie? reprocha Jernigan.

— Harry, qu'est-ce qu'un type qui possède trois chemises, un costume et un bureau tout poussiéreux? Un jour, sa femme de ménage, qui est une de mes amies, s'est introduite en douce chez lui parce que le capitaine Harriman redoutait de le voir déménager à la cloche de bois.

Jernigan approuva d'un signe de tête. Harriman remplissait bien son rôle de directeur. D'ici peu, Claiborne recevrait son congé — il aurait huit jours pour payer ou il serait chassé. Lisa en serait peinée, mais ce serait probablement pour elle la meilleure solution.

5

Dès sa prise de service, la nuit avait mal commencé pour Michael Krost. Il enfilait son uniforme dans le vestiaire du personnel de l'entretien lorsque l'inspecteur de nuit, Malcolm Donaldson, fit irruption et repéra le sac en papier brun que Krost n'avait pas eu le temps de cacher.

— Qu'est-ce que c'est, Krost? Montrez-moi ça... Allons, ouvrez ce paquet ou je m'en charge.

A contrecœur Krost ouvrit le sac sous l'œil encore serein de son chef.

— Hé! du 4 étoiles! Vos goûts s'améliorent, à moins qu'on ne vous ait augmenté à mon insu, ce que vous n'auriez foutrement pas mérité!

— C'était un cadeau que je voulais rapporter à Daisy! protesta l'autre, maussade.

La couronne de cheveux blancs frissonna comme électrisée sur le crâne de Donaldson.

— Une petite surprise pour sa petite femme! ricana-t-il, sarcastique. Ce ne serait pas plutôt un cadeau que vous vous seriez offert à vous-même entre 10 heures et minuit? Dites-moi, mon vieux, vous me prenez pour un con?

Fourrant la bouteille dans le sac, il le tendit à Krost qui l'empoigna d'un geste nerveux.

— Je voulais l'offrir, je vous le jure. Vous savez que je ne...

— Que vous ne buvez jamais pendant le service?

rugit Donaldson. C'est pourtant bien la seule chose que vous feriez sûrement! Mais vous avez une chance. Sortez, allez donner ça à un pauvre bougre méritant et j'oublierai l'incident. Sinon, je vous colle au rapport et cette fois, ça ne passera pas à l'as, croyez-moi!

Donaldson extirpa de son placard le flacon de potion que le médecin lui avait prescrit pour son ulcère, tandis que Krost l'observait du coin de l'œil. L'inspecteur n'était plus tout jeune, et s'il continuait à s'énerver de cette façon, il ne tarderait pas à partir à la retraite! Il suffisait de patienter.

Donaldson, qui s'était baissé pour renouer ses lacets de chaussures, haletait.

— Ne disparaissez pas comme d'habitude, Krost. Restez dans les parages pour le cas où j'aurais besoin de vous.

— Bien sûr, Monsieur. J'accourrai au premier appel.

Krost se défila en se promettant au contraire d'éviter Donaldson pendant le reste de la soirée. C'était facile puisque l'inspecteur vérifiait rarement la réserve d'Apex Printers au 25e étage. C'était là que Krost s'était plus d'une fois dissimulé quand il voulait piquer un somme ou rester seul.

Il emprunta un ascenseur qui montait. Quelques minutes plus tard, la bouteille était en sécurité, bouclée dans une des nombreuses cachettes dont Krost disposait à travers l'immeuble. De retour dans le hall, il acheta un journal du soir. Les femmes de ménage devaient désormais être à l'ouvrage. Il allait s'en assurer assez vite pour profiter ensuite à sa guise de son temps. Bref, la nuit ne s'annonçait pas trop pénible.

Ce fut à ce stade de ses réflexions qu'il se rua vers un ascenseur qui allait monter. Il y trouva Douglas, ce pédé de décorateur, ainsi que l'architecte Barton, un des cerveaux qui œuvraient pour Leroux. Il conversa un moment avec Barton — ça pouvait toujours servir — et sortit au 20e étage où il s'assura que les portes alignées dans le couloir étaient verrouillées. Les femmes de ménage avaient des clés, mais en cas de vol, on était couvert si l'on pouvait signaler que quelqu'un avait oublié de fermer sa porte. Il s'arrêta une minute pour parler à Albina Obligado qui passait le couloir nord à l'aspirateur. Cette petite femme au teint olivâtre ne comprenait pratiquement pas l'anglais, c'était peut-être la raison pour laquelle elle ne savait exactement où situer Krost dans l'échelle hiérarchique, sinon à un niveau élevé. Krost se souciait généralement peu des Porto-ricains, mais Albina était différente. Elle était respectueuse, elle baissait le nez en s'adressant à Krost et elle n'avait jamais été absente un seul jour depuis six mois qu'elle travaillait dans la Tour de Verre.

— Laissez Dolorès s'occuper du sud, c'est compris ? Dolorès là-bas, au sud, ordonna-t-il.

— Compris, Monsieur, balbutia Albina.

Krost reprit l'ascenseur jusqu'au 25e et s'assura que Donaldson ne flânait pas dans le corridor. Il pénétra alors dans le débarras d'Apex Printers, et referma la porte avant d'allumer.

La pièce de 3 mètres sur 4 environ était en partie occupée par un placard contenant des réserves de produits d'entretien. Elle comprenait en outre un vieux bureau et un fauteuil délabré, une boîte de papier d'impression, des bidons d'encres et de diluants, d'autres éléments de matériel d'imprimerie. Un des bidons avait été mal rebouché après avoir été utilisé. Attrapant un chiffon sous l'évier, Krost épongea le liquide répandu qui était noir et gras. Faisant la grimace, il calcula qu'il valait mieux charger Albina ou une autre de tout laver plus tard et jeta le chiffon dans un récipient métallique où s'entassaient d'autres vieux chiffons. Ça aussi, à nettoyer — l'inspecteur était tatillon à propos des dissolvants et de ce qui les concernait.

Après avoir inspecté le local d'un œil satisfait, Krost entrouvrit la porte, jeta un coup d'œil dans le couloir, puis la referma et, après l'avoir verrouillée à double tour, alla ouvrir le placard. L'étagère supérieure était garnie de rouleaux de papier hygiénique qu'il prenait soin de remplacer chaque fois qu'il le fallait afin qu'un employé d'Apex n'ait pas l'idée d'aller pêcher le dernier rouleau. Retirant délicatement les deux paquets de devant, il allongea le bras jusqu'au fond pour ramener un gobelet, une bouilloire électrique, un pot de café soluble et un flacon de lait en poudre. Par une soirée pareille, une tasse de café lui paraissait idéale. Il disposa le tout sur la tablette au plateau de porcelaine écaillée située près de l'évier, versa la valeur d'une tasse d'eau dans la bouilloire, qu'il brancha à une prise murale. En dévissant le pot de café, il s'aperçut qu'il avait oublié la cuiller. Retournant au placard, il tâtonna entre les rouleaux de papier et récupéra la cuiller — en heurtant une bouteille. Il se débattit un instant avec sa conscience, et perdit le combat. Avec ce temps pourri, un honnête homme avait besoin d'une petite goutte pour se réchauffer les entrailles.

Il ramena la cuiller et la bouteille qui contenait un liquide brun. Si Donaldson tombait là-dessus et avait l'idée de renifler le contenu malgré l'étiquette truquée du flacon, ce serait le renvoi — à moins qu'il n'en attribuât la propriété à un employé d'Apex. Un bon cognac, en tout cas, on ne pouvait pas s'y tromper. Krost l'avait raflé au bar de la Consolidated Distributors, au 25e étage. Débouchant la bouteille, il en lampa une bonne gorgée. Dieu, quel nectar! Il se lécha les lèvres et posa la bouteille près de la tasse. L'eau frissonnait déjà dans la bouilloire.

Il se frotta les mains, s'aperçut qu'elles restaient

maculées de la graisse qu'il avait essuyée et s'approcha de l'évier pour les laver. Il se savonnait avec vigueur quand le téléphone mural sonna.

— Krost, ici, répondit-il en ayant pris le temps de se sécher les doigts avant de décrocher.

— Que foutez-vous là-haut, Krost? grommela la voix de Donaldson. Vous étudiez un catalogue de graines potagères? J'ai perdu des heures à essayer de vous localiser!

— Je contrôlais les réserves, Apex m'avait chargé de le faire à l'occasion, Monsieur...

— Ah! si je m'en assurais...

— Qu'est-ce qui ne va pas, Mr Donaldson? coupa Krost, la voix contrite. Si vous avez une tâche à me confier...

— Oui, pour une fois, vous aurez du boulot. Descendez au 21e. On a appelé du pied-à-terre de Bigelow. Vous savez où c'est?

— Le petit appartement avec kitchenette à l'extrémité des bureaux?

Il s'en souvenait d'autant mieux que le bar était copieusement fourni!

— Le réfrigérateur est en panne et Bigelow reçoit un client.

— Quoi! réparer un réfrigérateur à cette heure-ci? marmonna Krost.

— Ne discutez pas, allez-y et faites le travail. Ensuite, venez me voir. Je veux savoir quelle pagaille vous comptez semer après!

— Entendu, Monsieur.

« Va te faire foutre, oui, tu ne me coinceras pas aussi facilement! », se dit-il en raccrochant. A la prochaine sonnerie du téléphone, il ne se donnerait pas la peine de répondre. Donaldson n'aurait qu'à le chercher et il ne connaissait pas tous les repaires possibles!

Se frottant les mains sur son pantalon, Krost abaissa l'interrupteur et referma la porte en se demandant qui Bigelow avait pu inviter à cette heure tardive.

***

Attisée par la brise légère du ventilateur, l'étincelle s'est fatiguée désormais. Elle scintille telle un ver luisant parmi les ombres de la nuit. Elle grignote lentement la mèche de coton qui tombe sous forme de cendres grises et fines pour se mêler à la poussière du sol. En progressant de quelques centimètres, elle atteint au-dessus la trame du tissu avec lequel la mèche a été tressée. Mais c'est trop pour elle qui, saturée, s'assombrit. Les fils du point de jonction noircissent, éloignant la chaleur. L'étincelle s'affaiblit et ne peut plus dépasser en brûlant le point de pression où s'unissent les deux fils de coton. Elle s'assombrit encore ! La bête se meurt avant même d'avoir eu une réelle chance de vivre.

Dans la pièce, la température a continué à baisser. Quelque part dans les profondeurs du mur, près du plafond, deux métaux à coefficients de dilatation différents se tordent en se mêlant, effleurant dans leur lutte un dispositif de nickel. Plusieurs étages en dessous, un bref éclair d'électricité signale le défaut d'un relais, et dans les entrailles de l'immeuble un ventilateur s'arrête lentement, par à-coups. Dans la partie supérieure de la pièce, l'air chaud se répand soudain par la grille du ventilateur. Le brusque déplacement d'air dans l'obscurité souffle sur la couche de cendres encore embrasées et l'oxygène renouvelé tourbillonne autour des étincelles mourantes. Grâce à une bouffée d'air, une flambée se produit, grimpe à l'assaut du point de jonction des deux fils qui, en une seconde, se séparent cependant que deux étincelles luisent dans la pénombre.

L'afflux d'air chaud émanant de la grille du ventilateur dans le plafond s'accroît, ranimant les étincelles.

La petite bête a maintenant deux bras.

6

Garfunkel songea avec ennui que le tableau de service où manquait la moitié des noms se lisait comme une grille de mots croisés. Il rassembla les check-lists que lui avaient remises Jernigan et le garde du hall principal, et parcourut rapidement les noms. Peu de gens travaillaient tard et la plupart des locataires s'étaient absentés pour le week-end. Lui-même aurait volontiers filé vers le sud pour passer ce congé chez sa sœur si de nombreux gardes n'avaient été absents.

Après un dernier coup d'œil sur le hall — la foule des dîneurs affluait à présent —, il gravit l'escalier jusqu'à la salle de contrôle. C'était un petit bureau où s'alignaient les signaux à infrarouges concernant la chaleur et la fumée, ainsi qu'une douzaine d'écrans de contrôle couvrant l'ensemble des parties accessibles du bâtiment — les salons, les halls, les garages, les cabines des caissiers de banques aussi bien que le dôme du Credit Union de la National Curtainwall et des lieux similaires. Habituellement, deux gardiens étaient chargés de surveiller les écrans et d'effectuer les rondes d'incendie, mais Sammy s'était lui aussi absenté pour la nuit.

— Tout est en ordre, Arnie?

Arnold Shea pivota dans son fauteuil :

— Tout va bien, chef.

Garfunkel consulta sa montre. Bientôt 7 heures. D'ici quelques minutes, le verrouillage électronique bloquerait les portes de l'escalier et tout l'immeuble serait bouclé. Après cela, s'il le désirait, Garfunkel pourrait rentrer chez lui. Arnie serait là pour veiller sur les caméras, observer les écrans. Jernigan contrôlerait les étages résidentiels et les trois autres hommes de service éparpillés dans le building suffiraient à couvrir le reste. Et ce serait foutrement agréable de se déchausser — Garfunkel était en effet devenu, physiquement et professionnellement, un pieds-plats.

— Ces trucs finissent par vous hypnotiser! fit Shea en bâillant. J'ai failli m'endormir une douzaine de fois! C'est tout de même mieux quand on a quelqu'un à qui parler.

Ce fumier avait décidément lu dans son esprit, maugréa intérieurement le chef de la sécurité. Tout se liguait pour l'empêcher de rentrer se mettre les doigts de pied en éventail dans l'intimité de son logis. Il n'était pas sûr que Shea tiendrait le coup jusqu'à la relève — en admettant que l'équipe de relève se présentât.

Garfunkel s'affala dans un fauteuil et relut la liste des locataires en la comparant avec celle des réservations pour le restaurant du Panoramic. Nombre d'entre eux dînaient là-haut, et, parmi eux, Lisolette Mueller et Harlee Claiborne — tiens, ce mauvais payeur! Mais il ne pouvait pas les en blâmer. C'était bien agréable de sortir dîner la veille du Thanksgiving Day, mais par ce temps de chien, cela perdait de son charme.

— Hé! s'exclama Shea, soudain tendu.

— Que se passe-t-il? bondit Garfunkel en se penchant sur son épaule.

Mais Shea avait repris sa place, tout en paraissant mal à l'aise.

— Sur l'écran du hall... j'ai cru voir quelqu'un traverser le couloir du fond. Une silhouette au coin de mon œil...

Ils scrutèrent ensemble l'écran pour n'y distinguer que des touristes, Sue et le garde.

— Une vision, sans doute, railla Shea. Ou encore un fantôme!

Peut-être, songea Garfunkel. En tout cas, pour lui, pas question de rentrer. D'abord, le personnel était trop peu nombreux. Ensuite... Avec les émissions de Quantrell, un dingue serait bien capable de profiter de cette veille de fête pour essayer de faire flamber le gratte-ciel.

7

Le hall de la Tour de Verre était plus peuplé que ne l'avait prévu Jésus. Un instant, il demeura figé à l'intérieur, s'imprégnant de chaleur tout en s'ébrouant pour se débarrasser des gouttes de pluie. Un temps affreux, dehors, certainement pas fait pour sortir en jeans et blouson léger. Mais la semaine précédente Jésus avait vendu sa veste de cuir ainsi que la montre héritée de son père et le téléviseur couleur en prétendant à sa mère que quelqu'un l'avait dérobé.

Des tremblements le secouèrent, la sueur inonda son front. Les crampes et les vomissements suivraient — et le hall n'était pas l'endroit rêvé pour ce genre d'incidents. Si Jésus s'y attardait, le garde aurait tôt fait de le repérer dans ce public de femmes en manteaux de fourrure et d'hommes élégants. Il y avait bien des gosses avec leurs parents, mais aucun de l'âge de Jésus. Après 6 heures, seuls étaient admis ici ceux qui travaillaient dans l'immeuble et les dîneurs du Panoramic — un restaurant trop onéreux pour des jeunes!

Debout près du bureau des réservations, le garde ne prêtait pas attention à ceux qui franchissaient l'entrée et Jésus se détendit quelque peu. Avec un minimum de chance, il pouvait y arriver. Ce ne serait pas la première fois. Dans le fond du hall, près de la Surety National, la caméra qui balayait lentement la foule allait se braquer sur lui. Planté sur le seuil, il était trop voyant. Il avança de quelques pas pour se mêler aux autres et, peu à peu, se rapprocha de la porte débouchant sur l'escalier. Il fallait avant tout atteindre le premier étage car, dès 7 heures, le verrouillage électronique interdirait l'accès à tous ceux qui emprunteraient l'escalier. Et il ne lui restait plus que quelques minutes.

Dans le hall, les gens s'agglutinèrent près de la réservation et le garde les fit aligner. La caméra fouillait maintenant l'autre angle, et Jésus contourna vivement la foule. Six mètres à parcourir jusqu'à la porte. Le garde s'efforçait toujours de maintenir l'ordre et l'œil de la caméra revenait sur Jésus. Prenant ses risques, le garçon s'envola vers la porte. Le garde était trop affairé pour l'avoir repéré, mais Jésus n'était pas aussi certain d'avoir échappé à la caméra.

Il se faufila par la porte métallique entrebâillée et se retrouva dans l'escalier de béton. Adossé au mur, il leva la tête vers les marches nues. Un hoquet lui retourna l'estomac, le goût amer de la bile lui remonta dans la gorge. Non, ne pas être malade maintenant, ce n'était pas le moment! Il lutta en serrant les dents, la sueur lui ruissela sur la figure. Quand les crampes commenceraient, il ne serait plus maître de lui-même. Incapable de les prévoir, il savait cependant qu'elles ne tarderaient plus à le tarauder. Il lui fallait rejoindre sa mère, obtenir l'argent et rattraper son contact *avant les crampes.*

Mais ses genoux fléchissaient, c'était le début. Il plaqua sa main juste à temps sur sa bouche et s'essuya avec sa manche. Ce salaud de Spinner, son contact! Le rendez-vous passé, il ne patienterait pas dix minutes dans la ruelle. C'était lui, le salopard qui l'avait mis à sec le mois dernier, mais il n'attendrait pas une minute de plus même s'il y gagnait un billet de mille. Il avait été pincé deux fois pour trafic de drogue et la brigade des stupéfiants l'avait averti qu'à la prochaine incartade, elle le bouclerait faute d'avoir pu le liquider avant.

« Ma mère! » gémit intérieurement Jésus soudain paniqué. Elle évoluait du 17e au 20e étage, mais où démarrait-elle? Et combien de temps sa tâche la retenait-elle à chaque étage? Seule solution : visiter tous les étages pour l'intercepter et tenter de lui emprunter vingt dollars. En tout cas, elle portait son portefeuille sur elle — les femmes de ménage ne laissaient rien dans leurs placards. Avec vingt dollars, Jésus en aurait assez pour ce soir. Demain, il ferait jour. D'ailleurs, demain, c'était dans un siècle!

Jésus grimpa péniblement les marches jusqu'au palier, s'arrêta pour réprimer une nouvelle envie de vomir, poursuivit jusqu'au premier étage et franchit la porte. Au même instant, un bourdonnement signala que le verrouillage automatique s'était effectué. Une seconde de plus et il était coincé, sans argent. Il n'aurait plus eu d'autre possibilité que de restituer tripes et boyaux dans une ruelle ou à subir ces horribles crampes jusqu'à ce qu'il ait atteint son infect grabat chez lui ou chez Maria.

Il fonça vers l'ascenseur et dans la cabine, appuya sur le bouton du 17e. « O Vierge Marie, faites que ma mère soit là! », sanglota-t-il. Il n'aurait plus la force ni le loisir de chercher ailleurs et Spinner, cette ordure, n'attendrait pas!

Au 17e, il se faufila dans le corridor, dépassa plusieurs vitrines nues et obscures. Plus loin, au-delà d'une courbe, il remarqua une porte vitrée portant une enseigne vaguement éclairée *Décoration d'Intérieurs, Ian Douglas et Larry Uhlman.* Les deux pédés. Douglas, c'était le plus âgé, un gros type au large poitrail. Uhlman était plus jeune et plus mince. Jésus les avait croisés un jour où il était venu voir sa mère en dehors des heures d'ouverture. Les deux hommes n'avaient pas été particulièrement aimables, mais une lueur avait brillé dans l'œil du plus vieux. Des décorateurs... Ça vendait des drôles de trucs, des objets de prix que les gens riches se payaient pour leurs maisons. L'oreille collée à la porte, Jésus hésita. Aucun bruit, aucun éclairage dans la salle d'exposition — personne certainement n'y travaillait à cette heure-ci.

Il arpenta tranquillement le couloir. C'était allumé dans les bureaux de la National Curtainwall, qu'il connaissait pour y avoir pénétré un jour où sa mère y faisait le ménage. Seules les pièces du fond étaient toutefois éclairées, la section du Credit Union qui servait de banque à de nombreux employés. Peut-être y avait-il ce soir, veille de fête, beaucoup d'argent dans les coffres. Si seulement Jésus avait eu une arme... Mais il rejeta cette idée. Il était trop minable pour ça, les armes lui flanquaient la frousse. Adolescent, il avait participé à des bagarres opposant des bandes armées de chaînes et de couteaux. Mais un soir, un gars avait surgi avec un pistolet, un de ses copains avait été tué et Jésus lui-même touché au flanc, avait saigné comme un porc pendant des heures. Sa mère s'était arrangée pour le faire recoudre par un médecin portoricain discret. Fort de cette expérience, Jésus avait fui les bandes, craignant de ne pas avoir autant de chance une autre fois.

La panique l'étreignit à nouveau. Dans ce couloir, il n'y avait pas trace de femme de ménage. Les cendriers éparpillés çà et là étaient pleins de mégots et l'obscurité régnait dans les bureaux du fond. Un autre couloir peut-être... Jésus s'élança en courant — et constata qu'effectivement personne ne s'occupait du nettoyage à cet étage. Bon Dieu, que faire? Sous son teint olivâtre, il blêmit. Sa mère était peut-être malade. Ou, trop brutalement rossée par Martinez, son nouveau mari, elle n'avait peut-être pas pu venir travailler. Ah! un jour, Jésus le piquerait au couteau, cet immonde salaud...

Non, sa mère devait s'occuper d'un autre étage. Il repartit vers les ascenseurs et s'immobilisa devant le magasin de décoration. L'arrière-boutique était éclairée et la porte s'entrebâilla facilement sous la pression de Jésus. A l'intérieur, personne apparemment, mais un léger bruit, comme celui d'une machine à calculer. Quelqu'un, oui, mais qui était absorbé. Ça valait la peine de tenter le coup. Le battant refermé derrière lui, Jésus s'immobilisa dans le noir, attendit et promena son regard alentour. Sans rien apercevoir d'intéressant. Il s'approcha d'un bureau placé contre le mur, en ouvrit sans bruit les tiroirs. Rien que du papier, des enveloppes, des factures, quelques piécettes, des timbres, un rouleau de ruban adhésif et des trombones.

De la merde, quoi. Dans un angle, des pièces de tissus et des meubles d'aspect fragile qui n'auraient pas résisté longtemps chez Jésus.

Alors, sur le mur d'en face, dans l'ombre, il discerna une rangée d'étagères en verre. Craquant une allumette, il en haussa la flamme jusqu'aux objets exposés. Sur une plaque de verre teinté s'alignaient des statuettes probablement en ivoire. Il en fourra quelques-unes dans sa poche — Spinner lui accorderait peut-être un dollar de crédit par pièce. Soudain, à côté, Jésus vit une pendulette ancienne, ornée de fresques colorées et encadrée d'or. Ça, du vingt dollars au moins, même Spinner s'en rendrait compte.

Il allait s'emparer de l'objet lorsque, brusquement, la lumière jaillit et une voix gronda :

— Qu'est-ce que vous foutez là ?

Jésus fit un bond en arrière, bousculant l'étagère aux ivoires qui se fracassa sur la moquette.

— Petit con, mes *netsuké !*

L'homme s'élança à la suite du garçon qui gagna la porte sans lâcher son butin. Mais le gros Douglas y parvint le premier. Réalisant soudain que son adversaire était aussi gigantesque que massif, Jésus recula, pivota, éparpillant d'un coup de pied les statuettes d'ivoire.

Douglas s'agenouilla en criant pour essayer de réunir les ivoires qui avaient rebondi sur la moquette. Jésus en profita pour se ruer sur la porte, mais une main l'empoigna par la cheville. Il dégringola, lâcha la pendulette qui se brisa, roula sur lui-même tel un chat, essaya de se remettre à quatre pattes et s'écrasa contre le mur. Aussitôt, l'homme fut sur lui, l'agrippa par les épaules, enfonçant profondément ses doigts. Jésus voulut glisser sa main dans sa poche, mais l'autre, plus rapide, le harponna au passage, l'obligeant à lâcher le canif qui tomba sur le parquet.

— Sale petit voyou!

Douglas remit Jésus sur ses pieds tout en lui bloquant d'une main les bras en arrière. Au premier abord, il avait l'air mou, mais Jésus sentit contre sa hanche un ventre aux muscles durs, et les doigts qui lui enserraient les poignets étaient de fer.

— Vous me faites mal!

— Reste tranquille ou ce sera pire! grogna l'homme furieux.

— Serrez moins fort, je ne peux pas filer!

— Comment t'appelles-tu? interrogea Douglas qui relâcha son étreinte.

— Jésus Obligado, répondit le garçon en examinant les lieux d'un regard vif.

— Ah! n'essaie pas de déguerpir! Tu n'es qu'un sale petit voleur, je pourrais te tuer et la loi serait pour moi!

Jésus s'appuya contre le mur pour se masser les poignets. Mensonge, se dit-il. L'homme pouvait lui faire mal, mais sûrement pas le tuer, ce n'était pas son genre. Jésus se décontracta. Le décorateur allait sans doute appeler la police... Mais Jésus pourrait prétendre qu'il cherchait sa mère, croyant qu'elle faisait le ménage dans la boutique... Non, une idée plus fantastique lui traversa l'esprit. Et il se mit à rire.

— Qu'est-ce qui t'amuse?

— Vous comptez appeler les flics?... Allez-y, je leur dirai que vous m'avez invité chez vous pour me sauter...

L'homme le saisit par l'oreille et manqua de le jeter à terre, brutalement.

— Tu as mal choisi ton État pour ce truc, persifla-t-il. Tu es trop vieux. Ici, la sodomie n'est pas un crime, mais une affaire de chantage... Que cherches-tu? Que veux-tu? questionna-t-il, scrutant le garçon.

— De l'argent, qu'est-ce que vous croyez?

— Pour quoi faire?

Jésus retroussa ses manches et découvrit son bras aux veines saillantes.

— Regardez bien, mon vieux. Vous n'avez encore jamais vu ces piqûres?

Un éclair flamba dans le regard de Douglas.

— Bon Dieu, môme, tu te condamnes à mort!

Une colère envahit Jésus, contre la ville, contre sa mère qui n'était pas là où elle aurait dû être, contre le gros bonhomme.

— D'après vous, je devrais aller à l'hôpital, alors? La liste d'attente s'étend sur six semaines là-bas! Et moi, que devrais-je faire? cria-t-il, la voix aiguë. Aller me désintoxiquer dans mon sale petit appartement? Ma mère n'est même pas au courant! Et son petit ami me chasserait à coups de botte dans le cul!

La sueur lui baigna le corps, il allait encore être malade. Un tremblement le parcourut, ses dents se mirent à s'entrechoquer.

— Écoutez, mec, vous me connaissez et je vous connais aussi. Il me faut vingt dollars... bafouilla-t-il en s'arquant contre le mur, ventre en avant. Pour vingt dollars, vous me voulez? Je sais y faire, ça m'est arrivé et je m'en fous. Il n'y a personne pour nous voir et ce n'est pas moi qui vous dénoncerai. Vingt dollars pour me posséder, Monsieur!

Sur les traits de l'homme passa une expression que Jésus ne sut pas déchiffrer.

— Qu'est-ce qui te fait croire que je veux de toi?

— Je vous connais, répéta simplement le garçon.

— Justement, je ne veux pas de toi, assura l'autre, calmement.

Il semblait réfléchir et Jésus se rendit compte qu'il avait abaissé sa garde. Il fonça, heurta de l'épaule le ventre de Douglas et fila vers la porte. Quand Douglas voulut le rejoindre, il était déjà dans le couloir, courant comme un fou. A l'angle, il s'immobilisa une seconde pour prêter l'oreille aux bruits — personne ne le pourchassait. Il se faufila jusqu'à l'ascenseur, grimpa. « Qu'il aille se faire foutre », ce gros lard, se dit-il, à nouveau secoué par une nausée.

Il trouva sa mère au 18e étage, près de l'escalier de

secours, traînant son seau à roulettes. Il ne l'avait pas vue depuis une semaine. Elle paraissait terriblement fatiguée. Et lui qui était si malade!

Surprise, elle dressa la tête en percevant des pas :

— Jésus! Mais que fais-tu ici? interrogea-t-elle en espagnol. Tu n'as pas le droit...

— Je t'en prie, parle anglais, je ne te comprends pas! répliqua-t-il en tremblant... J'ai besoin d'argent, Maman!

— Je n'en ai pas, affirma-t-elle en plongeant la serpillière dans le seau.

— Je ne voudrais pas te faire de mal, fit-il en balançant un coup de pied dans le seau. J'ai besoin d'argent.

Il ne savait plus où aller, vers qui se tourner.

— Je n'en ai pas, répéta-t-elle en s'écartant de lui

L'attrapant par les épaules, il la bouscula :

— Il m'en faut, vieille sorcière! Tout de suite!

8

— Je vais faire une ronde d'incendie, Arnie, annonça Garfunkel.

— Étant de service depuis 8 heures ce matin, ça vous fera une longue journée, chef, observa le garde, détournant un instant les yeux de ses écrans de contrôle.

Saisissant le bloc dont il se servait au cours de ses rondes, Garfunkel s'éloigna vers la porte :

— On manque de gars et si je rentrais chez moi, ce serait pour regarder la télévision — des histoires de gendarmes et de voleurs! Dans une heure, je serai de retour. En cas d'incident, prévenez-moi par l'émetteur.

La longue nuit qui s'annonçait ne l'ennuyait pas autant que l'idée d'un congé de quatre jours. Ellen et lui n'ayant pas eu d'enfant, il avait à la mort de sa femme attaché à sa tâche une importance accrue. Il ne se sentait vivant et nécessaire qu'à son poste, harcelé par les mille et un problèmes de chaque jour et s'intéressant à l'existence de ceux qui l'entouraient. La famille de Jernigan, par exemple, lui était plus proche que ce qui restait de la sienne propre — encore n'avait-il rencontré qu'une fois Marnie et pas du tout les autres.

Oui, se dit-il avec amertume, il était un homme solitaire.

Choisissant une lampe torche sur le râtelier, il examina rapidement le hall avant d'emprunter la Cage de Verre qui conduisait au Panoramic. Les dîneurs se pressaient autour de lui, poussant des exclamations de plaisir ou de peur tandis que la ville défilait au-dessous d'eux. Garfunkel étudia la scène d'un œil de professionnel — pour la centième fois, peut-être — et sortit au 65e étage dans le salon où la plupart de ses compagnons d'escalade firent la queue au vestiaire.

— Dînerez-vous ici ce soir, Dan? s'enquit Quinn Reynolds, l'hôtesse, qui s'était précipitée au-devant de lui.

— Non, merci, ce n'est pas dans mes moyens! sourit-il. Simple ronde d'incendie, Quinn. Vous allez faire le plein aujourd'hui.

— Oui, d'ailleurs, entre nous, nous en avons même plus qu'il n'en faut... Bon week-end, lança-t-elle en partant vers le restaurant.

Garfunkel s'engagea dans l'escalier pour grimper à

l'étage supérieur. Là, se situaient le penthouse inoccupé et la machinerie abritant les génératrices qui actionnaient les ascenseurs des étages résidentiels. Il promena sa lampe sur la salle, cherchant machinalement un détail insolite — caisses, colis, n'importe quel objet susceptible de recéler une bombe ou le matériel d'un pyromane.

Sans éclairer, il se planta ensuite dans le living-room désert du penthouse. Les yeux clos, il s'efforça de « sentir » l'immeuble. Dehors, ça soufflait fort, le gratte-ciel en frémissait. Sans compter les légères palpitations des moteurs et des appareillages électriques au-dessous, le vague murmure mécanique qui était celui de l'immeuble lui-même s'apprêtant pour la nuit.

Ouvrant les yeux, Garfunkel balaya de sa torche les pièces vides. Quelqu'un n'aurait eu aucune peine à monter dîner au Panoramic, puis à se faufiler discrètement à l'étage supérieur. Mais pour un incendiaire, toutes les sections de l'immeuble étaient vulnérables... Garfunkel redescendit les marches, entra un instant dans les cuisines où l'un des chefs lui offrit une cuisse de poulet, descendit sur le pont d'observation — une galerie circulaire vitrée au-dessous de laquelle la ville brillait de toutes ses lumières malgré la pluie et la neige. Le pont chevauchait une sorte de large douve également circulaire. De l'autre côté du mur intérieur, dissimulés aux yeux des touristes, de gigantesques réservoirs d'eau alimentaient les conduites, le système de climatisation et les zones d'arrosage. Garfunkel inspecta rapidement l'ensemble et descendit sur le pont de service situé en dessous. Là se trouvait une salle des machines, avec des génératrices, des moteurs, d'énormes ventilateurs dominés par le plafond où s'entrecroisaient divers tuyaux et entre des murs, sur lesquels s'alignaient des compteurs pour la pression de l'eau et celle de la vapeur, l'excès de fumée, le chauffage, les jauges d'aération, et d'autres encore. Le jour, des hommes travaillaient dans cette salle. La nuit, l'équipe de service allait toutes les heures vérifier les compteurs et les tableaux de contrôle disposés, eux, dans la machinerie du sous-sol.

De retour dans l'escalier de secours, Garfunkel eut à nouveau l'impression d'être enfermé dans une masse métallique. A l'abri dans leurs appartements, les locataires ne réalisaient jamais pleinement la présence de ce filet de poutres d'acier qui soutenaient leurs cocons douillets. Garfunkel arpenta les couloirs longeant les appartements inachevés des étages supérieurs, prenant au passage des notes sur son bloc. Des planches et des lames de contre-plaqué qui traînaient, des bidons de vernis et des seaux de peinture dont l'un était resté ouvert, des piles de dalles plastiques, des caisses éventrées à demi-pleines de fibres de bois... Ce désordre était peut-être dû aux vacances, ou alors les ouvriers s'en foutaient tout simplement.

A mesure que l'on descendait, les marches de l'escalier s'élargissaient et l'ensemble lui-même paraissait mieux fini, avec des tapis au sol, des corridors tapissés de papier, des portes d'appartements vernies à la place du contre-plaqué bouchant les ouvertures percées dans les murs de béton. Sur chaque porte, une petite plaque, que Garfunkel, s'approchant, déchiffra. Bizarre, c'était la première fois qu'il remarquait cette note : *Instructions en cas d'incendie*. Il n'y avait probablement pas un locataire sur dix qui eût pris connaissance de ce texte. Si un accident se produisait, on appliquerait comme d'habitude le dicton célèbre dans la Marine : « En cas de danger, en cas de doute, tournez en rond, criez et hurlez ! »

Dans la volée de marches qui menait à l'étage inférieur, un détail dans les conduits amenant l'eau attira l'œil du chef de la sécurité... Quelqu'un avait fendu sur une partie de la largeur un des tuyaux d'incendie. Des vandales, pesta Garfunkel, furieux. Cela arrivait souvent et c'était la raison majeure pour laquelle les pompiers s'obstinaient à traîner d'interminables longueurs de tuyaux tout au long des escaliers.

Sur le palier, Garfunkel franchit la porte et déboucha dans le hall résidentiel. Assis à son comptoir, Jernigan fixait un point situé en dessous — un film à la télévision sans doute, se dit son chef.

— Salut, Harry. Comment ça marche ?

Levant la tête, Jernigan sourit et coupa l'émission.

— Les inepties habituelles, Dan. Mais je préfère être ici plutôt que dehors !

— Rien à signaler ?

— Non, je l'aurais déjà fait ! Une nuit paisible... Dan, hésita-t-il, vous avez des projets pour demain ?

— Et comment ! Me déchausser, ouvrir une boîte de bière, me caler dans un fautieul pour regarder le match. Pourquoi ?

— Vous savez que Marnie a la manie de préparer toujours d'énormes marmites. Je ne m'en ressens pas pour déjeuner ensuite d'innombrables sandwiches de dinde sous prétexte qu'il faut liquider les restes. Si vous vouliez venir nous aider à finir...

Précisément ce que redoutait Garfunkel.

— C'est très gentil, Harry, mais je devais...

— Vous préférez la solitude... Voyons, Dan, cessez de vous morfondre, l'encouragea Jernigan.

— J'y réfléchirai, mais en tout cas, merci, Harry.

Jernigan lorgna les paperasses étalées devant lui.

— Il y aura la secrétaire qui est une collègue de Marnie. Une Blanche, dans les trente ans, veuve depuis un an. Marnie envisageait de l'inviter... Hé, ne croyez pas à un complot de marieurs ! Mais j'imagine que si vous deux venez partager notre table, Leroy se résignera à déménager.

— J'y penserai, Harry, affirma Garfunkel, cherchant en vain le regard de son ami. Vous êtes très sympathiques, Marnie et vous.

Devinant que cela équivalait à un refus, Jernigan rangea divers papiers sur son bureau et remit la télévision en marche. Sans lever la tête.

— Téléphonez-moi demain matin si vous êtes libre. Marnie aimerait vous recevoir.

Il fallut deux étages à Garfunkel pour se ressaisir. Comme la nature humaine était perverse, se dit-il. Sous quelle impulsion avait-il rejeté l'amitié qu'on lui offrait et qu'il souhaitait? Jernigan, lui, s'était contraint à formuler son invitation, pour subir un refus qui l'avait sûrement blessé. Garfunkel soupira — il ne pouvait pas aller chez Jernigan, ce serait s'imposer à ces gens qui l'avaient convié un peu par pitié et cette idée lui était intolérable... A moins qu'il ne fût un peu masochiste?

Au 28e étage, il fit une pause, brusquement alerté. Légère odeur de fumée. Il la suivit dans le couloir et s'introduisit dans les bureaux de Johnson Tours. Le petit nuage de fumée provenait d'un cendrier non vidé dans lequel un mégot mal éteint calcinait un bout de papier déchiré. Des heures certainement que cela couvait. Les hommes de ronde découvraient des incidents de cet ordre au moins une fois par nuit!

Après avoir vidé un verre d'eau dans le cendrier et noté de signaler à la société qu'elle devait respecter le règlement de sécurité, Garfunkel s'interrogea sur le responsable des femmes de ménage de l'étage. Krost, naturellement. Ce pochard ne reniflerait pas l'odeur de fumée dans une poubelle en flammes! Ah! si seulement lui, Garfunkel, avait ne serait-ce qu'un jour le droit d'engager et de renvoyer le personnel...

Aux trois étages inférieurs, ceux qui étaient occupés par la National Curtainwall, la lumière brillait dans les bureaux de la direction, ce qui n'était pas insolite.

Au 17e, c'était l'obscurité. Le chef longea lentement le corridor, s'assurant au passage que les portes des divers bureaux étaient verrouillées. A l'angle, il s'apprêtait à vérifier la porte du débarras lorsqu'il constata que Ian Douglas était planté sur le seuil de son magasin éclairé. L'homme regardait dans l'autre direction et Garfunkel se hâta vers lui.

— Quelque chose ne va pas, Mr Douglas?

— Ah!... excusez-moi, vous m'avez surpris! admit le gros homme en tressaillant.

Garfunkel le scruta — les narines pincées. Douglas était pâle, essoufflé.

— Vous avez vu des intrus?

— Hein?... Non, absolument pas, assura Douglas, secouant la tête. J'ai cru avoir perçu un bruit, mais ce n'était rien. Sinon, je vous aurais averti, voyons!

— Alors bonsoir, Monsieur.

Pourquoi Douglas mentirait-il, après tout? Garfunkel inspecta l'étage. Il n'y avait personne, mais des marques de talons se dessinaient sur les dalles cirées au bout du couloir — manifestement, quelqu'un avait couru de ce côté. Garfunkel éprouva un sentiment de malaise. Il manquait de personnel pour organiser des recherches et répugnait à faire appel à la police. Il y avait d'ailleurs toutes les chances pour que l'individu eût désormais quitté l'immeuble.

Douze étages plus bas, Garfunkel se retrouva dans la partie commerciale, magasins et boutiques ouverts au public. La seule section équipée pour un arrosage éventuel en vertu de la réglementation contre l'incendie concernant les lieux publics. Garfunkel pénétra dans le hall principal sans être remarqué par le garde qui contrôlait les clients du Panoramic, puis s'engagea dans l'escalier conduisant au hall premier et au parking.

— Tout va bien, Joe?

Le gardien s'essuya les mains sur un chiffon et se tourna pour compter les souches de stationnement.

— Parfait, Mr Garfunkel.

Promenant un regard attentif autour de lui, le chef nota mentalement de recommander à Joe d'être plus soigneux quand il actionnait les pompes à essence. Il y avait des éclaboussures sur le ciment. Mais il ne fallait pas négliger évidemment l'importance de la station-service pour le garage.

A l'étage inférieur du sous-sol se trouvait la chaufferie. En ordre, comme d'habitude, contrastant par sa propreté avec le parking et les étages inachevés.

— Que se passe-t-il? Personne ne s'est présenté pour prendre son service et tu effectues toi-même les rondes?

— Oui, mais surtout, je voulais te voir, Griff.

— Ne m'emmerde pas, Garfunkel. Sers-toi du café.

Le chef s'exécuta et approcha une chaise du bureau minable. Griff Edwards était un gros homme grisonnant, avec un visage grêle qui lui donnait l'aspect d'un méchant des films de série B. Garfunkel balança sa chaise en arrière, la cala contre le mur et étreignit entre ses deux mains le gobelet de café brûlant.

Il loucha sur les énormes chaudières, les compteurs alignés sur le mur d'en face, le carnet de service suspendu à l'extrémité.

— Comment ça marche? interrogea-t-il.

— Question idiote — comment ça doit-il marcher? Alors, tu as localisé un feu d'enfer là-haut? fit-il en se levant pour attraper la cafetière.

— Oui, un cendrier avec assez de fumée pour déclencher les détecteurs de fumée... Tu as vu les émissions de Quantrell, Griff? ajouta-t-il après avoir avalé une gorgée du breuvage épais baptisé café.

— Quelques-unes, oui. Les arguments pourraient

s'appliquer à n'importe quel immeuble géant... Que veux-tu que je te dise? Qu'on ne construit plus comme autrefois? ricana-t-il. Mais rien ne se fait plus comme autrefois.

— Qu'est-ce qui, ici, nous aiderait en cas d'incendie?

— Le téléphone, pour prévenir les pompiers!

— Merci du renseignement! s'écria Garfunkel en riant.

Tout en plongeant son nez dans son gobelet, il regarda son ami remplir sa tasse et sucrer son café. Ça ne lui valait rien à Griff, il était déjà trop fort et il s'était une fois plaint de souffrir d'angine de poitrine.

— Ma parole, c'est du caramel, Griff!

— Eh bien, je vais le croquer!

— Tu connais Jernigan? s'enquit Garfunkel, sérieux.

— Oui, un brave type. Hé, il n'envisage pas de démissionner, j'espère?

— Non... Sa femme et lui m'ont invité à dîner pour demain soir.

— Quel mal à cela? Pourquoi ne pas y aller puisque la couleur de sa peau ne te gêne pas?

— Ils ont également convié une collègue de Marnie, une jolie femme, paraît-il.

— A la réflexion, n'y va pas, je te remplacerai.

— Griff... j'ai envie d'y aller et je sais que je n'irai pas. Je sais que ça me plairait et j'ai cependant envie d'être seul.

— Les vacances, ça te déprime, hein? Moi aussi, je les déteste... Et ton café? enchaîna-t-il après un silence. Tu ne bois pas beaucoup ce soir.

— Assez tout de même pour me tenir éveillé jusqu'à lundi! riposta Garfunkel qui se leva et marcha vers la porte. A ton avis, que se passerait-il si un incendie prenait dans le building?

— Bon Dieu, chef, tu te conduis comme une vieille froussarde! On se transformerait en arbre de Noël, voilà ce qui arriverait!

9

Douglas se rua sur la porte, mais le couloir était désert — Jésus avait brusquement disparu. Ce fut ainsi que Garfunkel trouva le décorateur. Mais ce ne fut qu'une fois de retour dans son bureau que Douglas réalisa ce qu'impliquait sa réponse au chef de la sécurité — il ne voulait pas que le garçon fût pris.

Sans trop savoir pourquoi. Évidemment, le gosse n'aurait pas manqué de formuler ses accusations mensongères. Pourquoi pas, car, après tout, comment avait-il franchi le barrage pour s'introduire dans l'immeuble? Logiquement on pouvait penser que c'était Douglas qui l'y avait entraîné pour des raisons manifestes. La fable n'aurait pas tenu, bien sûr. Douglas avait seul signé le registre. Et Barton, rencontré dans l'ascenseur, pourrait attester qu'il n'y avait personne avec lui. Resteraient les sourires entendus signifiant : « On les connaît, les tantes! » Il avait déjà subi ce genre d'hostilité railleuse. Des années auparavant il avait dû affronter cette forme de chantage et avait bien décidé de ne jamais y céder, quel qu'en fût le prix à payer. Mais il y avait chez ce gosse quelque chose...

Douglas remit en place l'étagère de verre et se baissa

pour ramasser les *netsuké* épars, ces petits ornements d'ivoire sculpté que les Japonais piquaient dans leur ceinture de kimono ou *obi*. Il lui fallut plusieurs minutes pour récupérer son préféré, un buffle merveilleusement sculpté. Il le caressa amoureusement avant de le ranger près des autres. Tant de beauté le comblait de joie. L'idée de le vendre lui faisait horreur et il l'avait pratiquement ôté des mains de plus d'un éventuel acheteur. Mais un jour viendrait où l'un d'eux, charmé par l'objet d'art, insisterait, et Douglas serait alors bien obligé de le lui abandonner.

Traversant la salle d'exposition à pas lents, il passa devant les maquettes d'appartements éclairées et la large table de teck où s'étalaient les catalogues d'échantillons de tissus et de moquette. Devant la table, des chaises assorties, et, au mur, la reproduction du Picasso favori de Larry, que Douglas lui avait offerte pour son trentième anniversaire.

L'arrière-boutique n'avait pas autant de charme et de confort. Un bureau fonctionnel en occupait la majeure partie, avec une machine à calculer électrique, des paperasses, des registres ouverts. Il régnait là une atmosphère commerciale qui glaçait le cœur de Douglas.

Tout y était. Une existence de quarante-quatre ans qui se résumait par des chiffres dans des dossiers. Il effleura distraitement sa chevelure clairsemée, puis glissa ses mains sous sa ceinture, sentant la chair s'enfoncer sous ses paumes. « Je vieillis, voilà le problème ! », songea-t-il.

Pour Larry et lui, la boucle était bouclée. Les registres, les machines à calculer ne mentaient pas. D'ailleurs, c'était également terminé sur d'autres plans. Le regard de Douglas se porta machinalement sur le kodachrome placé sous la glace protégeant le plateau du bureau. Une photo de Larry et lui prise sur l'île du Feu.

C'était il y a dix ans, et aujourd'hui Douglas s'était épaissi. Les traits de Larry s'étaient un peu alourdis, mais à trente-deux ans la maturité faisait de lui un homme remarquablement beau.

Trop sans doute, car il s'intéressait à d'autres. Oh! Douglas lui avait toujours laissé une entière liberté. Il ne croyait pas à la fidélité de longue durée entre un homme et une femme, à plus forte raison dans un couple d'homosexuels. Récemment, Larry était un soir rentré tard sans fournir des explications, que du reste Douglas ne réclama pas. Et puis, une semaine après, marchant dans la rue, Douglas avait aperçu son ami déjeunant dans un restaurant en compagnie d'un inconnu.

En soupirant, il reprit sa place devant ses dossiers et brusquement les referma. La boutique, c'était un pari, et ils l'avaient perdu. Ils comptaient attirer de nombreux clients parmi les locataires de la Tour de Verre, mais c'étaient pour la plupart des gens d'âge, au goût trop classique. Quant aux plus jeunes, ils choisissaient de préférence des décorateurs « dans le vent ».

Rejetant ses cheveux en arrière, Douglas se dirigea vers la réserve où ils avaient entassé des tissus coûteux et somptueux. Beaucoup avaient été commandés pour des clients qui finalement n'avaient pas donné suite. Il y avait aussi des piles de coussins en mousse de polyuréthane ainsi que des métrages de mousse servant au capitonnage. Le lot liquidé, il y aurait à peine de quoi satisfaire les créanciers.

Retournant dans la salle d'exposition, Douglas saisit le buffle d'ivoire. Et retrouva en même temps une certaine sérénité. Jusqu'au moment où il se rappela Jésus, le frêle petit Portoricain...

Ce n'était pas le désir qui le guidait, mais plutôt la pitié. Celle d'un raté pour un autre. On la reconnaissait au renoncement qui la précédait.

Dans le bureau, Douglas se remit à sa corvée, qui consistait à vérifier ses comptes. Bizarre qu'il se fût identifié à ce Jésus. Il aurait peut-être dû signaler le gosse à Garfunkel, car Dieu savait ce qu'il mijotait! Et après tout, non. Il lui avait flanqué une belle frousse et Jésus avait probablement depuis longtemps déguerpi.

10

A présent, il neigeait vraiment et le rebord de la fenêtre se givrait. Barton frissonna et se détourna pour faire taire le téléviseur qui braillait. Il était 7 h 30 et le bar du Panoramic lui conviendrait mieux que ce bureau obscur pour ruminer ses erreurs.

Dans la section architecture, tout était éteint. Moore avait dû rentrer chez lui, sans doute ulcéré par l'attitude de son ami. Barton résolut de lui téléphoner dès le lendemain. S'ils en avaient le loisir, Jenny et lui pourraient même aller s'enquérir de la santé de Beth. Il emprunta l'ascenseur jusqu'au hall résidentiel, adressa un signe de tête à Jernigan, lequel lui parut soucieux, et gagna les ascenseurs des étages supérieurs. Peu après, il franchissait le seuil du salon du Panoramic qu'animaient le murmure des conversations, le cliquetis des verres et des couverts.

Comme toujours, la vue était à couper le souffle, le décor fastueux. Éclairage aux chandelles dont les lueurs dansaient sur le dallage de marbre vernissé du sol. Tables garnies d'un vase avec une magnifique rose au centre d'une nappe damassée. Murs de verre fumé découvrant le panorama sur la promenade extérieure et, au-delà, sur la ville illuminée.

— Craig!

Il aurait reconnu la voix entre mille. Il pivota, empli d'une folle allégresse à l'idée de « la » voir.

— Quinn! Depuis quand travailles-tu ici?

Les yeux clairs au regard malicieux sous les longs cils le scrutèrent.

— C'est toi qui m'as procuré cet emploi il y a trois mois!

— Ah! oui, cela m'était sorti de la tête, sinon je serais venu plus tôt.

La lueur des chandelles se refléta dans les prunelles de la jeune femme.

— M'as-tu déjà oubliée, Craig? C'est du joli! Si tu séjournes quelque temps en ville, viens un après-midi, ce sera plus calme. En tout cas, amène Jenny. Je meurs d'envie de la connaître!

Aucune jalousie ne la rongeait, constata Barton avec dépit, bien qu'il eût rompu avec Quinn en faveur de Jenny. Une certaine compréhension les rapprochait, elle et lui, et la rupture ne s'était pas faite sans heurts.

— Tu l'as cachée pendant deux ans, Craig, c'est assez! poursuivit-elle, désinvolte... Sérieusement, comment ça se passe? Je ne t'ai jamais perdu de vue et des rumeurs me sont parvenues.

— Ça pourrait aller mieux, avoua-t-il. C'est sans doute une épreuve qu'on subit tous un jour ou l'autre. Je suis beaucoup plus âgé qu'elle et...

— Il faut qu'elle mûrisse, c'est ça?

— Probablement, sourit-il. Et toi?

Elle eut ce rire de gorge qu'il adorait.

— A mon tour de me confesser! Il s'appelle Leslie, architecte — tu vois, je suis fidèle! — et d'ici un mois, il tentera vraisemblablement de me persuader de l'épouser.

— Tu l'aimes?

— Il aura vite fait de me gagner à sa cause! Reviens pendant le week-end, enchaîna-t-elle en lui prenant le bras. Avec Jenny. Dis-moi, ta table ne sera disponible qu'à 8 heures, tu dois le savoir? Il paraît qu'une crise menace dans les hautes sphères de la maison...? Ne sois pas choqué, les murs de la National Curtainwall ont des oreilles!

Elle rafla des menus sur une table et se tourna vers un couple qui s'impatientait à l'entrée de la salle à manger. Si Jenny possédait l'équilibre de Quinn et sa lucidité, se dit Barton... Mais c'était injuste de les comparer. Quinn avait dix ans de plus, et en dix ans, on apprend l'humilité.

A droite, séparé du reste de la salle par une cloison en verre fumé doublé d'une rangée de fougères en pots, le bar formait une enclave dans la pénombre, avec des boxes et un comptoir en acajou. Craig venait de s'insinuer sur un des sièges du comptoir lorsque d'un box obscur, une voix lui lança :

— Voulez-vous vous joindre à moi, Craig?

— Avec plaisir, Wyndom.

Leroux se leva à son approche. Grand, mince, distingué, un visage aux pommettes hautes et au nez fin, les tempes grisonnantes, cet homme de soixante ans était loin d'être sur le retour. Dans les traits bien dessinés, les yeux très enfoncés donnaient une impression fantastique de puissance physique. C'était César luimême, le plus noble parmi les Romains, songea Barton. Leroux aurait dû se lancer dans la politique plutôt que dans les affaires, il avait ce profil que l'on frappe sur les médailles.

— Où sont Jenny et Thelma? s'enquit Barton en serrant la main tendue.

— Elles contemplent la vue depuis la promenade.

Barton se tourna vers les deux silhouettes qui, de l'autre côté de la paroi du restaurant, se découpaient sur fond de ciel nocturne, contemplant la ville loin en-dessous.

— Barman! appela Leroux. Comme d'habitude, scotch à l'eau gazeuse, Craig?

— Parfait.

Leroux devait décidément posséder sur ses cadres des fiches personnelles qu'il consultait de temps à autre pour se rafraîchir la mémoire.

— Excusez-moi de vous avoir convoqué si soudainement, dit-il. Cela vous a certainement gêné.

— Un peu. Nous étions sur le point de soumettre notre proposition à la Commission d'Inspection, et j'ai dû solliciter l'ajournement des auditions. Nouvelle convocation dans deux semaines.

— Ça ne devrait pas être dramatique. Comment s'annonce l'affaire?

— Eh bien... le conseil municipal a un pouvoir réel dans la limitation de la hauteur des bâtiments le long du front de mer.

— Et la population?

— Elle lui donne raison.

— Votre opinion?

— A-t-elle un intérêt? ironisa Barton.

Leroux se pencha sur la table et Barton sentit filtrer dans sa voix, derrière la bienveillance apparente, un agacement hostile.

— Je tiens à la connaître.

— Eh bien, moi aussi, je les approuve. Trop gigantesques pour le terrain prévu, les bâtiments obstrueront la vue à une grande partie de la ville. Pour moi, le projet ne passera pas le barrage des inspecteurs et nous nous ferons des ennemis si nous tentons le coup.

— Si vous n'aviez pas confiance dans ce projet, pourquoi avoir accepté d'y travailler ?

— C'était... ma tâche, rétorqua Barton, l'air d'un petit garçon que son père réprimande. Vous m'aviez engagé pour cela. Une fois lancé dans l'aventure, les choses me sont apparues sous un angle différent. Néanmoins, mes sentiments intimes mis à part, mon travail n'en a pas souffert.

— Cependant, vous n'espérez pas réussir ?

— C'est exact.

Leroux réfléchit, puis balayant d'un geste tous ces soucis, avala une gorgée de liquide.

— Vous êtes très lié avec le commandant Mario Infantino, si je ne me trompe ?

Nous y voilà, se dit Barton. Telle était la raison profonde de cette convocation.

— Nous sommes amis, en effet. Nous avons appartenu à la même unité de réserve quand j'habitais ici. Nous avons également assisté ensemble aux réunions de la commission sur la réglementation contre l'incendie. Rien de plus.

— Connaissez-vous un journaliste du nom de Quantrell ? attaqua Leroux, l'œil glacé.

— Je ne l'ai jamais rencontré et j'ai vu son émission pour la première fois ce soir.

— Ah ! Et qu'en pensez-vous ?

— Que c'est un spécialiste du scandale ! Quelqu'un a dû lui fournir des renseignements confidentiels sur la maison.

— C'est vrai.

— Et... si je comprends bien, pour vous... c'est moi le mouchard ?

— C'est une éventualité que je n'ai pourtant pas énoncée.

Ragaillardi par l'alcool, Barton héla le barman pour renouveler la commande.

— Vous m'avez procuré un poste intéressant et l'occasion de me lancer. Avec le recul, je ne suis plus persuadé d'avoir eu raison de l'accepter — mais à l'époque, j'étais content. Et j'ai apprécié. Pensez-vous qu'en dépit de ma reconnaissance, j'agirais contre vous en renseignant l'adversaire ?

— Ça se voit tous les jours ! Peu d'affaires se concluent sur la base de la reconnaissance, car elles ne dureraient pas longtemps.

— Personnellement, je n'ai pas de motivation. Ni du reste de renseignements. Je n'ai jamais travaillé avec l'équipe de construction puisque vous m'avez expédié à Boston. Moi présent, on n'aurait jamais utilisé de matériaux synthétiques pour le revêtement des rampes d'ascenseur, par exemple, vous vous en doutez probablement.

— C'est la comptabilité qui veille à ces détails... Selon vous, obliqua Leroux, pourquoi Infantino nous en voudrait-il ? S'il éprouve tant d'amitié pour vous, pourquoi vous poignarder dans le dos — car c'est ce qu'il fait en s'associant à Quantrell ?

La colère envahit Barton :

— Vous êtes un peu paranoïaque ! Qui vous a affirmé qu'Infantino avait partie liée avec Quantrell ? Je le connais assez pour savoir que ce n'est pas son genre, il n'admettrait pas de se vendre.

Le visage de Leroux apparut presque démoniaque dans la pénombre.

— N'importe qui s'achète, c'est une question de prix. Et le prix — ce n'est pas toujours une somme d'argent.

La situation avait bouleversé Leroux plus que ne l'avait prévu l'architecte. Ou plus qu'elle n'aurait dû.

— C'est... si catastrophique? s'enquit Barton.

— S'il ne s'agissait que de la Tour de Verre, nous pourrions aisément surmonter la crise, admit Leroux, tournant entre ses doigts son verre vide. Mais les journalistes d'autres villes ont repris les informations de Quantrell. Ils nous croient vulnérables parce qu'ils sont convaincus que Quantrell n'aurait pas proféré de telles accusations sans disposer d'éléments réels. Et le singe imite ce qu'il voit faire. On nous assaille dans cinq ou six villes où nous avons des projets importants de construction en train ou à l'étude. Dans certaines régions, la pression a été assez forte pour que la ville entreprenne une enquête. Habituellement, on nous soupçonne de circonvenir les règlements locaux de construction ou de bâcler les finitions. Ici, les locations se sont interrompues dans la Tour de Verre — nous commençons même à perdre des locataires. Si vous voulez lire les relevés de comptes, ils sont à votre disposition! Ils vous ouvriront les yeux.

— Pourquoi moi, Wyn? J'arrive, et tout le monde sait que je suis le suspect n° 1. On ne le penserait pas si ce n'était *votre* opinion.

— Accessoirement, oui, avoua-t-il. Vous pouvez vous procurer tous les renseignements nécessaires si vous ne les avez pas. Et à mon sens, vous choisissez mal vos amis.

En trois verres, Leroux était parvenu à une conclusion. Il avait fallu le temps, se dit Barton, mais on y était, et il ne regrettait rien.

— Je reconnais certains faits, Wyn, mais pas ce que vous imaginez. D'abord, je suis las de cette discussion. Vous-même devez être fatigué et soucieux, sinon vous auriez réfléchi à la situation avant de me convoquer.

Ensuite, j'ai trop à faire pour cavaler et renseigner pardessus le marché les chefs des pompiers ou les reporters de télévision. Croyez-le ou non, dans ce domaine, je m'en fous totalement! Et pour finir, mon travail m'ennuie. Vous m'avez fait la faveur de me le confier. Aujourd'hui, je me fais plaisir en vous rendant mon tablier. J'ai horreur des manigances politiques au sein d'une corporation. Et sans en être responsable le moins du monde, voilà que je me retrouve en plein dedans. Je ne suis pas politicien, ni expert-comptable, ni attaché de presse. Je suis architecte et j'ai l'impression que vous ne m'utiliserez plus comme tel. D'après ce que j'ai vu du dernier boulot confié à Moore, vous ne recherchez plus d'architectes. Je vous conseille donc d'engager un politicien, un expert-comptable ou un attaché de presse, les trois postes dont je viens de démissionner!

Après avoir vidé son verre, Barton se leva en chancelant.

— C'est tout ce que j'avais à dire. A ce point de notre discussion, je ne pouvais qu'annoncer « je démissionne », sans plus. On n'est jamais trop vieux pour s'étonner soi-même.

— Asseyez-vous avant de tomber, Craig, sourit Leroux. Ça vous fera du bien de dîner et la table ici est parfaite. De plus, n'oubliez pas que vous n'êtes pas seul... pour le moment. J'avais déjà confiance avant que vous n'interveniez, ajouta-t-il grave. C'est là que le bât blesse. Ça, et le fait qu'après vingt années passées dans les affaires, ce sont des feuilles de comptes qui vous occupent le cœur. Les affaires, c'est un jeu. L'important, ce n'est pas la façon de le jouer, mais savoir si on va perdre ou gagner.

Barton se rassit. C'était plaisant de voir un homme tout-puissant s'apitoyer sur lui-même. J'ai besoin de toi, fiston ; voilà ce qu'avait confessé Leroux. Et il se sentait prêt à répondre à cet appel. En tout cas, il savait comment réagirait Jenny si elle pensait qu'il avait fait ce voyage dans le seul but de démissionner. Jamais elle ne serait capable de comprendre!

— J'ai pris des mesures que j'estime efficaces pour museler Quantrell.

Barton se carra sur son siège en soupirant. La partie reprenait. Il y avait des questions qu'il avait envie de poser, auxquelles il attendait des réponses.

— Vous voulez le faire taire... parce qu'il a tort ou parce qu'il a raison?

Leroux le dévisagea avec une franchise amicale, la tension des minutes précédentes s'était effacée.

— Vous voulez mon avis sincère sur les accusations qu'il formule?

— Si vous acceptez d'en discuter.

— J'en serais ravi! J'espérais bien que vous me le demanderiez.

La lueur dans la pièce obscure s'était accrue au point qu'un observateur aurait pu discerner les formes vagues de trois bidons de vingt litres, d'une demi-douzaine de bonbonnes, et des rayonnages métalliques fixés sur l'un des murs. Certaines étagères sont équipées de portes d'acier. Sur d'autres, ouvertes, s'alignent des boîtes en métal et des flacons aux étiquettes tachées.

La lueur provient d'un millier d'étincelles qui grignotent une pile de rembourrages de coton servant généralement à protéger les meubles de bois précieux. Posés en vrac contre le mur sur une étagère de métal, ces rembourrages s'entassent sur 1,50 m de hauteur. Çà et là, dans les housses de tissu, des trous laissent passer le coton. Et les étincelles s'alimentent aux fils noircis du troisième rembourrage en bas.

Jusqu'à présent, le détecteur situé dans le plafond n'a pas dénoncé les fines boucles de fumée. De même, le détecteur de chaleur ne donnera pas l'alarme tant que la température de la pièce ne sera pas remontée. En fait, cette température reste basse, et l'air chaud qui souffle doucement du ventilateur excite l'étincelle en dessous.

Au milieu du tissu carbonisé et du coton noirci, des procédés chimiques complexes ont finalement fourni assez d'énergie aux fils pour atteindre le point d'embrasement. Le nid d'étincelles soudain s'anime, une petite flamme surgit tel un sinistre papillon jaune émergeant de son cocon. Elle danse au-dessus du tissu qui noircit rapidement et d'autres bientôt se joignent à elle.

La bête a appris à marcher.

11

En gros plan devant un agrandissement photo de la Tour de Verre, Quantrell offrit à son public invisible son sourire éclatant jusqu'à ce que sur son image on eût superposé des pancartes réclamant le silence. Dès que la lumière rouge clignota sur la caméra 1, il jeta son script sur le bureau, se détendit en arrière en soupirant, piocha une cigarette. L'un des opérateurs en le regardant fit le geste de se tirer une balle dans la tête. Peu après, un technicien passa sa tête hors de la cabine de contrôle :

— Tu es sûr de savoir ce que tu fais, Jeff?

— Comme jamais!

— C'est du sensationnel, mais...

— Je vais boire à mon texte! Tu viens vider un godet ou tu es occupé?

— Non, d'accord, Reynolds enverra le film.

Ils s'éclipsèrent pendant une demi-heure comme Quantrell se plaisait à le faire après une émission. L'air frais lui éclaircissait l'esprit et les deux verres qu'il liquidait donnaient à son subconscient le temps de réfléchir. L'émission de 11 heures s'enchaînait généralement avec la réponse du téléspectateur au premier spectacle, permettant ainsi à Quantrell de développer l'éditorial.

En rentrant, il coucha sur le papier quelques mots que Sandy transcrirait. L'émission terminée, il envisagea d'aller avec la jeune femme souper à la cantine de la station. Ensuite, ... ils finiraient la soirée chez elle ou chez lui. Ce serait, se dit-il, sa bonne action de la journée.

— Pouvons-nous bavarder maintenant, Mr Quantrell? fit la voix de Bridgeport.

Le ton cérémonieux du bonhomme saisit Quantrell — il présageait des ennuis. D'ailleurs Bridgeport avait adopté une expression trop sereine, lui qui laissait habituellement transparaître sur son visage tous les malheurs du monde, ou du moins de la station.

— Ça ne peut pas attendre à demain? Il faut que je prépare le programme de 11 heures.

— Mr Clairmont désire vous parler, riposta Bridgeport, un sourire de triomphe accroché aux lèvres. Rappelez-vous, c'est lui le directeur de la station.

Quantrell le dévisagea. Ses études achevées, le neveu du Vieux avait hérité de la corvée de diriger la station et il avait pendant un an occupé diverses fonctions secondaires. Tout ce que l'on pouvait reprocher au népotisme s'appliquait à Victor Clairmont qui était cependant doué d'une certaine intelligence. Il n'aimait pas Quantrell, mais son oncle ayant accordé carte blanche au journaliste, il ne pouvait que laisser faire. Fourrant ses notes dans sa poche, Quantrell se leva.

— Il vous attend dans son bureau depuis la fin de l'émission, déclara Bridgeport, le sourire railleur.

— Dommage que je ne l'aie pas su plus tôt, nous aurions pu boire un verre ensemble.

Il emboîta le pas à Bridgeport, lequel avait visiblement l'air ravi de la tournure des événements. Pourtant, le directeur des informations n'était pas homme à provoquer ce genre de confrontations... Trop sournois pour cela, et il n'avait pas l'autorité nécessaire. Non, la pression venait plutôt de l'extérieur, et l'origine n'en était que trop évidente.

Dans le vaste bureau de Clairmont, des photos signées de célébrités ornaient les lambris d'acajou. Il y avait aussi une énorme sphère fichée dans le parquet pour les moments où Clairmont aurait envie, jouant le rôle de Dieu, de faire tourner le monde.

Installé à la grande table qui lui servait de bureau, Victor Clairmont était un élégant jeune homme qui portait pour se vieillir une moustache soigneusement taillée.

— Asseyez-vous, Jeff.

Avec son aisance habituelle, le journaliste se carra confortablement dans un fauteuil près du bureau. Il avait le physique, la voix, et il savait en user. Ne disposant pas d'autre siège à proximité, Bridgeport se planta nerveusement près de la table et s'efforça d'arborer l'expression convenant à la situation. Quantrell sourit intérieurement.

— Je n'irai pas par quatre chemins, Jeff. Il ne s'agit pas d'un entretien amical. Je n'ai jamais apprécié votre série sur la Tour de Verre et Wyndom Leroux, et elle me plaît moins encore après l'émission de ce soir.

— Vous avez à ce propos toujours témoigné d'une grande franchise. C'est votre oncle qui m'a accordé carte blanche pour la série. Il m'a dit d'agir à ma guise et je l'ai pris au mot.

— Contre mon gré, précisa Victor. Pour moi, il n'est pas bon qu'un journaliste soit totalement indépendant de la direction. Par principe, votre idée était valable — une série d'exposés destinée à rehausser le niveau des informations de la station. Malheureusement, ajouta-t-il en louchant sur Bridgeport qui avait rougi, il s'est maintenant glissé dans votre papier un élément personnel, vous transformez en vendetta cette fameuse carte blanche.

— Il n'y a rien de personnel dans mes histoires sur Leroux. Les faits sont là, basés sur des documents.

— Tiens! persifla Clairmont. Vous avez récemment signalé que planchers et murs de la Tour de Verre avaient été ouverts par les services publics afin de faciliter l'échappement de la fumée à travers le building en cas d'incendie.

— Exact. Les services du téléphone ont découpé le mur et le sol pour y faire passer leurs fils. Idem pour la société qui a installé le circuit intérieur de TV pour la sécurité. A leur tour, les installateurs du chauffage, de la ventilation et de la climatisation ont éventré les parquets et les cloisons. Allez vous-même vous en assurer!

— C'est fait! Un des adjoints de Leroux m'a fait faire le tour complet de l'immeuble. En admettant que les cloisons pare-feu aient été éventrées, elles ont été rescellées.

— Pas partout. Généralement, le plâtre est à peu près aussi utile que du papier d'emballage pour contenir le feu.

— J'ai parlé à divers entrepreneurs de la ville, Jeff.

La méthode n'est peut-être pas excellente, mais elle est courante. Pourquoi coincer Leroux là-dessus ?

— Je n'avais pas l'impression de l'avoir coincé ! répliqua froidement Quantrell. Je ne peux pas m'occuper de tous les bâtiments de la ville. Étant un des plus récents, des plus gigantesques, la Tour de Verre constitue un exemple type.

— Je présume que vous avez eu de bonnes sources de renseignements ?... Lesquelles ? Pouvez-vous me les révéler ?

Quantrell éclata de rire :

— Vous ne dirigez pas une commission du Congrès, Mr Clairmont. Et même si c'était le cas, je préférerais aller en prison plutôt que de dévoiler mes sources. D'autres journalistes partagent mon avis sur ce sujet.

— Nous devons donc prendre vos affirmations pour argent comptant ?

— Autrement, il ne fallait pas m'embaucher ! Vous m'avez certainement engagé sur ma réputation de bon journaliste. Et accordé le salaire que je réclamais parce que vous souhaitiez rehausser votre niveau. Ce que j'ai réussi à faire. J'avais en revanche toutes les raisons de penser que la direction me soutenait.

— Voyons, Jeff, cessons cet assaut, fit l'autre, ennuyé. J'ai... enfin, un problème se pose à la station, par conséquent à vous.

— Je meurs d'impatience d'apprendre ce qu'il est !

— Pour commencer, c'est un procès en diffamation avec plusieurs millions de dollars de dommages et intérêts à la clé. C'est pour cela que je désirais connaître vos sources. Si elles ne sont pas formelles...

— Rassurez-vous, coupa Quantrell, plus détendu. Mes renseignements sont de première main.

— Et vous refusez de me dire d'où vous les tenez ?

— Eh bien... pour le moment, oui. Plus tard, peut-être.

Constatant que Clairmont ne semblait pas impressionné, le journaliste pour la première fois fut inquiet — il se passait quelque chose.

— J'ai dit « pour commencer », insista Clairmont. Nos soucis ont d'autres causes. Notre licence pour la station doit être renouvelée dans deux mois. Normalement, la Commission accorde automatiquement ce renouvellement. Cette fois, nous serons contestés sur deux plans. On nous reprochera d'abord de ne pas avoir servi l'intérêt de la communauté. Et ensuite de posséder un monopole dans cette région. Nous tenons les principales stations de radio, nous produisons le journal ayant la plus grande diffusion et naturellement, la KYS est entre nos mains.

Du coin de l'œil, Quantrell apercevait Bridgeport incliné en avant comme un empereur romain replet, anticipant au bord de l'arène la mise à mort qui allait se dérouler devant lui.

— Nous allons évidemment nous bagarrer, fit Quantrell.

— Cela n'en vaut pas la peine quand c'est une question de gros sous.

— C'est votre avis ou celui de votre oncle ?

— Disons le nôtre.

— Quand je suis entré ici, gronda Quantrell furieux, votre service information se classait au dernier rang. Il était facile de se rendre compte d'où cela venait. Mauvaise direction, ou plus précisément une direction se mêlant de ce qu'elle ne connaissait pas. La télévision fait une place ridicule au journalisme pour la simple raison que la rédaction et la quête aux nouvelles sont menées par des hommes dont ce n'est pas le métier. Vous imposez vos sujets, nous les présentons. Seulement, vous êtes des commerçants, non des journalistes. Continuez à diriger votre station de cette manière et vous obtiendrez ce que vous méritez — vous perdrez votre public parce que les auditeurs se mettront au diapason d'une station où l'on sait ce que l'on fait.

— Voyons, Leroux est un rude morceau à avaler. Il nous menace de diffamation à cause de la dégringolade dans les locations de sa Tour. Et vous n'ignorez pas qu'il est également derrière l'action officielle de la Commission de Télévision.

— J'avais recommandé à Quantrell de freiner dans cette histoire, gémit Bridgeport, ulcéré par l'attaque de Quantrell contre la direction de la station.

— Herb, pour l'amour du Ciel, restez en dehors de cela! rétorqua Clairmont. L'important, Jeff, est que nous nous trouvons par votre faute en péril de perdre notre principal investissement. C'est trop cher payé, voilà qui est net.

— Vous voulez que je fasse machine arrière?

— Vous vous méprenez. Nous avons résolu de mettre un terme à votre contrat.

— Il reste deux ans à courir!

— Votre avocat et celui de la station parviendront sur ce point à une transaction. D'ici là, vous pourriez prendre un congé illimité — dès ce soir.

« Tout tranquillement! » songea Quantrell, pétrifié.

— Et la tranche de ce soir? insinua-t-il.

— J'ai un reportage que nous pourrions insérer, avec un gars pour le commenter, intervint Bridgeport.

— C'est-à-dire que... hésita Clairmont. Si vous voulez finir ce soir, cela dépend de vous, Jeff. Mais pas question de la Tour de Verre.

— Franchement, je ne serai pas en état de faire ce soir un travail de commande devant la caméra, dit calmement Quantrell. Je sens que je vais tomber malade.

— Libre à vous. Je veillerai à ce que l'on vous fournisse d'excellentes références, promit Clairmont en se levant.

— Avec votre permission, je vais m'occuper de vider mon bureau, répondit Quantrell, ignorant la main tendue.

Il s'éloigna sans un regard pour Bridgeport qui, debout à la porte, ne dissimulait plus son sourire triomphant. Il traversa la salle de rédaction silencieuse — la nouvelle s'était déjà répandue — s'assit un long moment sans rien faire à sa table. Voyons... Le renvoyer, c'était admettre une culpabilité. Leroux pourrait, même après le départ de son « ennemi », poursuivre son procès en diffamation, et le renvoi de Quantrell pèserait lourd contre la direction de la station. Enfin, quoi, le Vieux avait dû l'envisager. Ce n'était pas en fuyant les histoires que son journal s'était vu décerner le prix Pulitzer. Le Vieux...

Quantrell sonna Sandy qui surgit rapidement, l'air anxieux. Derrière son souci, il décela un sentiment indéfinissable qui lui déplut. Mais il n'avait pas le temps de démêler ce problème.

— Appelez-moi le vieux Clairmont, voulez-vous, Sandy ?

— Bien, Monsieur... Vous avez Mr Clairmont, annonça-t-elle peu après.

Soudain redevenu confiant, il se rejeta en arrière dans son fauteuil.

— Ici Jeffrey Quantrell, Mr Clairmont, dit-il dans l'appareil. Il est tard, je sais, et j'ai déjà discuté avec Victor, mais vous me devez bien dix minutes de votre temps.

— Nous n'avons pas grand-chose à échanger, fit la voix polie, mais ferme du vieillard.

— Vous me devez cette faveur, j'insiste. Vous ignorez des faits que je n'ai pas mentionnés à votre neveu, mais que vous devez connaître. Je ne désire pas discuter, mais présenter les faits tels qu'ils apparaissent... Je vous en prie, Monsieur, d'homme à homme. Ce ne sera pas long.

Une pause au bout du fil, puis :

— C'est bon, montez. Dix minutes, pas une de plus.

Quantrell raccrocha avec un sentiment d'allégresse. Il comptait sur le passé journalistique de l'aîné des Clairmont, ce métier qui justement manquait à Victor. Il avait provisoirement oublié comment le vieil homme avait gagné son prix Pulitzer. Avec un peu de chance, il subsisterait sous cette enveloppe desséchée le fantôme du reporter d'autrefois, de l'homme qui avait acquis la célébrité en étalant la vie et en provoquant la condamnation d'un politicien qui avait été son ami.

12

Lisolette Mueller était enchantée. Sa soirée avec Harlee constituerait une fin parfaite pour une journée qui avait été merveilleus . Tout avait commencé par une matinée paisible au cours de laquelle la vieille dame avait joué la *Pastorale*. Ensuite, en proie au vague à l'âme, elle avait ressorti ses 78 tours aussi précieux qu'usés du récital de Mme Schumann-Heink.

C'était vraiment la manière idéale de commencer son soixantième anniversaire. Lisolette avait aussi un peu pleuré, en évoquant le bon vieux temps de Saint Louis, les filles qu'elle avait connues dans le *Turnerein*, les garçons également dont beaucoup, charmants, s'étaient entichés d'elle. Et ces milliers d'étudiants qui avaient suivi ses cours de gymnastique et d'histoire au collège Gœthe de Saint Louis. Oui, elle avait vécu une existence bien remplie et profitable puisque à soixante ans elle se sentait encore jeune et comblée.

Au reste, elle ne paraissait pas son âge. Peu importait au fond, mais elle éprouvait une certaine fierté d'avoir conservé une silhouette droite et musclée — sans double menton. Sa chevelure brune striée de blanc ne la déparait pas. Tel était du moins l'avis d'hommes tels que Harlee Claiborne. Celui-ci, il est vrai, se laissait un peu guider par son intérêt personnel, mais tout de même, elle ne lui déplaisait certainement pas.

Dans la soirée, après une promenade dans le parc, elle ressentit plus ou moins sa solitude et eut brusquement envie de voir quelques-uns de ses amis de l'immeuble.

Après avoir nourri son chat Schiller, elle enfila une veste légère et sortit. Les trois ascenseurs étant occupés, elle attendit une cabine avec impatience. Les Harris s'apprêtaient probablement à se rendre au cinéma et elle ne voulait pas les manquer. Ce couple de petits-bourgeois était gentil, mais la considérait manifestement comme une gêneuse. Elle sourit intérieurement — c'était vrai qu'elle était une enquiquineuse, surtout quand il était question de Sharon, le fleuron de la maisonnée Harris. A quatorze ans, l'adolescente se situait entre sa sœur Irène, dix-sept ans, et le petit Daniel qui avait onze ans.

Lisolette adorait les trois enfants, mais elle avait un faible pour Sharon qui, calme et réfléchie, s'intéressait à tout. Elle captivait en la vieille dame l'institutrice — et en même temps, Lisolette se retrouvait en elle. Un jour, Lisolette avait aperçu, dans le parc, Sharon et sa mère cernées par trois gamins qui les harcelaient en s'efforçant d'arracher son sac à Mrs Harris. Avec l'intervention de Lisolette, les chances s'étaient brusquement déplacées, les garçons avaient déguerpi tandis que Lisolette ramenait chez elles les deux femmes effrayées et émues. C'était ainsi qu'elle avait appris avec ravissement qu'elles étaient pratiquement voisines.

La famille Harris était assez composite. De corpulence imposante, la face ronde, Ruth était la caricature de la matrone juive de la classe moyenne. Grégaire à l'extrême, elle était fière de son mari et de sa couvée. Lisolette l'avait aussitôt jugée sympathique — sans être persuadée d'être payée de retour. On la tolérait, certes, mais sans doute était-elle un peu trop germanique pour être totalement acceptée par Ruth et son mari Aaron, vice-président d'une société de textiles et administrateur de deux autres petites firmes.

Lorsque, quelques minutes plus tard, Lisolette frappa à la porte des Harris, Ruth vint lui ouvrir :

— Excusez-moi, j'espère que ma visite n'est pas inopportune. Je passais voir Sharon.

— C'est-à-dire que nous nous apprêtions...

Ruth s'interrompit, l'air consterné, et écarta le battant. Lisolette avait l'impression de voir travailler son esprit, et sa mémoire évoquer la pénible scène du parc.

— Entrez, Lisolette, nous allions sortir, mais on a toujours un moment pour boire un café.

Aaron Harris jaillit bruyamment de la chambre, la cravate en bataille autour de son cou :

— Ruthie, je ne parviens pas à nouer cette maudite cravate et... Vous tombez assez mal, Lisolette, fit-il, sourcils froncés avant de récupérer l'amabilité contrainte d'un hôte poli. Nous voulons aller à la première séance du soir. Nous ne disposons que de quelques minutes, mais servez-vous une tasse de café.

— J'en ai pour un instant, s'excusa la vieille dame. Sharon est-elle là ?

Irène arriva de la cuisine, un verre de lait dans la main :

— Franchement, Papa, il faut vous dépêcher si nous ne voulons pas être en retard! Ah! bonjour, Miss Mueller! Vous savez l'événement? Nous avons réussi à persuader papa de nous sortir pour un soir!

— Tu exagères! protesta Aaron.

— Sharon est avec Dany dans le living-room, expliqua Ruth en s'affairant sur la cravate de son mari. Elle fera la garde d'enfant.

— J'ai une place pour elle pour le spectacle de Kirov de mardi. Je pensais qu'elle serait contente de m'accompagner...

— Jeudi... un jour de semaine, remarqua Ruth. A quelle heure serait-elle de retour?

— Évidemment assez tard, mais on n'a pas tous les jours l'occasion de voir Kirov.

— Allons, ne sois pas si mère poule, Ruthie, coupa Aaron. Laisse la petite y aller. Et occupe-toi de ma cravate!

— Sharon! appela Ruth.

— Oh! Maman, c'était justement la séquence la plus passionnante! s'écria l'adolescente de la pièce voisine.

— Tu as une visite! cria son père. Ah! ne m'étrangle pas, Ruth!

Sharon parut dans le vestibule, timide, le teint pâle. Dany se cachait à demi derrière elle.

— Lisa, Lisa! chantonna-t-il en bondissant vers la vieille dame pour l'empoigner par sa jupe.

Elle éclata de rire en lui ébouriffant les cheveux.

— Tiens-toi correctement, Dany, gronda Ruth. Combien de fois devrai-je te répéter qu'on ne bouscule pas ainsi les dames?

— Ce n'est qu'un enfant, s'interposa Lisolette. Et tous les garçons sont brusques, n'est-ce pas, Dany?

Elle s'aperçut trop tard que la mère pinçait les lèvres

et se rappela qu'après tout elle n'appartenait pas à la famille.

— Comment vas-tu, Sharon?

— Très bien, Miss Mueller... Que je suis contente de vous voir! s'exclama-t-elle, souriante et gracieuse.

Lisolette lui parla aussitôt de la soirée de ballets et Sharon se tourna vers son père :

— Tu es d'accord, Papa?

— Demande la permission à ta mère. Pour moi, c'est entendu, dit-il en fixant ses boutons de manchettes.

— C'est bon, Sharon, céda Ruth à contrecœur. Seulement, la veille, tu te coucheras tôt, tu as besoin de sommeil.

— Moi, je retourne à la télévision, clama Dany, jugeant que l'affaire ne le concernait pas.

— Bonsoir, Dany, lança Lisolette sans qu'il répondît.

Elle embrassa Sharon et Irène, fit ses adieux aux Harris en se contraignant à être aimable avec Ruth. Elle savait que les autres l'aimaient bien, mais Ruth était jalouse de la place qu'elle tenait parmi eux.

En descendant, elle consulta sa montre en brillants et hésita. Elle s'était attardée plus qu'elle ne l'avait voulu chez les Harris. Si elle passait maintenant chez les Albrecht, elle devrait ensuite rentrer précipitamment se changer avant de rejoindre Harlee. Un homme délicieux, ce Harlee, avec une aisance mondaine et un vernis de culture qui révélaient l'ancien play-boy. Mais c'était précisément ce qui faisait son charme — cette forme de danger qu'il incarnait, la méfiance qu'il excitait. Hélas! cette soirée marquerait sans doute la fin de leurs bonnes relations!... Lisolette résolut d'aller chez les Albrecht. Harlee appartenait à la catégorie d'hommes qui avaient l'habitude de voir leurs compagnes arriver en retard. Et ce soir, songea-t-elle mélancolique, il serait prêt à n'importe quoi, y compris à patienter le temps nécessaire.

Tom Albrecht l'accueillit en silence, manifestant de ses mains sensibles qu'elle était la bienvenue. Elle lui répondit de la même manière. Comme sa femme Evelyne, il était capable de lire sur les lèvres, mais Lisolette préférait user avec eux du langage par signes. Il l'invita à entrer boire un café et elle indiqua qu'elle acceptait.

Dans la cuisine, Evelyne faisait une nappe de dentelle. Voyant entrer la visiteuse, elle se leva en souriant. Soudain, un cri de guerre s'échappa du living-room — sans doute Chris, le fils de cinq ans qui se défoulait, calcula Lisolette. Mais les parents ne le perçurent pas plus que la réprimande dont Linda, la fille aînée, gratifia son frère.

Ayant fait comprendre à Evelyne qu'elle ne resterait pas longtemps, Lisolette suivit le couple dans la salle à manger. Les trois enfants, Chris, Linda, sept ans, et Martin, le bébé de trois ans, étaient en train de dîner. Evelyne avait préparé la table et Linda remplaçait sa mère. Lisolette savait qu'Evelyne préférait faire deux services, parce que son mari, ingénieur dans une société d'électronique, était souvent retenu tard le soir.

Evelyne disposa un set pour son invitée. Lisolette en se penchant pour embrasser Martin se dit que c'était une délicieuse famille. Autour de cette tablée bruyante, seuls les parents gardaient le silence. A en juger par ses pommettes hautes, Tom devait compter des Indiens d'Amérique parmi ses ancêtres. Avec ses traits fins, Evelyne appartenait à ce type de femme éclatante dont raffolent les agents de publicité. Il régnait entre eux une telle harmonie qu'on en oubliait leur infirmité. Parfois, ils allaient voir un spectacle de ballets sans pouvoir évidemment suivre la musique. Une des rares circonstances où ils avaient amèrement regretté leur handicap avait été ce jour où, prisonniers d'un brouillard très dense à San Francisco, ils s'étaient aperçus qu'ils ne disposaient d'aucun moyen de communication. Ce jour-là, Evelyne l'avait confié à Lisolette, ils avaient eu vraiment peur.

Le café bu. Lisolette indiqua qu'elle allait prendre congé. Ses hôtes exprimèrent leurs regrets.

— J'ai rendez-vous avec un ami, expliqua Lisolette toujours par signes.

Comme elle se sentit rougir, elle vit s'élargir le sourire de Tom :

— Une dame doit se méfier des rendez-vous galants! observa-t-il.

— Voyons, à mon âge, je n'ai plus rien à craindre!

Après avoir promis de venir garder les enfants un jour de la semaine suivante, elle partit. Dans le couloir, elle constata qu'elle était très en retard, mais ces gens étaient si merveilleux! C'était vrai, au fait, elle n'avait encore jamais fait attendre un flirt. L'idée ne manquait pas de charme...

A son âge, devenir coquette...

13

Dans sa pauvreté, un détail enchantait Harlee Claiborne : il n'avait pas à perdre de temps pour décider du choix de sa tenue! Pour le costume, c'était le bleu ou le marron. Pour les chemises et les accessoires, c'était presque aussi facile. Ouvrant le tiroir de son bureau, il en inspecta le contenu. Trois chemises dont deux à poignets mousquetaires, deux cravates imprimées et larges comme le voulait la mode, une marron et une bleue.

Il étala une chemise et la cravate marron sur le lit. Harlee Claiborne, gentleman comme il se plaisait à se qualifier, s'apprêtait à aller travailler. Après la douche, il s'était aspergé le visage et les poignets d'eau de toilette. Attrapant ses brosses dans leur étui de cuir, il se coiffa avec soin. A près de soixante ans, il portait ses cheveux blancs assez longs. Une de ses faiblesses, en partie parce que sa femme, de quelques années son aînée, aimait pour lui ce style de coiffure. Il réalisa que cela faisait partie de son « capital », de même que sa silhouette naturellement élancée du sportif qu'il n'avait jamais été. Autre atout, un accent vaguement britannique acquis des années auparavant quand il était agent commercial aux Bahamas. Il le cultivait depuis qu'il avait découvert que les femmes y étaient sensibles.

En dehors de son physique — homme du monde d'un certain âge, mais de belle prestance — sa voix bien timbrée, teintée d'un accent, l'avait incontestablement servi dans ses affaires. Son activité, c'était lier connaissance avec les dames mûres et solitaires et acquérir leur amitié en sorte de les manœuvrer. Il ne se considérait pas comme un escroc ou un oiseau de proie, mais plutôt comme un acteur dont la prestation en scène pouvait durer des semaines ou des mois et qui ne volait pas son « cachet ». Il était même allé une fois jusqu'à épouser l'une de ces dames. C'était il y a dix ans, et il s'agissait d'une femme exquise, héritière d'un atelier de gravure et d'imprimerie. Harlee avait dirigé l'affaire pendant plusieurs années, se pliant à l'étude de la technologie nécessaire, avant d'être contraint à une faillite dont il n'avait pas été responsable.

Adèle étant morte peu après, il avait dès lors gravité

dans la compagnie des matrones fortunées. C'était une tâche pour laquelle Dieu l'avait apparemment choisi et il n'en débattait plus la moralité avec sa conscience. Il comptait sur son charme — et sur l'intérêt qu'il pouvait soulever grâce à des actions en réalité sans valeur. Pendant des années, il avait affectionné les actions sur les scieries, mais il s'était dernièrement branché sur celles touchant aux métaux, particulièrement à l'uranium. De toute façon, ces titres sur papier étaient de purs chefs-d'œuvre d'art.

Ayant allumé une cigarette au mégot qui se consumait dans le cendrier, il ouvrit le deuxième tiroir de son bureau, en extirpa une enveloppe épaisse contenant les plus beaux spécimens de son « travail » actuel. Il choisit certains titres, en examina la gravure d'un œil critique. Le cachet légal imprimé en feuille d'or dans l'angle gauche était une parfaite réussite. Compagnie de la United Power Metals. Impressionnant. Et pour quelqu'un soupçonneux, il existait vraiment une compagnie de ce nom en Californie, mais elle ne s'intéressait pas cependant à l'uranium.

Harlee remit les titres dans l'enveloppe et se dirigea vers la penderie. Le costume bleu, fraîchement nettoyé et repassé, avait été coupé à ses mesures à Saint Paul, quelques années plus tôt. Les revers étaient un peu étroits pour la mode actuelle, mais le tailleur s'était arrangé pour que la poche pût contenir l'enveloppe sans que le veston en fût déformé. Après tout, on ne se rendait pas à un dîner en traînant une serviette ou un attaché-case. Le tailleur s'était montré habile artisan. Dommage qu'Harlee eût été contraint après la livraison de quitter Saint Paul — en quelques heures, le tailleur aurait découvert que la carte de crédit de son client était depuis longtemps périmée. Les ordinateurs avaient définitivement compliqué l'existence d'Harlee.

Ainsi, il ne tarderait plus à quitter également la Tour de Verre, à moins d'une chance exceptionnelle ou d'une aide inespérée de Lisolette.

Il revêtit le costume, glissa l'enveloppe dans la poche et jura parce qu'il avait laissé tomber des cendres de cigarette sur un revers. Pendant qu'il brossait le vêtement, la cigarette échappa à ses lèvres, dégringola et brûla le parquet. Il l'écrasa vivement, retourna en toussotant dans sa chambre et préleva une autre cigarette dans le paquet posé sur le bureau. Il fallait décidément qu'il renonçât à fumer. Pour son âge, il fumait trop. En lui faisant la leçon à ce propos, Lisolette lui avait rappelé sa défunte femme qui ne cessait de lui répéter : « Ton tabac te ronge les poumons ! » A croire qu'elle avait un pressentiment. Elle avait envisagé la maladie bien avant qu'Harlee en eût été averti par son médecin.

Lisolette ressemblait beaucoup à Adèle. Elle était physiquement plus forte, mais elle avait le même regard vif, intelligent, chaleureux, et les mêmes goûts intellectuels. Dès le début, il l'avait jugée captivante et il regrettait parfois les raisons secrètes pour lesquelles il recherchait sa compagnie. Mais il fallait bien vivre et, dans ce monde, on dévorait ou l'on se laissait dévorer. D'après l'enquête discrète qu'il avait menée — une erreur, ces questions à Jernigan ! — Lisolette disposait de sa retraite d'institutrice et d'un petit héritage. La somme qu'elle accepterait d'« investir » serait sans doute modeste, mais Harlee n'avait pas l'intention de la mettre sur la paille ni même dans l'embarras. C'était une des règles du jeu. Pour ne pas les blesser, on ne tondait jamais les moutons de trop près. Lesdits moutons portaient rarement plainte, mais Harlee se plaisait tout de même à y mettre une touche d'élégance.

Il noua tranquillement sa cravate bleue, fit dépasser les poignets de sa chemise des manches du veston et se figea. L'odeur de fumée. L'espace d'un instant, il craignit d'avoir mal éteint le bout de sa dernière cigarette, mais il réalisa que c'était du tissu qui grillait. Il se rua sur la penderie, décrocha le costume marron avec la panique de s'apercevoir qu'il l'avait endommagé. Rien. Pas de trou non plus dans le tapis de la chambre. Il hésita, puis retourna dans le vestiaire où il avait auparavant écrasé sa cigarette et finit par repérer une volute de fumée — une étincelle logée dans le fond de son meilleur pantalon avait en brûlant creusé un trou près de la couture.

Du bout des doigts, il étouffa la brûlure. Il se sentit à la fois écœuré et déprimé. C'était son plus beau pantalon, acheté l'année dernière. Et difficile à stopper pardessus le marché. Sans négliger le prix du stoppage.

Enfin, il n'y avait plus rien à y faire. Lisolette était sympathique, mais, ce soir, Harlee devait considérer les choses en face, songer à sa déroute financière. Il allait entreprendre une partie qu'il fallait absolument gagner. Maintenant, si Lisolette se refusait à faire un placement d'argent, elle lui consentirait peut-être un prêt personnel. « Je suis très gêné, ma chère amie, mais mon homme d'affaires ne m'a pas expédié ma mensualité et... » Lisolette était assez compatissante pour se laisser fléchir.

Toutes les compagnes d'Harlee avaient été très généreuses.

⁂

Le feu court sur la surface du tissu qui noircit, et creuse le coton du rembourrage. Les bourres de coton tombent en feu sur le sol. Des flammes se fraient un chemin entre les fibres de la carpette et, au-dessus, l'air s'avive, libérant fumée et chaleur. La température du revêtement métallique s'élève de dix, puis de vingt degrés, et la couleur verte du dessous des étagères vire à l'olive, et au brun foncé. Des bulles gazeuses se forment sous la peinture, bientôt transformées en boursouflures luisantes et noirâtres. La peinture peu à peu s'écaille, brûle et s'éparpille en lambeaux sur la carpette.

Sur l'étagère, une boîte de métal soudain éclate, les soudures ayant été distendues par la chaleur. Le liquide jaillit sous l'effet de la vapeur qui fait pression à l'intérieur. A côté, l'étiquette d'un flacon à demi plein d'un liquide opalescent et sombre brunit. Des bribes de colle se détachent sous le papier pour tomber au sol tandis que l'étiquette se crispe, noircit, se ratatine brusquement sous forme d'étincelles. L'instant d'après, la bouteille éclate comme une coquille d'œuf, déversant son contenu sur l'étagère et le long du rebord qui fait barrage. Le liquide gagne l'extrémité de l'étagère et des ruisselets s'échappent, coulent sur la carpette, éteignant en partie des flammes avant que le liquide ne devienne vapeur. Après une brève pause, les vapeurs inflammables s'éparpillent sur la carpette où le liquide lui-même s'embrase en produisant un chuintement.

Dans la machinerie située sous le toit de la Tour de Verre, plusieurs panneaux se strient de bandes rouges et la sirène des détecteurs de fumée siffle. Mais il n'y a personne de service. Dans le sous-sol, pestant contre son âge, ses reins défaillants et le café trop fort, Griff Edwards file aux lavabos. Quand il a terminé, après une hésitation, il monte dans le hall, en espérant obtenir la première édition du quotidien du matin. Les mots croisés font oublier les longues heures d'une garde de nuit. Le flot des dîneurs du Panoramic s'est pour le moment atténué et Griff s'arrête pour bavarder avec Sue. Il prête une oreille sympathique aux problèmes personnels de cette jolie fille. De lui, elle n'a rien à redouter et il est flatté qu'elle l'honore de ses confidences. Au sous-sol, le rouge s'allume sur les tableaux signalant un excès de chaleur et les détecteurs de fumée se manifestent en sifflant. La liaison directe avec la brigade des pompiers bourdonne. Brièvement, car un fil défectueux se coupe et le signal s'interrompt. La lampe de détection sur le tableau d'alerte ne fonctionne pas depuis une semaine, mais personne ne s'en est aperçu. L'homme de garde dans la salle de contrôle a levé la tête au premier signal et s'est replongé dans les chiffres qu'il aligne sans plus se soucier de ce signal rapidement stoppé.

Dans la pièce, la bête s'agrippe à de minces filets de liquide et les remonte comme un gosse grimperait le long d'une corde. La mare sur l'étagère s'enflamme avec un rugissement de triomphe. D'autres boîtes métalliques à leur tour explosent sous l'effet de la chaleur et deux flacons se fracassent, projetant des cascades sur la carpette déjà en feu.

La surface de l'étagère est maintenant entièrement enflammée, et les boîtes de métal se rompent l'une après l'autre. L'éclatement des flacons donne l'impression de grains de maïs que l'on fait rôtir pour un anniversaire.

Précisément, c'est un anniversaire — la bête fête ses trois heures d'existence.

14

Le trajet dans la Cage de Verre avait été vertigineux et même terrifiant. Lisolette n'avait pas eu honte de se cramponner au bras d'Harlee. Au moment où ils franchissaient le seuil du salon du Panoramic, elle ne put s'empêcher d'observer :

— Bien qu'ayant souvent déjeuné ici, je n'avais jamais utilisé cet ascenseur extérieur. Tout comme mon cousin qui, à New York, n'est jamais monté au sommet de l'Empire State Building.

Claiborne prit l'air flatté, ainsi que l'espérait probablement sa compagne. Il lui offrit son bras et la guida vers le bureau de la réservation.

— Vous n'imaginez pas, chère amie, quel plaisir on éprouve à se montrer en compagnie d'une femme charmante.

— Pas trop de compliments, Harlee, ou vous allez me tourner la tête malgré mon âge!

— Une chance pour moi si cela se produisait!

Quinn Reynolds s'approcha, venant de la salle à manger, et Claiborne lui sourit avec une certaine gêne :

— Bonsoir, Miss Reynolds, nous avons retenu une table pour deux.

L'espace d'une seconde, Quinn hésita et Claiborne sentit son estomac se nouer. Elle savait certainement. Mais elle consulta sa liste de réservation, leva la tête sur Lisolette qui, radieuse, n'avait pas lâché le bras de Harlee :

— Certainement, Mr Claiborne, dit-elle, gracieuse. Je suis contente de vous revoir, Miss Mueller. Voulez-vous me suivre?

Au passage, elle ramassa deux menus, descendit l'escalier qui débouchait dans la salle à manger et s'avança jusqu'à une table proche d'une fenêtre. Claiborne aida Lisolette à se débarrasser de son manteau et la fit asseoir.

— Pourrais-je vous parler un instant, Mr Claiborne? s'enquit Quinn, désinvolte, sans lui laisser le temps de s'installer. Nous avons dû changer le vin que vous aviez commandé et la carte des vins est demeurée sur mon bureau.

— Je vous en prie!

Il devinait ce qu'elle lui voulait, mais il lui emboîta le pas après s'être excusé auprès de sa compagne.

— Je suis navrée, Monsieur, fit la jeune femme quand ils se furent éloignés. C'est très désagréable, mais votre note chez nous s'élève à deux cents dollars. La comptabilité nous a ordonné de vous refuser tout crédit supplémentaire.

Le ton était ferme, bien que Quinn fût incontestablement ennuyée de la situation.

— Ma chère amie, vous êtes exquise et je ne veux pas vous mettre dans l'embarras. Je réglerai mon compte dès demain. J'ai effectivement eu quelques ennuis de trésorerie, mais c'est maintenant arrangé.

— Je regrette, Mr Claiborne, mais j'ai des instructions. Il m'est impossible d'accepter votre signature ce soir. Miss Mueller m'est très sympathique et je me rends compte qu'elle sera contrariée, mais...

— Ne vous inquiétez pas : ce soir, je réglerai l'addition en liquide.

— Parfait, Monsieur, dit Quinn, rassérénée. Je suis vraiment désolée. Que cela ne vous empêche pas de passer une agréable soirée.

— C'est ce que je compte faire!

Il retourna à sa table en songeant, morose : « Ce sera ce soir ou jamais. Malgré ma sympathie pour Lisolette, il n'y a pas d'autre issue. Je pourrais bien être éjecté de l'immeuble demain. » Le moment venu, il pourrait toujours prétendre qu'il avait oublié son portefeuille. Miss Reynolds ne ferait pas de drame, ne serait-ce que par déférence pour Lisolette. Mais elle le signalerait au directeur. Et Harlee n'aurait naturellement plus aucune chance de trouver une table au restaurant à l'avenir.

— Alors, rien d'ennuyeux, Harlee? interrogea la vieille dame quand il reprit sa place. Vous êtes resté si longtemps absent...

— Rien d'important, ma chère amie. Vous accepterez volontiers un cocktail, n'est-ce pas?

— Vous, vous cherchez à m'étourdir! s'exclama-t-elle, le regard brillant.

— Hé! peut-être!

Elle commanda un Daiquiri glacé et lui, après avoir hésité, lança au barman :

— Pour moi, un double Martini. Par ce froid, c'est indispensable!

— Vous me semblez désemparé, remarqua Lisolette distraitement.

— Pas du tout. Au fond, je suis un mélancolique. Au milieu du plaisir et de la joie que me procure la présence de mes amis, je me rappelle sans cesse que tout a une fin.

On apporta les boissons et chacun goûta à la sienne.

— Pour les Allemands, cet état d'âme est le *Weltschmerz*, c'est-à-dire la « lassitude du monde ».

— Oh! ça ne va pas aussi loin pour moi! protesta-t-il gaiement.

— Cela ressemblerait donc plutôt à ce que décrivait Sudermann. Connaissez-vous bien sa littérature?

— Hélas! non, avoua-t-il, prudent.

C'était là une face de Lisolette qui lui échappait.

— C'était autrefois un écrivain très populaire. Je faisais allusion à son *Frau Sorge*, autrement dit *Dame Chagrin*. Il y est question d'un garçon qu'accablent les soucis et le chagrin tout au long de son existence. Sudermann s'apparentait beaucoup à Thomas Hardy dans ses vues — *Frau Sorge* est en réalité le contrepoint germanique de *Jude l'Obscur*.

Là, elle allait trop loin pour lui. « Ses dames » avaient toutes été agréables, généreuses, charmantes, mais rarement du type intellectuel. Il se retrouvait comme un homme appréciant le vin blanc à qui l'on venait de faire découvrir le champagne.

— Pauvre Jude! riposta-t-il. Je crains de ne pouvoir supporter cette comparaison, Lisolette. Je ne suis pas d'esprit chagrin, et je serais plutôt optimiste en fait.

— Exactement comme mon père. Il vous aurait plu, Harlee. Il était brasseur à la brasserie Schwartz Brau de Saint Louis. C'était un homme passionné et aimant.

— Il a eu une fille délicieuse.

— Allons, Harlee, pas de flatterie!... Lui était extraordinaire. Il venait de Francfort-sur-le-Main et il était très fier du passé culturel qu'il m'avait transmis... C'était un homme d'un courage extrême, reprit-elle, assombrie par un mauvais souvenir, et il en est pratiquement mort à la fin des années trente.

— Ah? s'étonna gentiment Harlee, pressentant qu'elle avait envie d'en parler.

— C'était à l'époque du nazisme, qui était très fort à Saint Louis. On pouvait au Schwartzwald, la Forêt-Noire, aller voir les svastikas et les feuilles de chênes éparpillés sur les murs et sur les hommes qui défilaient en chemises brunes, avec des brassards, des ceintures, des casquettes frappées du sigle SS! Oh! cet affreux costume!

— N'y pensez plus, Lisolette, c'est du passé.

— Pas pour moi. Un jour, nous sommes allés ensemble au parc, mon père et moi. Je devais avoir vingt-deux ans... Un groupe de ces individus marchait comme à l'exercice. Papa leur a crié qu'ils étaient une honte pour le pays de Schiller et de Beethoven, il s'est accroché avec un de leurs officiers. Les autres lui sont aussitôt tombés dessus. Quand la police est intervenue, il était trop tard, mon père était pratiquement mourant.

— A vous, ils ont fait du mal?

Elle sourit — méchamment, pour la première fois.

— J'ai arraché une barre de métal enfoncée dans le sol près d'un tas d'ordures et foncé sur un des gars qui essayait de cogner sur mon père à coups de botte. Lui aussi a séjourné à l'hôpital... C'était terrible, ce geste, mais je ne pouvais tout de même pas les laisser malmener mon père, n'est-ce pas?

En la scrutant, il évoqua sa femme Adèle. Lisclette et elle possédaient le même orgueil farouche. Adèle aurait eu le même genre de réaction. Une femme formidable. En silence, il porta un toast à Lisolette et, les yeux embrumés de souvenirs, elle se joignit à lui.

— Malgré les années écoulées, mon père me manque toujours, murmura-t-elle. Maman est morte quand j'étais très jeune et lui... il occupait toute ma vie.

— Vous ne vous êtes jamais mariée?

— Non. Papa ne s'est jamais rétabli de cette correction. Il a fallu que je prenne soin de lui. On m'a cependant demandée en mariage, vous savez!... Seriez-vous surpris, et choqué de m'entendre confesser que je ne suis pas vierge, Harlee? dit-elle, une lueur dans le regard.

— Pas du tout, répliqua-t-il en riant.

— L'alcool me délie la langue! Mais je suis contente d'avoir connu l'amour. Seulement il y avait mon père et, bien sûr, ces beaux jeunes gens et jeunes filles à qui j'enseignais. Ce sont eux qui sont devenus ma vie!

Il songea qu'il admirait tant de choses en elle, et cette force qui la rendait exceptionnelle. Elle se montrait parfois frivole, mais elle possédait dans le fond cette force insoupçonnable.

— Voyons, parlez-moi de ces fameuses actions, enchaîna-t-elle.

Sortant l'enveloppe de sa poche, il en répandit le contenu sur la table. Elle l'écouta avec sérieux, mais curieusement, pour lui, le cœur n'y était pas. La confiance dont elle témoignait le mettait mal à l'aise. Cela lui ôtait la satisfaction du jeu, le plaisir de la conquête.

— En tout cas, Lisolette, n'oubliez pas que les valeurs de ce genre, qui sont hors cote, sont hautement spéculatives.

— Si vous estimez que les chances sont en notre faveur, Harlee...

— Vous devriez cependant y réfléchir avec soin, coupa-t-il, sec.

Il s'étonna de s'entendre proférer de tels propos. Il était en train de tout flanquer en l'air.

— Je me fie à votre jugement, dit-elle simplement, en palpant les titres. Ils sont impressionnants, ces documents, non? Dites-moi ce que je devrais acheter, Harlee.

— Les actions sur le métal..., commença-t-il.

Mais la sueur lui inonda le front.

— Ah bon?

— Oui... Oh! pourquoi placer en moi une telle confiance, Lisolette?

— Mais... vous paraissez furieux! s'exclama-t-elle. Ai-je mal agi?

— Oui, vous êtes trop naïvement confiante.

— Existe-t-il des raisons pour qu'il en soit autrement?

Il s'adossa à son siège, avala une longue gorgée de Martini. Brusquement, il se rendit compte qu'il avait oublié à quel point il avait aimé Adèle. Cette Adèle dont précisément Lisolette était le sosie moral. Adèle lui avait fait confiance pour les affaires, le compte en banque. Et, par testament, elle lui avait légué tous ses biens. Oui, elle aussi l'avait aimé.

— Lisolette... si je vous avouais que ces titres ne valent pas même le parchemin sur lequel ils sont imprimés? Je peux l'affirmer, c'est moi qui les ai fabriqués... Vous avez raison, ils sont superbes, mais sans valeur.

Ce sont des faux... Comme moi, Lisolette, déclara-t-il en la fixant. Je ne possède pas un dollar, j'ai deux mois de loyer en retard et je ne suis pas seulement en mesure de payer le dîner.

— Quand on est dans un tel embarras... fit-elle, sourcils froncés.

— Ne vous méprenez pas! C'est ma façon de vivre qui est ainsi... Et vous n'êtes pas la première avec qui je tente le coup. Si ça se trouve, des douzaines de plaintes contre moi se promènent à travers le pays, bien que la plupart de mes charmantes dames soient trop bien élevées pour porter plainte.

— Vos charmantes dames, répéta-t-elle, souriante.

— Hé oui, mes pauvres dames! souffla-t-il avec désespoir.

— Vous êtes un sensible, Harlee.

— Et vous, vous n'avez pas écouté un mot de ce que je vous ai dit, objecta-t-il en la dévisageant.

— Mais si!

— Vous ne semblez pas surprise.

— Pourquoi le serais-je? Il y a longtemps que je savais tout. C'était facile à contrôler.

— Quoi! Et vous m'avez laissé continuer à me couvrir de ridicule?

— Allons, ce n'est pas du tout le cas! affirma-t-elle en lui étreignant la main. Vous êtes charmant, et je ne vous ferais tort pour rien au monde. Quant à l'argent, ça ne m'aurait pas beaucoup gênée, et vous m'avez tant offert en contrepartie.

— Vous auriez joué le jeu? Laissé rafler votre argent?

— S'il avait fallu en arriver là, oui, mais peut-être pas autant que vous le désiriez.

— Lisa, fit-il, utilisant pour la première fois ce diminutif, vous êtes réellement une femme étonnante!

— Simplement une femme qui a beaucoup vécu et

qui s'intéresse encore aux messieurs ! Et vous, seriez-vous étonné d'apprendre que j'étais certaine que vous me révéleriez la vérité sur ces titres ? J'ai affirmé à Rosette que vous étiez l'homme le plus honnête que j'aie jamais rencontré.

— Dieu, je regrette de ne pas vous avoir connue avant ! s'exclama-t-il en riant.

Et pourtant... il l'avait connue ! Il l'avait même épousée. Par Adèle interposée.

— Vous savez, pendant que vous tentiez de persuader la petite Reynolds de nous autoriser à dîner ici, j'ai pris la liberté de commander des chateaubriands et une bouteille de château rothschild 64. Vous voyez, je connais les vrais gentlemen... Oui, je me doutais de ce qu'elle vous expliquait et je voulais que la soirée soit pour vous aussi plaisante que pour moi !

Exactement Adèle, se répéta-t-il. Et terriblement Lisolette Mueller, avec sa personnalité propre !

15

Au retour de Thelma et de Jenny, Leroux et Barton qui ne voulaient pas discuter affaires devant elles partirent faire un tour dans la galerie du Panoramic. La table, d'ailleurs, n'était pas prête et Barton, sentant diminuer la tension et l'hostilité chez Leroux, commençait à s'amuser. L'endroit était agréable, la vue de la ville sous la neige admirable.

— Craig, vous êtes dans le milieu de l'architecture et de la construction depuis assez longtemps pour savoir qu'il n'existe pas de building à l'épreuve du feu, dit le promoteur. Nous ne pouvons que produire des immeubles résistants. Mais en général, ça peut brûler. Tout dépend de la façon dont le feu démarre, c'est un principe de base. En fait, c'est une question de délai — combien de temps un morceau de bois ou de tissu résistera-t-il à la combustion ? Jusqu'à quelle température tiendra-t-il ? etc. C'est une loi et une entreprise de construction se doit de la respecter. Nous comme nos confrères. Nous nous efforçons d'être compétitifs en supprimant les angles et les fioritures non indispensables — ça, c'est la règle du jeu. Mais nous n'enfreignons pas la loi. La ville a ses inspecteurs, les pompiers ont les leurs, comme les compagnies d'assurances. S'ils désapprouvent l'édification d'un de nos immeubles, nous ne pourrons proposer ce dernier à la location. Et en dépit des affirmations de Quantrell, les incendies dans les gratte-ciel sont rares. Il y en a, bien sûr — de même que des avions s'écrasent au sol. Mais les chiffres annuels sont pratiquement insignifiants. Remarquez que toutes les parties de la Tour de Verre admises au public sont susceptibles d'être inondées ou du moins arrosées — c'est une nécessité. Mais ces dispositifs d'arrosage dans la totalité du bâtiment seraient si onéreux que nous cesserions d'être compétitifs. Sears Roebuck en a fait installer dans l'immeuble qui lui sert de siège social, tant pour son image de marque que pour la sécurité, mais nous ne sommes pas Sears — du moins pas encore.

Barton ne se sentait pas convaincu, peut-être parce qu'il était fatigué, ou parce que Leroux en faisait trop. Il le dévisagea et l'autre se perdit un moment dans ses pensées avant de poursuivre :

— En un sens, Craig, nous sommes les premiers

écologistes. L'homme ne peut pas continuer à gaspiller son espace vital en supprimant les forêts et en nivelant les collines. Los Angeles loge une population aux deux tiers équivalente à celle de Chicago sur une superficie deux fois moins importante. Nous ne pouvons continuellement nous offrir la banlieue. Il faut retourner dans la ville qui a été conçue comme centre commercial et industriel, en sorte que le travailleur réside à proximité de son lieu de travail... Nous construisons des villes, Craig, ce n'est pas une activité mineure, assura-t-il en secouant la cendre de son cigare.

Finalement, se dit Barton, cet homme n'était pas César, mais Ramsès, le bâtisseur de pyramides.

— Vous avez vu le projet confié à Joe Moore, reprit Leroux. Savez-vous ce qu'il y a derrière?

— J'aimerais l'apprendre! riposta Barton soudain dégrisé. J'imagine mal un pays entier peuplé de répliques de la Tour de Verre!

— Il y a dans les environs beaucoup d'immeubles, rétorqua Leroux, désignant l'horizon. Combien d'entre eux vous frappent-ils par leur beauté? Un sur dix peut-être, ou moins? Qu'est-ce qui vous choque dans l'idée de notre Tour de Verre et d'une version légèrement modifiée édifiée à Milwaukee? Personne n'habite deux villes en même temps, voyons! Les gens du cru n'auraient pas de quoi se froisser.

Leroux avait enfoncé son raisonnement dans le crâne de Moore. Du moins Barton en avait-il eu l'impression, mais Moore s'était refusé à le reconnaître, prétendant qu'à son avis l'idée de Leroux était réellement bonne.

— Vos explications ont un mobile, Wyn. Car vous m'avez certainement réservé un rôle dans vos projets?

— C'est vrai, avoua l'autre, soudain manquant d'assurance devant l'indifférence évidente de Barton. Et c'est pour quelque chose qui est déjà en route. La United

Insurance accepte de financer tous nos immeubles. Nous mettrons la région en valeur, nous serons concepteurs, promoteurs, entrepreneurs, décorateurs et dirigeants responsables — donc difficiles à battre.

— Nous produirons des buildings comme la General Motors des voitures, et avec une garantie de cinq ans ?

— C'est une manière de voir — et pas la mienne ! riposta froidement Leroux.

— Quelle est ma place là-dedans ?

— Eh bien, vous aviez raison — je n'ai pas besoin de vos talents d'architecte, je les ai déjà payés. Ce qu'il me faut, c'est un homme fait pour commander. Je vous ai choisi et formé depuis deux ans. Vous êtes celui que je veux et le seul à qui j'ai eu le temps d'apprendre le métier. Ce fut probablement une erreur.

Barton se tourna vers la baie vitrée. L'occasion... une fois de plus. Un nouveau titre, un nouveau salaire, la réussite avec un grand R parce que, si Leroux avait bien calculé son coup, la National Curtainwall serait d'ici quelques années l'un des plus importants promoteurs du pays. Mais la chance se présentait alors que Barton n'en voulait pas, quand il avait déjà pris sa décision sur ce qu'il allait faire. Leroux lui ouvrait des portes qu'il n'avait pas envie de franchir.

— Le plan n'est pas aussi étriqué que vous pourriez le croire, continua Leroux, persuasif. La Tour de Verre n'est qu'un exemple, il y en aura d'autres... Des modèles, si vous le désirez.

Les flocons de neige tombaient plus drus. Le vent mugissait littéralement autour de la Tour.

— La tâche est considérable, s'impatienta Leroux. Et vous n'avez peut-être pas l'envergure nécessaire...

— Oh ! assez, Wyn, je n'ai plus vingt ans ! Je n'ai pas dit que je refusais le poste. Je veux simplement y réfléchir.

Jenny serait ravie, songea-t-il, amer. Soudain, près de lui, Quinn murmura :

— Votre table est prête. Voulez-vous me suivre ?

Elle était charmante, mais protocolaire, sans doute à cause de la présence de Leroux.

Ils gagnèrent la salle à manger où les attendaient Thelma et Jenny. Étreignant la main de sa femme, Barton commanda un café noir à lui servir immédiatement. Mais Jenny resta rétive, froide. Chez cette jolie brune et élancée, seul le nez trop fin choquait dans sa beauté classique. A une certaine époque, Barton l'avait connue pleine de vie, enthousiaste, spontanée. C'était ce qui en elle l'avait attiré. Au fond, elle ressemblait alors à Quinn en plus jeune. Ce soir, comme toujours depuis quelque temps, elle apparaissait lointaine. Elle ne dirait pas dix phrases dans sa soirée !

Thelma, c'était l'énigme dans la vie de Leroux. Une femme qu'il ne comprendrait probablement jamais mais que, d'instinct, il respectait. Plus jeune que lui, elle était aussi originaire de la Caroline du Nord dont elle possédait le charme traînant et la séduction. Et, sous son allure sophistiquée, elle gardait les pieds sur la terre.

— Savez-vous que je n'étais jamais venue dîner au Panoramic ? remarqua-t-elle.

— C'est la faute de Wyn, riposta Barton. Il y a longtemps qu'il aurait dû vous y amener. La société peut même prendre les frais à sa charge !

— Et comment ! Le percepteur nous guette au virage !

— C'est superbe, Craig, et le service semble parfait... Dites-moi, ajouta Thelma avec malice, l'hôtesse semble vous connaître. Serait-elle de vos anciennes amies ?

— Oui, admit-il en souriant. C'était avant que je ne rencontre Jenny.

— Longtemps avant ? persifla Jenny.

— Juste avant, répliqua-t-il, sec. Vous aviez, Quinn

et toi, beaucoup de points communs. Je t'ai parlé d'elle.

— Elle est plus âgée que je ne l'imaginais!

— Disons surtout plus mûre! rectifia-t-il brièvement.

Agacé, il jeta sa serviette sur la table, renversant au passage la carafe dont l'eau se répandit. Il jura intérieurement, sans même entendre Thelma qui, conciliante, observait :

— Il n'y a pas grand mal, Craig. La serveuse l'avait posée trop près de votre coude.

Déjà Quinn envoyait un garçon nettoyer le sol et changer les serviettes mouillées.

Barton se tourna vers la table voisine :

— Excusez-moi si je vous ai éclaboussés, dit-il au couple d'un certain âge qui l'occupait. Vous me permettrez de...

— Je vous en prie, coupa la vieille dame en souriant. Ce n'est que de l'eau et songez comme nous serions trempés si nous étions dehors en ce moment! N'est-ce pas, Harlee?

— Effectivement, ma chère. Ce n'est rien, Monsieur, je vous assure.

Il frottait quelques taches sur son costume. A son intonation, Barton pressentit que sa réponse aurait été différente si sa compagne n'avait pas, la première, pris la parole.

En se redressant, il songea que la nuit risquait d'être longue, surtout si Jenny en avait décidé ainsi.

— L'avion devait être pénible sous ce temps, remarqua Thelma pour détendre l'atmosphère qui s'annonçait orageuse. Personnellement, j'aurais détesté voler dans ce ciel, surtout s'il m'avait fallu quitter San Francisco pour venir ici.

Barton ne put s'empêcher de rire. Et d'envier Leroux d'avoir une telle femme. Thelma venait d'ouvrir une brèche.

16

Le temps fuyait, et Jésus se sentit gagné par la panique. Il avait suivi sa mère d'un bureau à l'autre tandis que, méthodiquement, elle vidait les corbeilles à papier dans le grand sac de toile monté sur roulettes qu'elle traînait derrière elle. Il n'avait cessé de la supplier, de quémander. Mais elle s'obstinait à répondre « non » en marmonnant. Il passa de la fureur aux sanglots, puis devint misérable. Encore vingt minutes et Spinner aurait filé, car il avait d'autres rendez-vous. De plus, depuis son dernier échec, il se montrait nerveux. Si Jésus lui posait un lapin, il risquait de se méfier et de le renvoyer. Après tout, Jésus avait un casier judiciaire et Spinner pouvait s'imaginer qu'il servait aux flics d'indicateur chez les trafiquants...

Transpirant, Jésus luttait constamment contre les nausées. Les crampes ne tarderaient pas à se manifester.

— Il faut que tu m'aides, Maman!

— Non. Débrouille-toi.

— Tu veux donc que je fasse quelque chose de terrible? rétorqua-t-il, secoué de tremblements.

— Je n'ai pas d'argent, affirma-t-elle, stoïque, tirant son chariot.

— Il faut que je voie cet homme, Maman. J'ai absolument besoin d'argent. Si je n'établis pas ce contact, ça pourrait me tuer.

— Le contact? répéta la brave femme, scrutant son fils.

Effleurant ses lèvres de la langue, il arracha les boutons de ses manches pour découvrir ses avant-bras.

— Tiens, regarde! Des traces de piqûres, Maman. Je suis un drogué. Je me pique à l'héroïne. J'ai besoin d'une piqûre et si je ne l'ai pas, je pourrais en mourir!

— Tu es en train de te suicider avec ça!

Il l'empoigna brutalement par les épaules. Grimaçant de douleur, elle tenta de se dégager.

— Tu préfères peut-être me tuer? lança-t-elle avec colère. C'est ce que tu souhaites, hein? Tu veux vingt dollars que je ne possède pas. Insiste tant que tu veux, je ne les ai pas!

Il était persuadé qu'elle mentait.

— Tu te fous de ce qui peut m'arriver! cria-t-il, exaspéré. Ce que tu veux, c'est sans doute que j'aille cueillir un imbécile dans une ruelle. Une brique dans une chaussette, le voilà étendu pour le compte, et moi je n'aurais plus qu'à lui faire les poches. A moins que je ne cogne trop dur et qu'il ne se réveille jamais. Tu me crois incapable de faire du mal à quelqu'un? De me tapir dans une rue, pour guetter un passant? Tu ne me connais pas, Maman. Tu n'as jamais su ce que j'étais!

Après avoir vidé les cendriers dans son chariot, elle les essuya avec un chiffon humide.

— Va te coucher, ça te calmera, grommela-t-elle, les larmes aux yeux.

— Maman, supplia-t-il, le cœur au bord des lèvres, je t'en prie!... Et puis je n'ai pas besoin de toi! Il me suffit de descendre dans la rue pour obtenir de l'argent. Je peux me vendre, tu sais. Il y a des vieux qui me feraient ce qu'on fait à une femme... Ils me paient, Maman, sanglota-t-il. Parce que je vaux leur fric. Moi, ça ne me plaît pas, mais il faut que je le fasse!

Comme elle lui tournait le dos, elle laissa les larmes ruisseler sur sa figure.

— Ainsi, tu n'es pas un homme! bégaya-t-elle, la voix brisée.

La nausée atténuée, il contourna le bureau et vint bousculer sa mère.

— Je devrais peut-être te signaler à l'aide sociale, Maman! siffla-t-il. Tu vis avec Martinez sans être sa femme. Si je te dénonce, on te supprimera le secours que tu reçois. D'autant que je leur révélerai que tu travailles ici. Ah! je te jure que je suis capable de te dénoncer! On te flanquera dehors avec ce salaud qui vit à tes crochets et tu ne trouveras jamais un logis aussi bon marché!

— Jésus! gémit-elle, sans plus dissimuler son émotion. J'ai encore un étage à nettoyer ce soir parce que Maria est absente... Allons, laisse-moi, Jésus, j'ai mon boulot à faire!

Penché en avant, il balaya d'un geste les dossiers, les lettres empilées dans une corbeille, le téléphone qui dégringola avec fracas.

— Je me fous de ton boulot!

Il craqua une allumette et la tint au-dessus du chariot bourré des papiers ramassés dans les diverses pièces.

— Tiens, ta saloperie de bureau, je vais y mettre le feu! Tu veux voir ça, Maman! Car j'en suis capable!

Voyant que, effrayée, elle s'apprêtait à décrocher un téléphone pour avertir la sécurité, l'œil fou, il lui arracha le combiné.

— Je veux l'argent, et tout de suite!

Machinalement, elle crispa ses doigts sur la poche de sa blouse et il s'en aperçut :

— Je le savais, bon sang! hurla-t-il en s'élançant la main tendue. Donne-moi ce portefeuille ou je te casse le bras!

Elle tenta de lui échapper, d'atteindre un autre téléphone, mais il fonça sur elle, la bloqua contre le bureau et arracha le fil du téléphone. Elle se rua sur la porte, mais lui l'agrippa par son corsage. Elle pressa sa main sur la poche renfermant le portefeuille, mais il avait devancé son geste.

— Je t'en prie, Jésus, pour l'amour de Dieu!

Il s'empara du portefeuille et le fouilla. Seigneur, seize dollars... Spinner se contenterait peut-être d'un acompte, et même de la moitié de la somme. Repoussant sa mère, Jésus ouvrit la porte donnant sur le hall, mais une première crampe le plia en deux. Il chercha son souffle tout en se bâillonnant de la main, s'efforça de récupérer des forces et s'affala contre le chambranle de la porte.

Le masque bouleversé et inondé de larmes, mais l'air furieux, Albina se précipita vers lui. Il pivota pour se débarrasser d'elle, mais elle avait raflé le portefeuille et l'argent qu'il n'avait plus la force de retenir.

— Non, Maman...

Elle courut vers les ascenseurs et il la poursuivit. Elle pressa le bouton, mais se voyant rejointe, elle changea d'avis et se rua en direction de l'escalier. Il la rattrapa avant qu'elle y fût parvenue et voulut lui tordre le poignet. Ils faisaient trop de tapage, réfléchit-il, et si cette tante de Douglas avait prévenu la sécurité, les gardes ne tarderaient pas à surgir. Comme sa mère ouvrait la bouche pour appeler à l'aide, il lui plaqua la main sur les lèvres tout en cherchant à reprendre l'argent qu'elle étreignait entre ses doigts. Elle perdit l'équilibre, entraînant son fils avec elle. Titubant, ils franchirent la porte palière et le battant se referma inexorablement. Jésus tenta avec frénésie de saisir le rebord métallique, mais le déclic se produisit, signalant la fermeture automatique.

— Merde, voilà ce que tu as gagné! fulmina le garçon en pivotant vers sa mère. On est coincés!

Le dos au mur, effondrée, elle sanglotait, s'efforçant

maladroitement de fourrer les billets chiffonnés dans le portefeuille. L'espace d'un instant, la mère et le fils se défièrent du regard, mais Jésus se sentit gagné par une nausée... Non, c'était autre chose. L'odeur de fumée. Il se tourna vers la cage de l'escalier. L'air en dessous était déjà nébuleux, envahi de fumée.

Dans la machinerie au sommet de la Tour de Verre, comme dans celle du sous-sol, la plainte des détecteurs de fumée s'était interrompue et la lampe des indicateurs de chaleur s'était éteinte. Les fils électriques reliés à ces instruments avaient été grillés, les détecteurs eux-mêmes s'étaient tordus ou avaient fondus sous l'effet de la chaleur. Griff Edwards regagne son bureau en se dandinant, étale son journal et cherche un mot de quatre lettres utilisé dans l'atelier de composition d'un journal. La dernière lettre est un N ou un M. La lampe d'alerte ne fonctionnant pas, Griff ne réalise pas l'inutilité de sa veille.

Quelques étages plus haut, la bête se nourrit avec gloutonnerie et s'acharne dans la pièce qui est maintenant illuminée. C'est une réserve garnie d'étagères et de placards contenant des bidons et des bouteilles de dissolvants et de cires, des cartons de boîtes de mouchoirs en cellulose, des paquets de papier hygiénique : Un fatras qui commence à se carboniser et s'apprête à se joindre aux flammes environnantes.

Sur les rayonnages, les bouteilles ont éclaté, répandant leur contenu sur la carpette en feu. A côté, un placard soudain s'ouvre avec fracas lorsqu'un bidon à l'intérieur explose. A quelques mètres, les flammes s'attaquent à des barils couchés sur un râtelier métallique. Des barils qui renferment un dissolvant, du trichloréthylène servant à débarrasser le carrelage de la cire. Les lettres écrites au stencil sur le dernier baril s'effacent peu à peu à mesure que le feu ronge la peinture des boursouflures sur les parois du baril. Le dissolvant à l'intérieur se transforme en gaz, exerçant une pression qui gonfle le baril.

Les murs de la pièce, sauf celui qui double la cloison du puits de service, sont en plâtre enduit. Sous le papier de couverture carbonisé, le plâtre fume, s'éventre à cause de la chaleur et de la pression interne du dioxyde de carbone provenant du plâtre. Au-dessus les carreaux de l'écran phonique se sont descellés et détachés du plafond. Sur le sol, les dalles un peu protégées par le contact avec le béton fondent pourtant par endroits en surface ou se boursouflent. Et en fondant, les dalles émettent une flamme qui fume.

Devenue trop forte dans le baril de trichloréthylène, la pression projette le robinet à travers la pièce. Peu après, le baril éclate. A température normale, le produit n'est pas inflammable, mais avec cette chaleur, le liquide jaillit, se gazéifie, prend feu. Les autres barils se vident et les liquides surchauffés s'étalent sur le sol avant de rejoindre l'horrible déluge.

La bête à présent rage dans sa prison, griffant le plafond, repoussant les parois, mordant la porte métallique en la tordant sans encore réussir à faire sauter les gonds. A terre les liquides glissent vers la fente sous le battant, des flammèches s'insinuent en quête de dalles encore intactes. D'autres flammes s'y ajoutent et aussitôt, le flux embrasé s'engouffre sous le panneau de métal.

La bête a appris la ruse.

17

Crédits, hypothèques, impayés, commandes annulées... tout y était. L'histoire d'un échec commercial. Douglas se tassa sur son siège et se frotta les yeux. Un instant, sa mémoire retourna dix ans en arrière, à l'époque où il avait fait la connaissance de Larry à un match de football à Oakland. Ils avaient aussitôt sympathisé. Et quand la sympathie avait cédé à l'amour qu'ils recherchaient tous deux, ils s'étaient découverts l'un l'autre.

Deux semaines plus tard, Douglas était rentré chez lui, mais ils avaient continué à correspondre. Et un matin, Douglas avait reçu un télégramme de Larry le priant de le rejoindre à l'aéroport. Larry n'était plus jamais reparti.

Ce roman était désormais achevé. Brusquement, Douglas cassa son crayon et en jeta les débris contre le mur — sa décision était prise. Sans doute avait-il trop vieilli pour Larry, mais il ne pouvait tout de même pas continuer à se montrer faible et hésitant, que ce fut en face de Larry ou des affaires.

Il réfléchit à ce qu'il venait de décider, étudia les questions multiples qui se posaient à lui, sortit d'un tiroir un document intitulé « Assurance contre incendie ». C'était peut-être une solution. Là encore, comme dans les divers éléments de leur association, c'était à lui de prendre une résolution, jamais à Larry. Ce dernier se comportait comme un employé sans grandes responsabilités. Une allumette, et le tour serait joué, à condition de peser les conséquences éventuelles, de veiller à ne pas laisser de traces d'un incendie volontaire... Douglas promena son regard autour de lui. La boutique était parfaitement close à cause de la climatisation.

Soudain, il se dressa. Intrigué. Inquiet aussi, sans savoir pourquoi. Une odeur de fumée flottait dans l'air. Il chercha pour s'assurer qu'un mégot ne traînait nulle part — mais rien. Et d'un seul coup, il localisa la source de l'odeur, courut ouvrir la porte extérieure. Le couloir était déjà envahi par la fumée. Au bout se trouvait la réserve de l'étage dont la porte était encadrée par une fumée blanchâtre. Il était à plusieurs reprises passé devant quand les femmes de ménage ou Krost y stationnaient, il savait que la pièce était remplie de cires et de dissolvants, de cartons de papier hygiénique et de mouchoirs en cellulose.

La fumée filtrait sous la porte. Des flammes bleuâtres s'élevaient au-dessus des ruisselets de dissolvants qui s'unissaient dans une mare. A proximité, le plafond du couloir noircissait déjà et prendrait feu d'ici quelques instants.

Le cœur palpitant, Douglas referma la porte de son magasin. Un incendie accidentel, précisément ce dont il rêvait. La solution idéale à ses problèmes. D'autant qu'il y avait dans l'immeuble beaucoup d'autres occupants que lui-même. Attrapant le téléphone, il composa le numéro des services de sécurité. Ce fut Garfunkel qui décrocha :

— Ici Ian Douglas. Il y a un incendie dans la réserve de l'étage. A l'odeur, ce doit être du dissolvant qui flambe... Je crois qu'il est trop tard pour se contenter des extincteurs. Toute la pièce semble être en feu. Et le plafond ne va pas tarder à céder.

— Foutez-moi le camp de là, Mr Douglas, ordonna Garfunkel. Compris? N'essayez pas de sauver quoi que ce soit, filez immédiatement!

Et il raccrocha, laissant Douglas en proie à un début de panique. Le décorateur se dirigea vers la porte et hésita devant la vitrine. Il l'ouvrit et en sortit le *netsuké* figurant un buffle. Celui-là, il ne pouvait vraiment pas l'abandonner derrière lui. De tout ce qui encombrait la boutique, c'était l'objet auquel il attachait le plus de valeur. Ça, et la reproduction du Picasso appartenant à Larry. Fourrant le tableau sous son bras, il se rua sur la porte. L'odeur de fumée s'était faite si âcre que, pour la première fois, il s'affola.

En écartant le battant, il sentit un frisson lui parcourir l'échine. L'incendie faisait maintenant rage au bout du couloir et la mare en feu progressait rapidement en direction de Douglas.

Celui-ci ne pouvait même plus accéder aux ascenseurs situés au-delà de la réserve.

18

— A quoi penses-tu?

Dans l'obscurité, Mario Infantino remua, savourant la douce lassitude d'après l'amour. Doris lui caressa la tête, lui effleura la peau du bout de ses ongles acérés, lui ébouriffa les cheveux. Un instant, il eut l'impression que son esprit se dissociait de son corps. Il flottait sur une rivière paisible.

— Je pensais que je t'aime follement.

Il l'entendit rire :

— Sérieusement, Mario...

Elle se souleva légèrement pour pivoter sur le flanc face à lui :

— Je songeais à Quantrell. Il peut me causer un tort considérable, Doris.

Il fallait bien qu'elle sache, car les semaines qui s'annonçaient pouvaient se révéler pénibles pour elle comme pour lui.

— C'est probable, mais je ne saisis pas de quelle façon, dit-elle, tranquillement.

L'étreignant de son bras, il caressa les longues mèches blondes.

— Je suis trop exposé au public, Doris. Je suis le plus jeune commandant de pompiers de la région et ça excite naturellement les jalousies. Avec les méthodes de Quantrell, on m'imagine à l'affût de la publicité.

— Et Fuchs ?

— Le colonel et moi ne partageons pas les mêmes opinions, avoua-t-il, mal à l'aise.

— Il pourrait te mettre à l'ombre quelque temps, c'est ça ?

Infantino baisa l'épaule de sa femme :

— Nous sommes comme les militaires... Je reçois des ordres. Jusqu'à présent, Fuchs n'a pas émis de réflexion, mais l'affaire ne lui plaît certainement pas. Bon Dieu, moi aussi, elle m'agace ! Seulement, Fuchs a les mains liées. S'il m'ordonne de la boucler, Quantrell l'accusera de me faire taire... Ça arrivera de toute manière. Je ne donnerai plus d'interviews à Quantrell. Mais tu as vu ce qui se passe quand je ne lui réponds pas au téléphone. Que je parle ou pas, le résultat est le même pour moi.

— Comment se fait-il que vous ne soyez pas d'accord, le colonel et toi ?

— Tout vient du budget et de sa répartition. Nous pourrions probablement obtenir le matériel neuf et moderne permettant de lutter contre les incendies des grands immeubles. Les propriétaires de ces bâtiments sont influents et souhaitent avoir ce qu'il y a de mieux. Mais ce serait pour nous au détriment des salaires convenables ainsi que de l'équipement nécessaire contre les autres formes d'incendie, ceux ayant lieu en pleine nature. Après avoir examiné le budget dans son ensemble, le conseil municipal déciderait certainement qu'il est suffisant. Question d'organisation, autrement dit.

— Le problème continue à m'échapper, protesta-t-elle en s'agitant.

— Fuchs s'est battu pour le relèvement des salaires, et la brigade commence à manquer d'hommes. Mais l'équipement moderne nous est également indispensable, surtout celui qui pourrait intéresser les gratte-ciel. Fuchs craint que, si nous obtenons le matériel, nous ne devions renoncer à une augmentation des salaires parce que le budget aura été dépassé... Je suis navré pour lui. Comme n'importe quel chef, il aimerait tout obtenir, bien sûr. Et le fait est que le nombre de morts dans les incendies augmente, que beaucoup de domaines flambent.

— Il faudrait couper la poire en deux, non?

De sa main, il lui effleura les hanches.

— Fuchs vieillit et s'obstine. Un jour, nous aurons un incendie qui battra tous les records parce que nous serons incapables de l'éteindre. Nous resterons là à regarder les flammes en furie et j'en ai des cauchemars...

Mais Infantino se demandait aussi ce qu'il ferait

quand Fuchs lui ordonnerait de la boucler. Se conduirait-il en bon soldat docile, soucieux de son avancement et de sa retraite? Il n'en était pas certain, mais il savait qu'un éclat allait se produire. Au cours de leurs rencontres, Fuchs devenait de plus en plus distant, même si c'était Quantrell le véritable responsable de cette tension.

— Les enfants, observa doucement Doris.

Il consulta le réveil sur la table de chevet. Dans une demi-heure, l'émission achevée, les petits grimperaient l'escalier et viendraient chercher leur père pour chahuter. Il frissonna, le temps fraîchissait et un courant d'air pénétrait par la fenêtre ouverte. Doris et lui disposaient tout de même encore d'une demi-heure...

Lorsqu'elle bougea, il la saisit à bras-le-corps et loucha sur la jolie courbure de son ventre. Il y avait en elle tant de vie, et lui, son mari, côtoyait continuellement le danger et la mort. Il promena avec ferveur ses mains sur le corps de la jeune femme qui se cambra en se déplaçant pour se plaquer contre lui. Il la sentit se presser contre ses cuisses velues et son ventre aux muscles durs.

En se soulevant sur un coude, il s'apprêtait à s'étendre sur elle lorsque le téléphone sonna. Il en fut à peine conscient tant il avait envie de ne pas l'entendre. Mais la sonnerie persista, interrompant la concentration de son cœur et de sa pensée.

Il allait tendre la main vers le combiné lorsque Doris suspendit son geste :

— Non, pas maintenant! souffla-t-elle.

Mais il y avait dans le tintement une insistance qui alerta Infantino. Il avait le pressentiment qu'il fallait répondre, et Doris le perçut. Il la quitta doucement sans qu'elle protestât, l'embrassa avec ardeur et saisit le récepteur.

19

— Voulez-vous me confier votre pardessus ? Mr Clairmont vous attend dans la salle de jeu.

— Merci, Pépé, répondit Quantrell en lui remettant manteau et chapeau.

Il était déjà venu à plusieurs reprises dans le penthouse de Clairmont, mais toujours escorté de Victor ou de Bridgeport. Il suivit Pépé dans le hall, admirant le dallage vernissé et l'éclairage tamisé. A l'entrée de la salle de jeu, il s'arrêta pour s'extasier sur deux petites toiles de Matisse.

— Quel plaisir de vous revoir, Jeffrey ! s'écria William Clairmont qui le guettait, une queue de billard dans la main. J'ai commandé à boire, Pépé va vous servir le scotch que, dit-il, vous préférez. Ah ! ils vous plaisent, mes Matisse ?

— Merveilleux ! Ils doivent coûter une fortune.

— L'art a sa valeur que l'on confond malheureusement trop souvent avec le prix.

Quantrell se planta face à Clairmont qui avait une tête de moins que lui bien qu'il déployât sa taille et sa puissance. En peu de temps, l'homme avait vieilli, songea le journaliste. Après sa disparition, ce serait Victor qui tiendrait les rênes. Jusque-là, c'était toujours le Vieux qui commandait.

— Faites comme chez vous, Jeffrey. J'ai parlé de dix minutes d'entretien, mais je suis un vieil homme qui apprécie les rares visites dont on l'honore... Si vous jouez au billard, ajouta-t-il plein d'espoir en se rapprochant de la table, nous pourrions faire une partie tout en buvant et bavardant?

— Je n'ai plus d'entraînement et... je n'ai pas de chance de gagner, qu'en dites-vous? sourit Quantrell.

— Franchement, non, et je n'accepterais en aucun cas votre argent. J'ai peu l'occasion de jouer, mais j'ai appris avec le meilleur des professeurs.

Après avoir versé un scotch et soda à Quantrell, un gin-tonic au vieillard, Pépé s'éclipsa. Clairmont avala une gorgée, tendit une queue à Quantrell et disposa les boules.

— Les queues de billard sont aussi des chefs-d'œuvre même s'il n'y paraît pas. Celles-ci viennent d'Angleterre, un cadeau du prince Philip... Commencez, voulez-vous?

Quantrell se pencha sur la table — et prit un mauvais départ. L'œil de Clairmont se fit réprobateur.

— Enfin, ce sont des choses qui arrivent, remarqua le vieil homme. L'âge m'a appris la prudence. Plus on vieillit plus on réalise qu'il faut parfois perdre.

— Je connais bien votre carrière. Et je m'étonne de découvrir que vous refusez la bataille.

— Je ne refuse pas mes propres combats, Jeffrey. Mais c'est vous qui avez déclenché celui-ci, et il ne me plaît pas.

— Lors de ma dernière visite, fit Quantrell, oubliant la partie de billard, je vous ai expliqué quel genre d'enquêtes je désirais mener. Vous en avez accepté l'idée. Il me semble que, dès lors, vous luttiez à mes côtés.

— Je l'ai dit et je le regrette. Je suis dans une situation où l'on peut me reprocher de revenir sur ma parole et j'ai horreur de ça!

Il prit le temps d'avaler une gorgée et Quantrell apprécia la tactique.

— Il me déplaît d'intervenir dans les affaires de la station qui pourtant ne marchent pas à mon gré, reprit Clairmont. Il faudra bien un jour que j'aille y mettre de l'ordre, balancer les poids morts. Mais l'enjeu n'est pas qu'un simple procès ou le mécontentement de ceux qui considèrent que nous aurions mieux à faire qu'à diriger la station.

— Victor m'a parlé de la licence.

— C'est relativement important. Mais ça s'arrangera si l'on renonce à votre série.

— Vous faites confiance à Leroux?

— Oui... dit Clairmont, surpris. Il n'est pas très sympathique, mais c'est un homme de parole. A sa place, franchement, j'aurais agi de même.

— Pourquoi ne pas riposter? Je suis étonné qu'à votre âge vous vous laissiez intimider.

— Intimider! gronda-t-il, mécontent. C'est à vous cette bagarre, et à vous seul. Je m'en suis assuré, Leroux est un homme d'affaires honnête, qui reste dans la légalité, et je ne vois pas de raison pour le harceler. On a construit selon les mêmes méthodes dans la ville des douzaines d'immeubles de ce genre. Aujourd'hui, la Tour de Verre est probablement ce qu'il y a de mieux. Pourquoi attaquer Leroux et sa construction plutôt que les autres?

Quantrell ajusta son tir et tapa sec sur la boule qu'il expédia dans le trou.

— Précisément parce qu'il s'agit d'un nouveau building, Monsieur, et qu'il est censé avoir été édifié selon les techniques les plus actuelles. Ce devrait être le meilleur et le plus sûr, mais il ne l'est pas.

L'air froid, Clairmont fixa Quantrell de son regard bleu et las :

— Je connais vos sources particulières, Quantrell,

mais il vous faudrait autre chose que votre opinion personnelle pour épauler votre déclaration.

Et voilà, se dit le journaliste. C'était justement pour cela qu'il était monté voir Clairmont.

— J'ai ce qu'il faut, assura-t-il. C'est le chef de chantier que Leroux a liquidé parce qu'il refusait de bâcler le travail avec des matériaux de mauvaise qualité, en violation de la réglementation contre le feu. Un nommé Will Shevelson. Je vous organiserai un rendez-vous avec lui dès que vous souhaiterez en avoir confirmation.

— Ça vous choquerait d'apprendre que je m'en fous éperdument ?

Quantrell le dévisagea. Cette attitude ne correspondait pas à Clairmont. Et lui s'était battu sans savoir pourquoi. Il se détourna pour s'approcher de la large baie vitrée découvrant la ville.

— Oui, cela me choque, Monsieur, murmura-t-il. Et je suis curieux de connaître vos raisons.

— C'est simple, fit Clairmont derrière lui, la voix frémissante. Disons que le sang est plus dense que l'eau ! Je veux laisser quelque chose à ma descendance et si on vous laisse poursuivre votre série, ce ne sera pas le cas. Il y a cette menace qui pèse sur la station, le procès en diffamation mais aussi d'autres éléments. Je suis propriétaire des Clairmont Towers et j'ai des intérêts importants dans plusieurs autres buildings. Or, votre enquête fait du tort à tous les immeubles géants en même temps qu'à la Tour de Verre. En dehors des résidents, des sociétés louent des locaux dans ces buildings. Celles qui font de la publicité dans les journaux, à la radio et à la télévision. Ces temps-ci, nous n'avons pratiquement pas obtenu de budgets publicitaires. On nous boycotte et cela nous cause un dommage considérable.

— Autrement dit, c'est une question de gros sous?

La silhouette de Clairmont se refléta dans la vitre à travers laquelle Quantrell regardait :

— De très gros sous, oui! Si j'étais plus jeune, je ne réagirais peut-être pas de la sorte, mais, hélas!... En tout état de cause, reprit Clairmont sèchement, je doute que le sujet vaille qu'on se démène. On a mieux en main les faits réels que les catastrophes éventuelles — et c'est d'une éventualité que vous traitez, Quantrell. Nous n'y avons déjà que consacré trop de temps... Oh! je suis conscient de vos ambitions! C'est vous surtout que vos papiers ont aidé. Je regrette de vous avoir laissé aller aussi loin.

Toujours face à la fenêtre, Quantrell avait l'impression que son dos le brûlait. Il contenait ce qu'il avait envie de rétorquer. Il était inutile de provoquer Clairmont, faute de quoi le Vieux le poursuivrait partout de sa fureur. Mais tant d'injustice lui laissait un goût d'amertume. A huit cents mètres à peine de cette fenêtre se dressait la Tour de Verre — une tour qui était au moins l'événement de l'année. Il la contempla, toute luisante sous les lumières des immeubles adjacents, éclaboussée des lueurs rouges et orangées des projecteurs de couleur braqués sur elle. On apercevait même un dernier rayon de soleil... Quantrell ferma à demi les yeux. Le soleil... sûrement pas dans ce ciel bas, sous cette neige épaisse, et à cette heure avancée.

L'œil fixé sur l'immeuble, Quantrell retint son souffle.

— Je ferai le maximum pour vous recommander ailleurs, disait le vieux Clairmont, manifestement fatigué par le billard. Vous savez, je n'ai rien contre vous. L'ambition chez un jeune n'est pas un crime.

Les mains de Quantrell soudain se crispèrent et brisèrent la queue de billard.

— Rendez-vous compte de ce que vous faites, Quantrell! Ça n'a pas de prix une telle pièce!..., glapit Clairmont en s'approchant.

— Bon Dieu! s'exclama le journaliste. Un sujet qui n'en valait pas la peine, hein? Approchez davantage, je vais vous la montrer, votre histoire!... Regardez de ce côté, ajouta-t-il, enserrant dans ses doigts l'épaule osseuse du vieillard. A votre avis, que se passe-t-il là-bas?

Érigée contre le ciel nocturne, la Tour de Verre dominait les buildings avoisinants. Ce que Quantrell avait d'abord confondu avec un rayon de soleil était devenu une flamme orangée et hideuse au tiers de la hauteur du gratte-ciel. D'épais nuages de fumée noire cachaient l'embrasement, mais quand le vent les chassait, les flammes surgissaient plus violentes.

Lâchant une exclamation, le vieux Clairmont se pencha en avant avec passion — le financier avait fait place au journaliste.

— Ce n'était pas une bonne histoire, hein? cria Quantrell, surexcité. Nom de Dieu, c'est l'histoire du siècle!

20

Grâce à Thelma, l'atmosphère un peu tendue du début du dîner se réchauffa peu à peu. La jeune femme avait déployé tout son charme et, en racontant des histoires sur elle et son mari, avait fini par apprivoiser Jenny. De plus, la bonne humeur du couple âgé qui occupait la table voisine était communicative. La femme surtout s'exprimait à voix assez haute, rapportant des épisodes de sa vie d'institutrice. On ne pouvait pas ne pas l'entendre et elle était si drôle que Jenny elle-même se surprit à éclater de rire.

Leroux offrit un cigare à son invité et alluma le sien.

— Une liqueur, Jenny? proposa-t-il.

— Volontiers, répondit-elle en souriant.

Barton comprit que l'orage s'était éloigné, du moins pour ce soir. Jenny pourrait même envisager sans déplaisir l'idée de consacrer sa soirée à son mari plutôt qu'à ses parents.

— A la plus agréable des hôtesses d'Amérique, dit-il, levant son verre vers Thelma. Vous avez été l'âme de cette soirée, Thelma.

— Craig a raison. Merci de vous être accommodée de ma morosité, murmura Jenny en serrant la main de la jeune femme.

— Voyons, Jenny, le plaisir a été pour nous. On vous a fait traverser tout le continent, et l'on vous doit plus encore que vous n'imaginez!

Barton l'entendit sans y prêter attention. Le hululement d'une sirène de voiture de pompiers se rapprochait, mais elle se noya bientôt dans le murmure des conversations alentour.

— Avez-vous pris une décision, Craig? s'enquit Leroux qui l'observait à l'abri de la fumée de son cigare.

« Frappons le fer pendant qu'il est chaud », ricana intérieurement Barton.

— Je vous le dirai demain.

Il ne voulait pas paraître y attacher de l'importance afin de ménager sa soirée — si Jenny se doutait de quoi que ce fût, elle ne cesserait de le harceler.

— D'accord, Craig, prenez votre temps. Profitez de votre week-end. Au besoin, je pourrai vous joindre à Southport ?

— Euh... oui, vous avez le numéro ?

En commandant un second verre de Drambuie, il avait presque réuni l'audace de déclarer à son patron que ses cigares étaient atroces — Leroux n'allait tout de même pas gagner sur tous les fronts ce soir — lorsque Quinn Reynolds survint précipitamment. Barton s'assombrit, regrettant qu'elle eût choisi ce moment pour venir lui parler. Puis il discerna l'expression de son visage :

— Craig, dit-elle penchée sur lui, à voix basse, pardon d'interrompre votre dîner, mais Dan Garfunkel vient de téléphoner. Il y a un incendie en dessous. Sachant par la réservation que Mr Leroux et vous dîniez ici, il a pensé que vous aimeriez être prévenus immédiatement.

Cela expliquait les sirènes. Après s'être rapprochées, elles s'étaient tues. Mais Craig avait songé à un incendie à proximité de la Tour.

— Quel étage ? l'interrogea-t-il aussitôt.

— Le 17e, dans une réserve.

Le choc s'atténua un peu en Barton. Un incendie dans une réserve était courant et généralement vite maîtrisé.

— D'après Dan, c'est grave, insista Quinn.

Un éclair s'alluma dans le regard de Craig qui croisa celui de son patron. Leroux avait blêmi sous son hâle.

— A-t-on tenté de combattre le feu depuis l'intérieur ?

— Oui, Monsieur. D'après Dan, les hommes du service d'entretien sous la direction de Donaldson et de Griff Edwards ont monté des extincteurs par les ascenseurs. Mais il y avait une telle fumée et des flammes si violentes qu'ils ont dû reculer... Les extincteurs ne servaient plus à rien.

— Pas de victimes ?

— Si, Edwards... Enfin, on a appelé l'ambulance, poursuivit Quinn après s'être mordu la lèvre. On ignore s'il s'agit d'une intoxication ou d'une crise cardiaque après effort.

Cela ressemblait bien à Griff, se dit Barton. Rien ni personne ne lui enlèverait son building. Un instant de silence s'ensuivit. Soudain, la main de Jenny vint étreindre celle de son mari.

— Le réservoir dans la cage de l'escalier... a-t-on essayé de combattre le feu à partir de là?

— C'était inutile, Craig, intervint Leroux. Il faut des professionnels pour manipuler ce dispositif, nos hommes n'ont pas l'entraînement nécessaire.

— Sitôt prévenu, Garfunkel a téléphoné aux pompiers, expliqua Quinn.

Barton la dévisagea avec étonnement. Quelque chose clochait. Le téléphone n'aurait pas dû être nécessaire, avec les détecteurs de fumée et de chaleur directement branchés sur les services d'incendie. Le signal déclenché, quatre compagnies prenaient aussitôt la direction de la Tour de Verre, même s'il ne s'agissait que d'un feu de poubelle.

— Et les locataires? On les a avertis?

Quinn d'un signe discret lui recommanda de baisser le ton. Les gens des tables voisines s'étaient brusquement tus pour prêter l'oreille.

— La sécurité a déjà commencé le recensement, en allant d'un étage commercial à l'autre, assura-t-elle. Nous n'avons plus de téléphone jusqu'au 17ᵉ, mais au-dessus les lignes des étages résidentiels fontionnent. Le standard est en train d'appeler les locataires.

— Est-ce bien nécessaire? argumenta Leroux, le front plissé. Cela risque de provoquer une panique dans les ascenseurs. Un incendie dans une réserve a peu de chance de s'étendre.

— D'après Donaldson, le corridor est en feu.

— C'est possible, mais enfin...

Voyant Leroux mâchonner son cigare, Barton devina sa pensée. Plus la panique était grande plus l'incendie revêtait d'importance. Dans ce cas, les titres des journaux seraient plus gros et donneraient plus encore raison à Quantrell.

— Mr Leroux, hésita Quinn, il y a ici cent trente-deux dîneurs, plus le personnel des cuisines. Devons-nous tenter de les évacuer?

— Je ne le crois pas. Les dîneurs ont tout intérêt à patienter ici où ils sont en parfaite sécurité... Non, laissez-moi parler, Craig, coupa-t-il sèchement. Si les pompiers ne parviennent pas à circonscrire le feu, ils nous le feront savoir. Il sera temps alors d'évacuer. En partant maintenant, il faudrait emprunter les ascenseurs des étages résidentiels jusqu'au hall résidentiel — ce qui signifie que hall et ascenseurs seront surchargés. Inutile d'augmenter la pagaille.

— Reste la Cage de Verre, signala Quinn.

— Exact, admit-il avec gentillesse. Quelle en est la capacité?

— Voyons... douze personnes au maximum.

— Soit onze voyages, et les clients qui attendront deviendront plus nerveux chaque fois qu'ils en verront d'autres prendre l'ascenseur. Non, décidément, pour éviter la panique, mieux vaut rester ici. S'il faut partir, des pompiers dirigeront l'évacuation, ce sera bougrement plus facile. Pour le moment, Miss Reynolds, dites-moi où en est votre stock de vins?

— Il est largement pourvu, Monsieur.

— Servez ce que l'on désirera, aux frais de la maison.

La voix de Leroux était rauque et tendue. Barton remarqua que Thelma épiait son mari d'un œil d'aigle, sans tendresse. Aurait-elle, sous une apparence chaleureuse, un cœur sec? Quelque sentiment inconnu qui se ferait jour en des circonstances exceptionnelles?

Le bavardage, paisible, reprit dans la salle. Quinn circula entre les tables pour rassurer ses clients. Barton et Leroux se dévisagèrent sans un mot, mais Leroux avait une expression indéchiffrable. Ce devait être dur pour lui, pensa Barton. Il avait perdu la partie, même si les dégâts s'avéraient mineurs. Il avait élaboré des plans pour museler Quantrell, mais le destin lui faisait retourner la mauvaise carte. Les déclarations de Quantrell à l'antenne étaient aujourd'hui confirmées.

— Est-ce réellement catastrophique? murmura brusquement Jenny à son mari.

— Tu as entendu Quinn. Mais je crains que ce ne soit qu'un premier rapport.

— Craig, intervint Leroux, vous devriez avec l'ascenseur extérieur gagner le hall principal et agir en liaison avec les pompiers. C'est vous qui dirigerez les opérations jusqu'à ce que je descende. Certains locataires de bureaux ou de boutiques vont arriver, ils voudront discuter avec un responsable de chez nous. Et nos assureurs ne tarderont pas non plus à s'amener.

— Entendu, patron, mais... pourquoi pas vous?

— Oh! je ne crains pas d'affronter ceux d'en bas, Craig! Mais en filant d'ici, j'aurais l'air de déserter le navire.

Effectivement, mais, pour Barton, les deux points de vue étaient discutables. Les journaux ne manqueraient pas de s'emparer du fait, à moins que ce ne soit Quantrell, et Leroux serait accusé non seulement d'être coupable d'une confiance excessive en lui-même, mais aussi d'être un lâche.

— Où est le capitaine Harriman? questionna l'architecte.

— En vacances.

— Et Crandall?

— Parti à midi parce qu'il était malade. De toute façon, il n'aurait servi à rien.

— Simple curiosité — qui suit Crandall dans l'ordre hiérarchique?

— Un autre qui est également hors de combat — Griff Edwards. C'était le plus ancien dans notre organisation et j'avais cru lui faire une faveur. Sans imaginer que cela risquait de l'abattre.

Au moment où Barton s'apprêtait à partir, Jenny le happa par sa manche.

— Je tiens à rester avec toi, Craig, fit-elle d'une petite voix.

— Jenny, répondit-il, plus ému qu'il ne voulait le paraître, le Panoramic est probablement l'endroit le plus sûr. Si tu descends avec moi, j'exigerai qu'une fois en bas, tu rentres en taxi à l'hôtel.

— Alors, je reste ici avec nos amis... On n'a pas souvent l'occasion d'être aux premières loges pour assister à un incendie, n'est-ce pas? reprit-elle sous l'œil réprobateur de Thelma.

— Tu as raison, chuchota Barton en lui étreignant la main.

Il allait passer devant la table voisine lorsque la vieille dame l'interpella.

— Je n'ai pu m'empêcher de vous entendre, dit-elle doucement. Est-ce... très sérieux?

— Ce n'est rien, affirma-t-il, secouant la tête. Le feu a pris dans une réserve. Il n'y a pas de blessé et les pompiers sont déjà sur place. Inutile de vous inquiéter, tous les occupants de l'immeuble ont été prévenus. Franchement, si j'étais vous, je profiterais gaiement de ma soirée en savourant ce vin... Vous êtes d'accord avec moi, Monsieur? ajouta-t-il à l'adresse de l'homme qui lui parut livide.

— Absolument. En règle générale, il faut rester sur les lieux tant qu'on ignore la gravité de la situation.

Barton se dirigea sur la Cage de Verre. Étrange, se dit-il. La vieille dame n'avait semblé nerveuse et inquiète qu'en apprenant que les locataires avaient été avertis du drame.

Dans le salon, il attendit l'arrivée de la cabine. Près de lui, d'autres visiteurs, visages blêmes et crispés, avaient brusquement décidé de partir.

FIN DE SOIRÉE

DANS la réserve, la partie en béton du plafond, au-dessus des flacons de dissolvants, commence à se craqueler et à s'éparpiller. La poussière accumulée dans la grille de l'aérateur s'enflamme en fumant. La peinture de cette grille se boursoufle tandis que le métal se tord en fondant. Derrière, le conduit de chaleur en plastique prend feu à son tour, ajoutant un flot de fumée noire à celle qui s'engouffre dans le labyrinthe des tuyaux menant aux autres étages.

Dans le couloir, le feu lèche les encadrements de bois des portes et s'infiltre dans l'écran phonique du faux plafond. L'écran qui contient un fort pourcentage de fibres d'amiante devrait normalement résister au feu, mais l'air surchauffé atteint une température de fusion. Le feu court dans l'espace étroit ménagé entre le faux plafond et le plancher de l'étage supérieur. A l'endroit où les conduits pénètrent dans le béton, le feu s'acharne et arrache le plâtrage autour du conduit. D'autres parties plâtrées dans le plafond prennent feu. Le béton s'écaille, le plâtre se détache par plaques calcinées. En divers points où l'on ne s'était pas donné la peine de reboucher les trous, le feu se faufile jusque dans la pièce où se trouve le relais des télécommunications de l'étage au-dessus pour se régaler de graisse et mâchonner les isolants des fils.

À présent, tous les barils et les boîtes ont éclaté dans la réserve. La masse liquide embrasée s'est répandue autour des débris fumants sous la porte et jusque dans le couloir pour s'infiltrer sous les portes des bureaux. Le courant brûlant franchit le seuil du magasin de décoration de Douglas, s'attaque aux matériaux de capitonnage, aux échantillons de doubles rideaux, aux meubles de prix avant de s'en prendre au contenu de l'arrière-boutique. Tout y passe, les matières synthétiques, les tissus, aussi bien que le bureau, les dossiers, les registres, les factures impayées, tout se transforme en cendres. La température de l'air s'élève encore.

Cette fois sortie de l'adolescence, la bête vorace part en quête d'autre nourriture.

21

Bizarre comme une soirée si bien commencée avait si rapidement mal tourné, s'étonna Mario Infantino. La neige tombait maintenant à gros flocons, transformant en taches floues les phares des voitures venant en sens inverse. Les pneus commençaient à déraper sur la chaussée glissante. Infantino gara sa Camaro à l'emplacement marqué « Chef de la Brigade », derrière la caserne. Il n'avait pas parcouru la moitié du chemin qu'il vit survenir la voiture officielle, équipée d'un girophare, du colonel Fuchs. Et il s'avança à sa rencontre.

— Vilaine affaire, hein? lança Fuchs par la vitre qu'il avait abaissée. Du sur commande pour vous!

— Il paraît que c'est la Tour de Verre?

— Oui. Tout le 17e étage et sans doute le 18e aussi maintenant.

La neige s'infiltra dans le col d'Infantino qui frissonna.

— Je devrais y être, c'est mon secteur. Il y a longtemps qu'on aurait dû m'alerter.

— On a été prévenus par téléphone. Le détecteur de chaleur ne fonctionnait pas... Hé oui, ces trucs modernes, c'est formidable quand ça marche, Infantino. Dans le cas contraire, c'est l'affaire de Dieu! A propos, quand vous serez sur les lieux, vous aurez la responsabilité entière de l'opération.

— Mais... habituellement, c'est le chef qui dirige une intervention de cette envergure.

— Exact, et je serai derrière vous, persifla Fuchs.

— Nous avons peu de temps, colonel. Dites-moi cependant ce que vous avez sur le cœur.

— Pas mal de choses! riposta Fuchs qui quitta sa place et remonta son col pour marcher auprès de son adjoint vers la caserne. Je vous veux là-bas pour deux raisons, Infantino. La première, la principale, vous êtes le seul homme dont je dispose qui ait l'expérience de ce genre d'incendie. Ce serait injuste de m'en charger alors que j'ai sous mes ordres un homme plus compétent que moi... Mais je serai là pour apprendre, insista-t-il avec aigreur. Que vous réussissiez ou non, je prendrai une leçon. A vous entendre, on pouvait croire que vous saviez combattre les incendies dans les gratte-ciel. Eh bien, voilà votre chance de me le démontrer.

— Selon vous, j'aurais cherché à vous mettre dans l'embarras, vous et la brigade?

La moustache de Fuchs en frémit de colère :

— J'ai vu toutes les émissions de Quantrell! Nous

n'en sommes pas sortis très glorieux, la brigade et moi! Je me fous de ce qu'on pense de moi, mais pour la brigade et le service, c'est autre chose. C'est l'un des meilleurs dans le pays. J'y ai passé ma vie et j'ai enterré la moitié des hommes qui ont débuté avec moi. Ce salaud de la télévision n'en connaissait aucun. Il ignore comment ils sont morts et peu lui importe. Pour lui, les pompiers, c'est un service démodé, lent, corruptible. Et il tenait de vous de nombreux renseignements.

— Mensonge! grinça Infantino, écarlate. Il m'a roulé, c'est vrai, mais après avoir été stupide, que devais-je faire? La boucler pour qu'il vous accuse de me faire taire? Bon Dieu, pourquoi vous aurais-je court-circuité?

— Si je vous croyais dénué d'ambition, Infantino, je vous mépriserais davantage encore! fulmina Fuchs, approchant son visage de celui de son adjoint.

— Que désirez-vous que je fasse? interrogea Infantino, maîtrisant sa fureur.

— Je vous l'ai dit. Vous allez diriger les opérations dans l'incendie de la Tour de Verre.

— Et vous espérez que je commettrai une erreur?

Ils se défièrent du regard. De la vapeur s'échappait de leurs narines, la neige dégringolait de plus en plus fort.

— Nous discutons et, pendant ce temps, ça brûle, observa Infantino, plus calme. Pouvons-nous obtenir les plans de l'immeuble par le ministère de la Construction ou la compagnie qui assure la National Curtainwall?

— D'accord, je les aurai, acquiesça Fuchs. Ensuite?

— Il me faudrait un maximum de masques respiratoires pour les hommes qui vont travailler dans des pièces exiguës et hermétiquement closes.

— Je m'en suis occupé, cria Fuchs qui repartit vers sa voiture en se courbant pour résister au vent.

— Je n'ai pas fini! hurla Infantino.

— Vous avez toute la ville, maintenant, riposta Fuchs, tourné vers lui.

— Ici, oui. Nous devons contacter la brigade de Southport où ils possèdent des masques respiratoires à grande capacité ainsi qu'une tourelle susceptible d'expédier l'eau au 30e étage.

— Je vais les alerter, mais je ne compte pas réclamer de l'aide à ce stade. Nous n'aurons pas besoin d'un équipement supplémentaire. Nous sommes certainement en mesure d'effectuer nous-mêmes notre sale besogne!

— Oui, je comprends... Merci, colonel. Vous m'avez donné tout ce dont j'ai besoin.

— Croyez-vous? rétorqua sèchement Fuchs. Je n'ai pas prié pour vous, je ne vous ai pas souhaité bonne chance. Exactement ce qu'il vous faudrait dans un incendie. Voulez-vous que je vous dépose?

— Non, merci.

Infantino se précipita vers la caserne, salua le garde resté près de l'entrepôt d'équipement. Il n'y avait plus que lui, les quatre compagnies qui étaient casernées là étaient parties.

En quelques minutes, Infantino eut revêtu son uniforme, enfilé ses bottes et coiffé son casque. Il attrapa ses gants et sortit vivement sa voiture de service du garage. Sa ceinture de sécurité attachée, il déclencha la radio émettrice-réceptrice et démarra, sirène hurlante, girophare éclairé.

A en juger par ce qu'il entendait sur la radio, la Tour de Verre flambait plus vite qu'il ne l'aurait imaginé. C'était en partie le temps qui en était responsable. La différence de température entre l'air intérieur et extérieur créait une sorte de cheminée dans laquelle s'engouffrait l'air froid qui ensuite s'élevait.

Oui, songea Infantino, la Tour de Verre était la plus gigantesque cheminée de la ville.

22

Dans la salle de contrôle, un technicien fit un signe — plus qu'une minute. Quantrell prit place face à la caméra 2. Il avait adopté l'air grave du citoyen soucieux, bouleversé, attristé d'avoir vu ses prédictions devenir réalité. La Tour de Verre était en feu, et dans la voix du journaliste filtrait le ton faraud de celui qui insinue « je-vous-l'avais-bien-dit ».

— Quelle que soit l'issue de la catastrophe qui se joue actuellement sur Lee Avenue, ce n'est indubitablement qu'un début. A sa manière, la Tour de Verre n'est pas unique en son genre. Il existe dans notre ville des douzaines de buildings qui, en raison d'une construction bâclée, d'une violation des règlements, constituent dans le ciel de véritables pièges à feu. A l'avenir, il dépendra de vous que l'on y remédie. Tout au long de cette soirée, naturellement, la KYS interrompra ses programmes réguliers pour vous donner des nouvelles de cet incendie qui, dit-on, ronge le cœur même de la Tour de Verre. Merci de votre attention et bonsoir.

Il garda sa pose théâtrale jusqu'au signe stop du chef de plateau. Il était content de lui, il avait donné le ton et rappelé ce qu'il en était au téléspectateur — sans s'être personnellement accordé trop d'importance. Il savoura l'instant présent. Tous lui reprochaient de crier au loup, mais on se trouvait maintenant devant la plus grande catastrophe que la ville eût connue depuis des années. Désormais, peu importait à Quantrell qu'on mît fin à son contrat, car demain n'importe quelle station de radio l'embaucherait.

Redressant sa cravate, il quitta le studio. Le chef de plateau le salua d'un large sourire auquel il ne daigna pas répondre. « Il y a six heures, ce salaud m'aurait crucifié s'il l'avait pu », se dit Quantrell. La moitié du personnel ferait à présent ami-ami avec lui, guettant la prochaine occasion de le poignarder dans le dos.

Il ébaucha un salut pour la secrétaire de Clairmont et, sans lui laisser le temps de l'arrêter, alla directement frapper à la porte du patron :

— Salut, Vic, je venais prendre les instructions avant d'aller regarder flamber l'immeuble de Leroux.

Carré dans son fauteuil, Clairmont consulta sa montre :

— J'ai perdu! J'avais parié avec Marge que vous seriez ici deux minutes après la fin de l'émission et ça en fait trois! Qu'est-ce qui vous a retenu?

« Du calme », se recommanda le journaliste.

— Les chasseurs d'autographes dans le hall! railla-t-il en s'asseyant. Vous regrettez que j'aie eu raison, Vic? Je vous croyais plus grand seigneur!

— Vous m'êtes passé par-dessus la tête! remarqua sèchement Clairmont. Vous attendez des félicitations pour ce geste? Mon oncle a téléphoné dix minutes avant que vous ne preniez l'antenne, sinon vous auriez joué devant une caméra sans film.

— Sachant que j'avais raison, j'aurais fait n'importe quoi pour le prouver, rétorqua Quantrell, l'air faussement contrit. Si ça vous peine, prenez-vous-en au sort — ce n'est pas moi qui ai allumé l'incendie. En définitive, mes actes et mes attitudes profiteront à la station.

— Et aux ambitions personnelles de Jeffrey Quantrell?

— Ce n'est pas un crime d'être ambitieux. Ou alors je plaide coupable — mais vous devrez en faire autant.

— Que je sois maudit si vous devez grimper chez mon oncle à chaque incident maintenant que vous avez fait de votre affaire un événement!

— Quoi, n'auriez-vous pas agi de la même façon à ma place? Mais si, surtout si vous avez eu confiance en ce que vous faites, comme c'est mon cas... Si ça peut vous apaiser, dites-vous que ma visite au Vieux est unique. Je ne joue pas si bien au billard et lui, tôt ou tard, se rappellera que je lui ai cassé sa queue de billard préférée!

— Il me l'a aussi raconté! admit Clairmont en souriant.

— Vous savez... l'histoire n'est pas finie. Et il me faudra l'appui total de la station... Allons, ajouta-t-il en se levant, Zimmerman m'attend dehors avec son cameraman. Avec un peu de chance, j'obtiendrai peut-être une interview de Leroux.

— Détendez-vous un moment, Jeff. Nous avons encore un petit problème. La police désire connaître vos sources d'information. Un certain Petucci a téléphoné à ce sujet. Vous le connaissez?

— Un tocard. Que vos avocats se chargent de lui.

— D'accord, dit Clairmont qui, au moment de composer le numéro sur son téléphone, stoppa Quantrell. Au fait, qui diable est votre informateur?

— Votre oncle ne vous l'a pas révélé?

— Il était trop acharné à me parler de vous!

— C'est Will Shevelson, l'ancien chef de chantier que Leroux a balancé après une altercation.

Clairmont le dévisagea, se rejeta en arrière et éclata de rire.

— Shevelson! J'aurais dû m'en douter!

— Qu'est-ce qui vous paraît si drôle? s'étonna Quantrell, l'estomac soudain noué.

— Il y a six mois, ce dingue a fait le tour des salles

de rédaction. Il essayait de négocier sa fable. Le prenant pour un paranoïaque, je l'ai écarté. Vous avez de la chance que le building ait flambé, sinon l'affaire vous flanquait par terre. Ce salopard pourrait m'affirmer que le soleil se lèvera demain, je ne parviendrais pas à le croire!

— Le gratte-ciel est en feu, observa simplement Quantrell. Tout ce que m'a expliqué ce type s'est révélé exact.

— Jeff, attention où vous mettez les pieds, insista Clairmont, sérieux. Surtout quand il s'agira de Leroux. Beaucoup d'hommes d'affaires ont subi des incendies tout en demeurant dans la légalité. Shevelson déteste assez Leroux pour déformer les faits et, au besoin, les agrémenter de quelques mensonges. Peut-être pourra-t-on prouver que Leroux s'est rendu coupable de négligences criminelles, mais on ne peut pas se baser uniquement sur les allégations de Shevelson. C'est moche, car il nous faudra désormais un avocat en permanence pour vérifier vos papiers mot à mot. Il n'y a pas d'autre moyen d'agir.

— Vous avez vos responsabilités, j'ai les miennes, riposta Quantrell, haussant les épaules. Personnellement, la Tour de Verre ne sera pour moi qu'un exemple type. Il existe beaucoup de Tours de Verre à travers le pays, cela devient un problème à l'échelon national. D'autres stations reprendront notre enquête.

— J'en suis conscient... Alors, que désirez-vous?

— Je veux le car numéro 2 ainsi que l'hélicoptère.

— Entendu, mais je ne pense pas que vous pourrez survoler le building d'assez bas... D'autres idées pour après, Jeff? lança-t-il au moment où Quantrell franchissait le seuil.

Ça, c'était l'atout de Clairmont. D'ici douze heures au plus, l'histoire serait achevée. Ce ne serait plus de l'actualité et au bout de quatre jours, le poisson mort empestait. Bien sûr, Quantrell pouvait détacher Leroux de l'affaire et le décrire comme un criminel, mais Clairmont n'avait pas caché qu'il refuserait de se mouiller sur ce plan-là. D'accord, cela ferait une grosse histoire, mais en gagnant à court terme, Quantrell avait perdu son sujet à longue échéance.

— Je réfléchirai à autre chose, promit-il.

De retour dans son bureau, il s'assura que son magnétophone était en état de fonctionnement et aperçut Zimmerman qui l'attendait dans sa voiture, en pestant sans doute contre le retard du reporter. Sandy était assise devant sa machine, manteau sur le dos.

— Où diable allez-vous, Sandy?

— Vous allez être absorbé puisque vous « couvrez » l'affaire de la Tour de Verre, balbutia-t-elle, affolée. J'ai rappelé l'homme avec qui j'avais rendez-vous pour le prévenir que je le rejoindrai plus tard.

Il s'assit près d'elle et lui saisit les mains :

— Je ne veux pas que vous partiez maintenant, Sandy. Je vous téléphonerai toute la nuit ou presque pour vous dicter des papiers, des chiffres, et sans doute réclamer du matériel. Vous serez mon agent de liaison avec la boîte. Vous ne pouvez pas me lâcher!

— Angie a accepté de me remplacer, et il se peut que vous n'ayez pas la possibilité de téléphoner.

Il fronça les sourcils :

— Je n'ai jamais travaillé avec elle et elle ne m'inspire pas confiance. C'est vous qu'il me faut, Sandy... Je ne serai pas tranquille avec les imbéciles de writers d'à côté, ajouta-t-il, désignant la salle de rédaction. Allons, Sandy, ce soir, j'ai gagné toutes les billes. Et vous êtes autant que moi responsable de ce succès. Je l'ai dit à Victor et même au Vieux... Enfin, je ne peux pas vous retenir de force, murmura-t-il avec lassitude. Je dépends de vous, j'ai besoin de vous, mais si vous tenez à sortir, amusez-vous bien.

— Si vous tenez réellement à ce que je reste... hésita-t-elle.

— Il compte beaucoup pour vous, ce gars ? chuchota-t-il en lui pressant la main. Ne cherchez pas à me dissimuler vos sentiments, je vous connais depuis trop longtemps ! Mais s'il vous aime à ce point, il comprendra sûrement pour ce soir. Et quand ce sera terminé, je vous offrirai à tous deux une soirée inoubliable, convenu ?

— Évidemment, j'en serais ravie.

Il lui serra la main, retourna dans son bureau pour prendre le magnétophone, bourra ses poches de cassettes. Il enfila ensuite son pardessus et avant de sortir, jeta un coup d'œil à Sandy qui formait distraitement un numéro sur le cadran de son téléphone.

« Pauvre gourde ! », se dit-il.

23

— Ce fumier est le plus immonde salopard que j'aie jamais connu ! Je le pressentais !

Will Shevelson se leva d'un bond pour aller éteindre le téléviseur. L'image de Quantrell se fit muette, puis s'amenuisa pour n'être plus qu'un point lumineux qui disparut.

— Une bière, Marty?

Marty Hodgehead s'étira dans son fauteuil en marmonnant « oui », dans un bâillement. Shevelson empoigna deux boîtes dans le réfrigérateur, en tendit une à Marty et déboucha la sienne.

— Un vrai salaud, ce Quantrell!

Shevelson s'affala, maussade, sur le divan. C'était un homme à la carrure puissante, proche de la cinquantaine, vêtu d'un pantalon de velours et d'une chemise verte à col ouvert. Il promena son regard sur les rayonnages de livres de son studio, s'arrêta sur la série de photos fixées au-dessus de son bureau. Toutes représentaient des buildings auxquels il avait travaillé en vingt ans de carrière. Beaucoup étaient des constructions de la National Curtainwall et la dernière était une reproduction en couleur de la Tour de Verre. De belles constructions, même la Tour de Verre — du moins vue de l'extérieur.

— Oublie ça, Will, recommanda Hodgehead qui avait suivi son regard. C'est terminé. Une fois l'incendie éteint, il y aura une enquête et Leroux écopera. Que veux-tu de plus?

— Sa peau pour l'accrocher au mur! grogna Shevelson dont la main écrasa la boîte de bière. Merde, je vais chercher un chiffon pour éponger cette bière!

Il revint éponger le carrelage.

— Tu ne peux pas comprendre, Marty. La Tour de Verre, c'était mon enfant. Mais à mesure que j'y besognais, je me faisais l'effet d'un maquereau qui aurait vendu sa propre fille.

Leroux rognait sur les dépenses et contraignait Shevelson à lui obéir. Jusqu'au jour où il se présenta au 44ᵉ étage de l'immeuble inachevé avec les derniers plans qui exposaient clairement d'autres modifications. Rien qui pût freiner les travaux... sinon de nouvelles instructions concernant des matériaux de qualité inférieure, des économies à réaliser.

— T'ai-je jamais remercié de m'avoir empêché de corriger cette ordure? fulmina Shevelson.

— Souvent, oui, affirma Hodgehead en s'essuyant la bouche du revers de sa manche. Tu risquais de le passer par-dessus bord — une belle chute, Will!

Shevelson acquiesça. Il avait revu la scène à plusieurs reprises dans sa mémoire, sans parvenir à décider si elle lui laissait un sentiment de terreur ou de regret. Sans attendre d'être officiellement renvoyé, il était redescendu par le monte-charge et s'était mis au volant de sa voiture pour rentrer chez lui. Le lendemain, il avait reçu son chèque de salaire par exprès — ainsi avait pris fin sa carrière dans le bâtiment. Personne en ville ne souhaitait affronter la fureur de Leroux et, compte tenu des circonstances, Shevelson ne pouvait en blâmer les gens. Qui aurait voulu d'un contremaître qui cherchait à vous tuer quand vous n'étiez pas d'accord avec lui? Leroux n'avait du reste pas, faute de témoin, porté plainte.

Tout en sirotant sa bière, Shevelson réfléchit. Pendant les premiers mois, sa prise de bec avec Leroux l'avait littéralement obsédé. Il avait contacté les journaux, la radio, la télévision, essayant de leur raconter ce qu'avait fait Leroux, ce qu'il continuait à faire, jusqu'à ce qu'il se rendît compte qu'on le prenait pour un cinglé. Certains journaux avaient bien écrit quelques mots sur l'histoire, ou entrepris une enquête qui avait vite tourné court, et l'affaire en était restée là.

Après avoir prélevé une autre boîte de bière dans le réfrigérateur, il retourna s'asseoir au milieu des coussins du divan.

— Tu sais, Marty, j'en voulais surtout à Leroux de m'avoir déçu. Bon Dieu, le monde est mené par des cons, mais lui c'était l'homme le plus capable que j'avais jamais rencontré. Il avait la compétence, le dynamisme, le... l'honnêteté, aussi...

— Jusqu'à la Tour de Verre.

— Précisément.

Qu'est-ce qui avait transformé Leroux? se demanda Shevelson. Rien ne l'obligeait aux compromis qu'il avait admis. Il n'avait pas non plus d'embarras financiers. Bon, d'accord, on était bien obligé de se soumettre, de céder sur certains points, mais un homme digne de ce nom ne dépassait pas certaines limites. Et voilà que Leroux s'était mis à l'affût du moindre truc susceptible de lui économiser un dollar. Prodigue quand il s'agissait de l'aspect extérieur du building, il renonçait en réalité à tout principe et, semblait-il, sans remords.

Pour sa part, Shevelson s'était débrouillé. Il avait finalement trouvé un emploi de surveillant d'immeuble d'habitations, menant une vie paisible répartie entre l'entretien des appartements le jour et les séances de télévision, bière en main, le soir. Trois divorces l'avaient persuadé qu'il était fait pour vivre seul, et il acceptait sa solitude avec soulagement.

— Comment t'es-tu fait embobiner par cette andouille de la KYS? questionna Hodgehead.

— Parce que je suis un crétin! Un jour je suis tombé sur les plans, je les ai étudiés et emportés. Plus tard, j'ai appelé ce Quantrell et quand il m'a invité à déjeuner, j'ai vidé mon sac.

Il avait fait plus — non seulement il avait livré des renseignements à ce type, mais il lui avait également fait part de ses doutes.

— Les techniques de construction n'étaient pas aussi désastreuses, certaines sont mêmes courantes, remarqua Hodgehead.

— De quel côté es-tu, Marty?... Et puis, oui, tu as

en partie raison. Mais courant ne signifie pas justifié.

— Je crois qu'à ta place, j'aurais fait la même chose. Tu le disais, c'était ton enfant. Après tout, un immeuble appartient à ceux qui le construisent, pas à ceux qui le financent.

C'était là que ça ne collait plus, se dit Shevelson. La Tour de Verre restait son enfant. Quelqu'un l'avait conçue, un autre l'avait achevée, mais en dépit de ses défauts, cette Tour restait la propriété de Shevelson. C'était le plus beau bâtiment de la ville et comme Pygmalion devant sa protégée, pendant la durée des travaux, Shevelson en était tombé amoureux. Dire qu'il restait là, à boire sa bière, pendant que « sa » Tour partait en fumée.

Ses défauts... Mais qui mieux que lui les connaissait? La brigade des pompiers? Ils disposaient sans doute de certains plans situant les escaliers et les réservoirs, mais certainement pas les points qui recélaient des cadavres.

Sa décision prise, Shevelson attrapa à la hâte un manteau et des gants dans la penderie. Sale temps. Il lui faudrait une bonne demi-heure, avec de la chance, pour atteindre l'autoroute.

— Hé, où vas-tu, Will?

— A la Tour de Verre, que crois-tu?

— Après ce que cette ordure t'a fait, tu irais l'aider à s'en sortir?

— La Tour m'appartient plus qu'à lui, murmura Shevelson en souriant.

Il avait presque atteint la porte lorsqu'il revint sur ses pas pour choisir un rouleau de plans dans sa bibliothèque.

— Tu te conduis comme un imbécile, vieux, observa Hodgehead, secouant la tête. Ils ont certainement un jeu de plans.

— Vraiment! Quantrell a annoncé que l'incendie se situait au 17e étage, mais à l'heure actuelle, l'incendie s'est certainement étendu au 18e — le siège de la National Curtainwall. On n'a sûrement pas pu atteindre le bureau des plans. Et je suis probablement le seul dans cette foutue ville à posséder les plans réels, Marty, déclara-t-il en remontant le col de son manteau. Et Leroux va me les payer cher!

Un quart d'heure après, il virait pour s'engager sur l'autoroute, s'efforçant de maintenir son véhicule sur la chaussée glissante. Sous la neige, c'était difficile d'en être certain — mais Shevelson avait l'impression de discerner dans le lointain une vague lueur orangée.

24

Jernigan n'avait pas plutôt été prévenu du drame par Garfunkel qu'une foule envahissait le hall résidentiel. Il y avait des gens en tenue de ville, d'autres en pyjamas et pantoufles, avec un manteau hâtivement jeté sur les épaules. Certains étaient au bord de l'hystérie et Jernigan pressentit que la panique allait gagner. De faibles volutes de fumée s'infiltraient déjà dans le hall, provenant des cages d'ascenseurs. S'interrogeant sur l'importance de l'incendie, Jernigan hésita — devait-il s'efforcer de convaincre les locataires de rejoindre leurs appartements et de suivre les instructions affichées sur leurs portes? Dans ce cas, il risquait une émeute. C'était évidemment la solution la plus raisonnable, mais la foule qui entourait Jernigan n'était pas en état de raisonner.

Rosette survint. Elle regardait un programme de télévision dans la section des femmes de chambre lorsqu'un flash d'information avait annoncé l'incendie. Par chance, elle était encore en uniforme. Jernigan la chargea aussitôt de canaliser les locataires vers l'ascenseur résidentiel express — le seul qui, à son avis, traverserait sans s'arrêter la zone du feu.

Il tenta ensuite de rassurer les gens :

— Les pompiers sont déjà là, dit-il d'une voix assez forte pour dominer le tumulte et les conversations. Le feu se limite au 17ᵉ étage et seule la fumée montera jusqu'ici.

On ne nous dit jamais rien! cria une femme. On devrait nous faire des conférences sur les précautions à prendre en cas d'incendie, mais je n'ai jamais entendu parler de quoi que ce soit!

— Dites-moi, jeune homme, fit un locataire plus âgé, la direction a-t-elle prévu un plan d'évacuation? Et dans ce cas, quel est-il?

Jernigan tiqua intérieurement. Harriman avait effectivement envisagé de faire des exercices d'incendie, mais il les avait toujours remis pour une raison ou une autre.

— Nous mettons précisément le plan en application, Monsieur. D'abord, faire la queue pour emprunter l'ascenseur express jusqu'en bas.

— Les familles des employés ont-elles reçu des instructions pour sortir d'ici?

— Je n'habite pas ici, Monsieur.

— Vous êtes plus futé que moi! ricana le vieil homme.

— Ça leur coûtera cher! glapit une femme. Il faudra me faire nettoyer tout l'appartement. La fumée peut causer énormément de dégâts!

— Je verrai mon avocat dès lundi!...

— Oh! un nuage de fumée, Martha, ce n'est pas grave...

— Quoi qu'il arrive, cramponne-toi au manteau de papa, ne nous séparons pas...

— En effet, j'ai lu votre nom sur la porte voisine de la mienne...

— Al, j'ai horriblement peur...

Les réflexions s'échangeaient, se chevauchaient, s'étouffant l'une l'autre dans un brouhaha.

L'une des cabines d'ascenseur s'ouvrit sur un couple tenant en laisse un caniche nain. Jernigan s'étonna — comment ces gens avaient-ils réussi à promener leur chien à la barbe des gardes de la sécurité? Les animaux étaient interdits dans l'immeuble. Seule Lisolette possédait un chat, mais c'était le secret de polichinelle et personne n'avait protesté.

Jernigan aida Rosette à placer les locataires en rangs devant l'entrée de l'ascenseur express — en principe, cette cabine ne devait s'immobiliser qu'à hauteur des deux halls principaux et du garage du sous-sol. Soudain, il remarqua qu'un gros homme escorté d'une femme rondelette pressait le bouton d'un des ascenseurs desservant les étages commerciaux.

— Excusez-moi, Monsieur, s'empressa-t-il d'intervenir. Les ascenseurs de ce secteur présentent trop de risques. Il vaut mieux que vous attendiez votre tour d'embarquer dans la cabine express.

— Expliquez-moi ce que je risque avec cet ascenseur! persifla l'autre, l'œil rond.

— Si une cabine est susceptible de s'arrêter dans la zone en feu et si le bouton d'appel fond sous l'effet de la chaleur, vous pourriez être contre votre gré appelé au 17e étage et y rester bloqué sans aucune chance d'en sortir vivant. Parce qu'une fois les portes ouvertes, les flammes s'engouffreront...

— Je ne comprends rien à votre exposé, jeune homme. En tout cas, Maggie et moi, nous ne resterons pas ici en attendant de rôtir!

— L'incendie se passe à 14 étages en dessous de nous, insista calmement Jernigan. Écoutez, le danger est réellement trop grand. L'ascenseur pourrait filer droit sur l'étage qui brûle.

Le hall était maintenant plein à craquer. Évacuer les locataires prendrait du temps — mais il serait aussi difficile de les maintenir à l'écart des ascenseurs commerciaux. Personne ne semblait cependant réaliser que l'air se teintait de bleu avec la fumée. Mais cela ne pouvait évidemment qu'empirer, et vite. Alors, certains, et Jernigan lui-même, commenceraient à s'affoler...

— J'appelle l'ascenseur, mon vieux. Après tout, je paie un loyer, vous ne pouvez donc pas me l'interdire.

L'homme était écarlate, de fureur, mais surtout de terreur, songea Jernigan. Dans la foule plusieurs des locataires avaient avancé et ne manqueraient sûrement pas de pénétrer dans la cabine sitôt la porte ouverte. A en croire leurs expressions, ils n'avaient rien saisi de ce que Jernigan avait essayé d'expliquer au gros bonhomme.

— Les femmes et les enfants d'abord, Rosette, ordonna-t-il en élevant le ton. Au besoin, surchargez la cabine.

La surcharge était prévue par le constructeur bien qu'il ne l'avouât pas, par mesure de sécurité. Même si l'ascenseur ne s'arrêtait pas dans la zone en feu, mieux valait faire descendre au plus tôt femmes et enfants.

— Et vous, Monsieur, ajouta Jernigan pour l'entêté, j'insiste pour que vous m'écoutiez. La cabine express ne s'arrêtera pas au 17e étage d'où il est impossible de l'appeler, elle descendra directement jusqu'au hall principal. Mais vous grillerez si vous empruntez un des ascenseurs commerciaux qui a la possibilité de stopper au 17e, même accidentellement.

— Ne vous foutez pas de moi. Dès que la cabine sera là, j'y entrerai.

Déjà des locataires marchaient sur Jernigan, résolus. Mais le garde, lorsque l'ascenseur commercial arriva, remarqua ce que les autres ne virent pas — la peinture sur les portes était craquelée. Au cours de l'ascension, la cabine avait probablement fait un arrêt au 17e, les portes s'étaient ouvertes et refermées avant que ne reprît l'ascension. Le même processus se reproduirait sans doute à la descente.

— On se retrouve en bas, petit, ricana, triomphant, le gros homme.

Ignorant les murmures qui le cernaient, Jernigan lui saisit le bras.

— Personne ne prendra cet ascenseur, ordonna-t-il si durement que la foule recula.

— Ce n'est pas un nègre qui va me dicter ma conduite, piailla l'homme en se dégageant. Nous, on va se tirer d'ici.

Rosette l'observait avec inquiétude. Lui désignant la cabine de l'ascenseur résidentiel qui se remplissait en vitesse, Jernigan éleva deux doigts. Rosette acquiesça et repoussa deux femmes qui protestèrent.

— Pardon, mon vieux, fit Jernigan qui, d'un coup de poing au menton, étala son adversaire avant de le remettre debout d'une paire de gifles.

— Enlevez-moi ça, commanda-t-il ensuite à la femme. Vous pouvez embarquer tous les deux dans l'ascenseur résidentiel, mais tout de suite — on n'a pas de temps à perdre!

Pendant que le couple gagnait la cabine de Rosette, la foule s'éloigna à regret des ascenseurs commerciaux. Un chuintement révéla que la cabine commerciale qui venait de repartir allait redescendre, en s'arrêtant probablement au 17e.

Soudain plein d'espoir, Jernigan constata que la foule dans le hall n'était pas considérable. En définitive, il aurait tôt fait de l'expédier. Un quart d'heure plus tard, il y avait nettement moins de monde. Et lorsque la cabine remonta, plusieurs pompiers en sortirent, casqués et en imperméable. Jernigan les entraîna loin des curieux.

— C'est terrible? s'enquit-il.

— Assez, oui. Ce serait différent si nous l'avions appris un quart d'heure plus tôt. C'est vous qui avez interdit les ascenseurs commerciaux à ces locataires?... Bonne idée. Combien reste-t-il de gens?

— Je ne connais pas le chiffre exact. Je n'ai pas eu le temps d'en faire le compte. J'ai cru comprendre que le standard avait prévenu tout le monde?

— En principe, oui. Il y a deux standardistes de service, les deux autres étant de repos. Mais les lignes sont encombrées d'appels divers provenant sans doute de parents, d'amis ou de cinglés. On essaie d'avertir les locataires, mais il faut le temps. Il y a ceux qui, braqués sur la télévision, n'entendent pas sonner le téléphone. Ceux qui ont décroché pour être tranquilles ce soir. Ceux qui prennent une douche et ceux qui ont avalé un somnifère et ceux qui ronflent... Ah! ajouta le pompier en secouant la tête, on va être obligés de faire monter d'autres gars pour inspecter les étages un par un. La fumée se répand rapidement. Dieu merci, les étages supérieurs sont déserts... Et les gosses? interrogea-t-il. Y a-t-il des appartements occupés seulement par un môme et sa garde parce que les parents sont sortis?

D'un seul coup, Jernigan fut bouleversé. Les Harris étaient partis au cinéma avec Irène, et il ne se souvenait pas d'avoir vu Sharon et son frère dans le hall qui était à présent pratiquement vide.

— Les enfants Harris, une fillette de quatorze ans et un gamin de onze ans, devraient être là. Je ne les ai pas vus. Ils sont deux étages au-dessus... Rosie, appela-t-il tandis que Rosette embarquait les derniers locataires, je m'absente un instant. Accordez-moi une minute, et partez avec le groupe.

On respirait maintenant difficilement dans l'atmosphère épaissie.

— Les masques ne sont pas encore indispensables, mais vous êtes dans un sale coin ici, remarqua l'un des pompiers. Le puits de service est exposé au sud et il souffle un fort vent du nord. Vous ne le ressentez pas, mais il s'active et chasse la fumée de ce côté.

Ils empruntèrent un des ascenseurs résidentiels pour grimper à l'étage des Harris. Sur le palier, il y avait de la fumée, mais pas autant que dans le hall résidentiel, sans doute parce que l'appartement des Harris était situé côté nord. Après avoir cogné à la porte, Jernigan chercha son passe dans sa poche — et s'aperçut qu'il l'avait oublié sur son bureau. Au moment où l'un des pompiers s'apprêtait à fracturer la porte une petite voix lança :

— Un instant, s'il vous plaît!

Et Sharon parut, l'air surpris :

— On nous avait téléphoné, mais nous ne pensions pas que vous seriez là si tôt.

Jernigan pénétra dans l'appartement en compagnie des pompiers. Il y avait moins de fumée que dans le couloir. Mais on avait disposé des chiffons mouillés autour des portes, devant les grilles d'aération et sur tous les orifices.

— Qui vous a recommandé de faire ça, petite? interrogea le plus vieux des pompiers non sans admiration.

— Quand le standard m'a prévenue qu'il y avait un incendie, j'ai couru dans le couloir qui était déjà un peu enfumé. Ne sachant ce qui se passait du côté des ascenseurs et des escaliers, j'ai jugé préférable d'attendre ici que quelqu'un vienne nous chercher. Je craignais que Dany qui souffre d'asthme ne tienne pas le coup. Mais je me suis rappelé les conseils de Miss Mueller qui nous a expliqué les détails indiqués sur la porte en cas d'incendie.

— C'était vraiment la seule attitude sensée, approuva Jernigan. Où est Dany?

— Il regarde l'incendie à la télévision, dans le living-room.

— Viens, petit, on s'en va, dit un pompier en allant vers Dany.

— Dommage, le spectacle est passionnant! s'écria l'enfant.

— J'en ai peur, oui! mets un manteau, on déguerpit.

Dans le living-room, Sharon s'empara de linges mouillés et recommanda à son frère d'en placer un en travers de sa bouche pour mieux respirer. Dans le hall, la fumée était plus dense. Et deux étages en dessous, dans le hall résidentiel, le bleu de l'atmosphère avait viré au gris.

Dany se mit à tousser.

— Croyez-vous qu'il y ait encore quelqu'un dans la maison?

— Je ne vois pas, non — en fait, j'espère qu'ils ont tous filé.

La fumée commençait à lui brûler les poumons et Jernigan n'avait pas envie de parler. Il ne tenait pas non plus à songer à ceux qui avaient pu rester à la traîne. Oh! il y en avait certainement! Il s'en souviendrait dès qu'il serait en bas et la nuit deviendrait pour lui un cauchemar.

Un bâillon sur la figure, Sharon et Dany se laissèrent guider par les pompiers jusqu'à l'ascenseur express. Les portes s'étaient presque refermées lorsque Jernigan cogna violemment :

— Ouvrez! cria-t-il, les larmes aux yeux .— Seigneur, j'oubliais! Au 3724, il y a une vieille dame infirme et son mari, les Richardson. Je suis sûr qu'ils ne sont pas sortis. Ils n'étaient peut-être pas là avant le début de l'incendie, mais je ne me souviens pas de les avoir vus...

— C'est bon, on va aller vérifier. Une fois en bas, essayez de recenser vos gens dans le hall. N'oubliez pas d'emporter vos listes. Et en bas aussi, ils ont des appareils de respiration supplémentaires, qu'on en donne un au gosse.

Les pompiers empruntèrent un ascenseur qui montait. Quand les portes de sa cabine express se furent refermées, Jernigan sentit l'accélération de la descente. Derrière lui, Dany suffoquait.

Pendant ce temps, dans le hall résidentiel déserté, le téléphone intérieur de Jernigan se mit à sonner. Sur le tableau, une lampe s'alluma au 3416.

Quelqu'un essayait d'appeler de l'appartement des Albrecht.

25

Même là où il se tenait, sur le seuil, Ian Douglas ressentait la chaleur provenant du dissolvant embrasé qui se répandait dans le hall. Elle était plus intense qu'il ne s'y attendait. Et la distance qui le séparait du flot brûlant s'amenuisait sous ses yeux. La fumée le faisait pleurer à présent — il fallait vraiment filer. Se protégeant machinalement le visage avec le tableau, il recula vivement. Peu à peu, le bord du cadre devenait brûlant.

Il ne réussirait pas, se dit-il, affolé, le feu gagnait trop vite. Brusquement, il se détourna et se rua sur la porte palière de l'escalier, sentant la chaleur lui effleurer le dos. Tournant la poignée, il ouvrit la porte et la franchit après avoir regardé derrière lui. C'était une fournaise, tout le couloir était envahi par les flammes. La porte se referma sur Douglas en produisant son déclic caractéristique.

Posant le « Picasso » sur le sol de béton, il s'adossa au mur en toussant et en s'essuyant les yeux. Ses paupières brûlaient, ses joues étaient trempées comme s'il avait pleuré. Un instant, en proie à un violent tremblement, il se cramponna à la rampe métallique. Puis la quinte de toux cessa — on respirait plus aisément dans la cage de l'escalier — et les battements de son cœur s'apaisèrent quand il se rendit compte que, pour le moment du moins, il était en sécurité. Le dos de sa chemise chauffait et Douglas se rappela qu'au moment de passer la porte, il avait eu l'impression d'être rejoint par les flammes. Les radiations de chaleur, se dit-il. Dans le couloir, ce devait être intenable. Douglas en avait des cloques sur la nuque. Et ses mains, entre lesquelles il avait serré le tableau devant lui, étaient rouges et gonflées, avec les jointures écorchées.

A ce moment, il perçut des sanglots. Levant la tête, il écouta. Sur le palier du 18e étage, quelqu'un gémissait. Abandonnant son tableau, Douglas grimpa les marches. Il distingua d'abord deux silhouettes dont l'une était penchée sur l'autre. Celle qui était courbée se tourna et Douglas reconnut le petit Portoricain qui avait tenté de cambrioler le magasin! Le décorateur monta vivement les dernières marches. Ah! comme il regrettait de ne pas avoir signalé ce sale petit drogué à Garfunkel! Jésus, lui, le dévisagea avec ahurissement. L'autre personnage, pressé contre le mur, était une des femmes de ménage qui s'efforçait de remettre de l'argent dans un portefeuille. Elle pleurait et sa robe était en désordre. Douglas saisit aussitôt la signification de la scène — le gosse avait essayé de lui voler son portefeuille et la femme s'était débattue.

— Ignoble, petit voleur! Que lui as-tu pris encore? Des boucles d'oreilles? Sa montre? Qu'est-ce que tu caches?

— Mais vous ne comprenez pas! pleurnicha Jésus. J'étais malade, j'avais besoin d'argent...

L'empoignant par la chemise, Douglas le remit brutalement debout.

— Je devrais te balancer dans l'escalier! Je ne recommencerai pas l'erreur de te laisser filer une fois encore... Mais dis donc, c'est toi qui as mis le feu à la réserve, hein? s'écria-t-il, les prunelles élargies. C'est forcément toi, il n'y avait personne d'autre dans les parages!

Les yeux fous, Jésus se tortilla sous sa poigne.

— Je n'ai rien fait, mec. Sûrement pas une idiotie pareille! Vous perdez la tête!

La femme se releva péniblement, en grimaçant à chaque geste. Elle s'était apparemment tordu la cheville en tombant. Elle tira sur la manche de Douglas en secouant la tête :

— *Mi hijo*, balbutia-t-elle.., mon fils...

— Quoi, votre fils? s'étonna-t-il.

— Si! reprit-elle, triste. C'est mon fils.

Desserrant son étreinte, il lâcha Jésus qui s'écarta.

— Oui, c'est ma mère, dit le garçon. Elle est employée ici depuis l'ouverture de la boîte. Ce soir, j'étais venu pour... lui emprunter de l'argent.

— Emprunter... foutaise!

Douglas avait l'air écœuré. Le gosse aurait vendu les yeux d'un mort, il avait probablement rossé sa mère. Soudain secoué par une quinte de toux, Douglas se rappela l'incendie.

— Il faut sortir d'ici, ça brûle terriblement à l'intérieur! déclara-t-il.

Albina le considéra, manifestement sans comprendre. Elle aussi fut prise d'une quinte de toux.

— *Fuego*, lui expliqua brièvement Jésus dans son espagnol succinct... *No, mama*, ce n'est pas moi, je t'assure! cria-t-il comme elle se tournait vers lui, accusatrice.

— Pas le temps d'en discuter, il faut filer, marmonna Douglas.

Prenant le bras d'Albina pour la soutenir, il lui fit descendre l'escalier, et Jésus les suivit. A mi-chemin, il regarda le palier du 17ᵉ qu'il avait peu auparavant quitté — et en demeura le souffle coupé. Le dissolvant enflammé s'était faufilé sous la porte et le feu bientôt s'attaqua au tableau appuyé contre le mur. Le revêtement doré du cadre partit en lambeaux sous les yeux du décorateur, la vitre se brisa, le papier se tordit en brunissant et, au sein des flammes, le matador qui combattait devant une foule en délire parut fixer sur Douglas un regard plein d'agonie. Tout le palier était en feu.

— Nous ne pouvons plus descendre, remarqua Douglas. Nous sommes coincés ici.

Le dissolvant coulait en masse sous le panneau tordu. Une vague de chaleur montant des flammes fit remonter Douglas et ses compagnons au moment même où une véritable cascade de flammes s'attaquait au palier du 17ᵉ étage.

— Il faut partir d'ici ! hurla Jésus.

Il martela la porte de l'escalier, tira fébrilement sur la poignée. Après avoir ramené Albina près de lui, Douglas arracha Jésus à la porte.

— Ne sois pas stupide, tu sais bien que c'est verrouillé après 7 heures.

— Qu'est-ce qu'on va foutre ? On ne peut pas rester à griller ici !... Oh Seigneur, sanglota-t-il, regardez !

La fumée s'infiltrait sous la porte palière. Si la fumée montait, le feu devait en faire autant, calcula Douglas. Le 18e étage était probablement en feu comme le 17e. Il fallait donc continuer à grimper, jusqu'au Panoramic. Toutes les portes palières seraient bouclées, sauf justement celle du Panoramic. Un soir, dînant là-haut, Douglas avait débouché sur le palier en croyant ouvrir la porte des lavabos. Et il n'avait eu aucune difficulté pour retourner dans la salle alors même que le battant s'était refermé sur lui. Il semblait donc qu'on maintînt non verrouillées les portes de secours au sommet et au pied de l'escalier.

— La voie étant coupée vers le bas, il faut aller là-haut, décida-t-il.

Il aida Albina à gravir les marches jusqu'à un nouveau palier. Mais brusquement, elle le scruta d'un air soupçonneux :

— Jusqu'où doit-on monter ?

— Tout en haut.

— Vous êtes fou ! aboya Jésus. Ça fait plus de quarante étages ! On n'y arrivera pas, surtout maman !

— Tu as une meilleure idée ? riposta Douglas. Il faut grimper ou rester ici pour étouffer et rôtir. Nous n'avons pas le choix. Mais tu fais ce que tu veux... Vous avez compris ? demanda-t-il à Albina.

Elle acquiesça d'un signe.

Ils se remirent à escalader les marches. Derrière lui,

Douglas entendit Jésus vomir. Mais, peu après, le garçon recommençait à traîner les pieds dans l'escalier. L'ascension serait longue — et déjà l'air était chargé de fumée.

26

A minuit moins un quart, Mario Infantino déboucha dans Elm Street, à deux blocs de la Tour de Verre. Il se trouva aussitôt plongé dans un invraisemblable chaos de voitures bondées d'amateurs d'émotions fortes, de cars de police et d'engins de lutte contre le feu. Quantrell et son bulletin d'informations de 11 heures avaient, en dépit du temps, fait sortir la moitié de la ville pour contempler l'incendie. De quoi être dégoûté. La ruée n'avait été finalement stoppée, au bout du bloc d'immeubles, que par les barrages de police qui avaient réussi à la dévier vers la droite.

Infantino tambourinait nerveusement sur le volant de la voiture, son exaspération grandissant à chaque bulletin qui grésillait dans l'émetteur-récepteur. Déjà, arriver jusque-là n'avait pas été une mince affaire, surtout à cause du temps. Maintenant, plus il approchait et plus les curieux devenaient nombreux. L'embouteillage était bien trop important pour qu'il puisse espérer en sortir, même avec l'aide de sa sirène. Devant lui, la Tour de Verre se détachait sur l'obscurité, presque perdue dans la neige qui tourbillonnait. Un lourd nuage de fumée s'échappait des 17ᵉ et 18ᵉ étages et, derrière les fenêtres, d'intermittentes flammes rouges trouaient la nuit. La situation semblait aussi sérieuse que l'avait décrite la radio...

Apercevant soudain un espace vide sur sa gauche, Infantino braqua, se glissa dans le trouée, coupa à travers la file et accéléra, dispersant les spectateurs éparpillés sur la chaussée. Les trottoirs, nota-t-il au passage, étaient aussi encombrés de piétons que la rue de voitures. Il devait obtenir de la police de faire reculer la foule d'au moins un bloc, ce qui dégagerait douze voies d'accès à l'immeuble, au lieu de quatre. La manœuvre demanderait sans doute un renfort de policiers, mais elle était nécessaire : le souffle d'air augmentait et des morceaux de vitres brisées pourraient très bien voler jusqu'aux curieux.

La police lui fit un passage à travers le carrefour et Infantino stoppa enfin derrière la voiture officielle de Fuchs. Le colonel était arrivé avant lui, mais Infantino devait prendre immédiatement la direction des opérations. Saisissant son casque sur le siège arrière, il sortit, boutonnant le col de sa tenue. La neige fondue semblait transpercer la toile cirée. Le pire, c'était que le thermomètre continuait à descendre. Surtout dans les immeubles de grande hauteur, le froid était pour les pompiers un adversaire redoutable : la différence de température entre l'intérieur et l'extérieur activait l'effet de cheminée — et la Tour de Verre était un des plus grands bâtiments de la ville. Un seul point intéressant : le fort vent du nord aiderait à garder dégagée une des cages d'escalier. Et que Dieu vienne en aide à quiconque serait bloqué dans une autre!

La rue était une jungle de tuyaux, allant des bouches d'incendie de la ville aux pompes et, de là, aux raccordements dépassant des parois de l'immeuble, extensions des prises d'eau des cages d'escalier. Les grandes échelles et les schnorkels n'étaient d'aucune utilité dans un incendie de cette importance ; il fallait le combattre de l'intérieur. Les pompiers avaient déroulé leurs énormes rouleaux de 6 centimètres de diamètre, et étaient en train de les connecter aux prises d'eau.

— Eh! Mario, lança une voix, c'est vous le patron, il paraît ?

Tom Bylson, officier en chef des communications, passa la tête hors du camion radio stationné le long du trottoir.

— Exact. Quelle est la situation là-haut?

— Une chaleur d'enfer, à ce qu'on raconte. Une fumée épaisse, le feu au 17e, et ça démarre au 18e ; le 16e aussi est embrasé. Des liquides inflammables se déversent dans l'escalier. L'incendie se développe plus rapidement qu'on ne s'y attendait.

— Lancez un appel aux chefs de bataillon ; je veux un rapport complet d'ici un quart d'heure, dans le hall.

— L'idée n'est pas terrible, mon commandant ; la plupart des occupants de l'immeuble sont regroupés dans l'entrée.

— Y a-t-il une salle de contrôle ?

— Oui.

— Faites la réunion là-bas.

Bylson rentra la tête dans le camion ; un court crachotement de transmission radio traversa l'air froid avant qu'il ne referme la portière.

Infantino pressa le pas, saluant au passage des visages familiers groupés autour de la camionnette de la Croix-Rouge. On y distribuait des tasses de café aux pompiers et à des locataires en pyjama et pardessus.

La confusion était pire dans le hall qu'à l'extérieur.

L'ascenseur continuait à déverser des locataires ; ils se rassemblaient par petits groupes, attendant de nouvelles directives. Certains portaient des valises et des colis de vêtements ou d'objets de valeur. Un couple, même, tenait en laisse un jeune caniche. Le chien, rendu à moitié fou par le bruit et l'affolement général, cherchait à mordre tout ce qui passait à sa portée.

Infantino s'adressa à un jeune policier en faction à proximité :

— Sortez ce chien d'ici!

Le policier, notant son grade, se hâta d'obtempérer :

— Que voulez-vous que j'en fasse, mon commandant?

— Je m'en fiche complètement! Enfermez-le dans un des dépôts du sous-sol, s'il le faut, mais je ne veux pas le voir traîner par ici si ça tourne mal!

L'attention d'Infantino fut attirée par une altercation entre un groupe de locataires et un des gardiens de l'immeuble ; les rescapés prétendaient avoir été autorisés à regagner leurs appartements pour y chercher leurs bagages. Infantino marcha à grands pas sur le gardien :

— Personne ne remonte, absolument personne! Nous devons garder libre en permanence l'accès aux ascenseurs.

Il repéra le capitaine Miller, de la 23e Compagnie :

— Des difficultés pour monter?

— Pas trop. Fermetures électriques aux portes des escaliers ; on en a forcé une ; pour les autres, le chef de la sécurité nous a donné une clef.

Il fit un saut de côté pour laisser le passage à un pompier, porteur d'un lourd rouleau, qui se pressait vers l'ascenseur.

— On monte autant de tuyau que possible. On en a déjà perdu une section, à cause de la chaleur.

Infantino reprit son inspection du hall. Une femme, en chemise de nuit et robe de chambre, essayait désespérément d'atteindre l'ascenseur résidentiel ; plusieurs pompiers et un homme, son mari probablement, tentaient de la retenir. Mario ne connaissait que trop le scénario. Il repéra dans la foule l'officier de service, du côté de la cabine téléphonique du bureau de tabac. Le policier raccrochait quand Infantino le rejoignit.

— C'est vous qui avez le grade le plus élevé ici, je crois ?

— C'est exact. Jusqu'à ce qu'un supérieur arrive. Et vous ?

— Chef de division Mario Infantino. C'est moi qui dirige les opérations.

L'officier parut hésiter.

— Le colonel Fuchs est là ; ce n'est pas lui le responsable ?

— J'ai reçu les pleins pouvoirs ; vérifiez, si le cœur vous en dit. Par la même occasion, vous devriez faire reculer les barricades d'un bloc dans toutes les directions. Il va y avoir des éclats de verre, peut-être des éléments de maçonnerie et d'aluminium. Quand ils tomberont dans la rue... Vous savez où se trouve le chef de la sécurité ?

— Il est avec des officiels dans la salle de contrôle. Vous voulez le voir ?

— Du moment que je sais où le trouver... Je m'occuperai de lui plus tard.

Il désigna de la tête la jeune femme hystérique :

— Vous aurez besoin de plus d'hommes de patrouille pour contrôler de telles scènes ; il y en aura d'autres. Je ne peux pas détourner des pompiers de leur service pour ce travail.

La femme hurlait maintenant :

— Laissez-moi y aller, laissez-moi y aller ! Oh, mon Dieu ! il est encore là-haut.

Le capitaine parut surpris :

— J'aurais cru que c'était son mari.

Infantino secoua la tête.

— C'est probablement lui. Ils ont dû laisser un enfant là-haut. A supposer qu'ils en aient trois ou quatre, ils peuvent les avoir mal comptés, dans l'affolement, ou en avoir perdu un en route ; ils pensent toujours qu'ils les ont emmenés tous ensemble. On les retrouve habituellement trop tard, cachés dans les w-c. ou sous des couvertures ; quand on pénètre dans un appartement qui brûle, c'est le premier endroit où on les cherche. C'est bien le diable si on les trouve autre part.

Une scène pénible lui revenait à la mémoire. Deux ans plus tôt, lui-même et un de ses hommes avaient découvert deux enfants au deuxième étage d'une maison ravagée par les flammes, sous une couverture, la tête enfouie dans un oreiller ; ils étaient morts étouffés par la fumée bien avant que le feu n'ait atteint leur chambre.

A la gauche d'Infantino, un ascenseur résidentiel s'ouvrait, déchargeant de nouveaux locataires soutenus par des pompiers. Certains, durement atteints par la fumée, toussaient à s'en arracher les poumons.

— Un masque! Par ici!

C'était un pompier, soutenant un de ses camarades, sévèrement touché, presque inconscient ; de son nez s'écoulait un filet de mucus sale qui tachait son uniforme.

Infantino les observa un moment, maniant maladroitement le masque respiratoire, puis grommela à l'intention du capitaine :

— Évacuez le hall le plus vite possible ; il y aura de plus en plus d'incidents de ce genre.

Il s'éloigna, frôlant au passage deux hommes de la Croix-Rouge, avec leurs coiffures bleues, occupés à noter consciencieusement les déclarations de quelques locataires.

Un jeune gardien de la sécurité, effrayé par la situation,

lui servit de guide pour atteindre la salle de contrôle.

La pièce était déjà à moitié pleine. Infantino se présenta au chef de la sécurité, Dan Garfunkel, et à son assistant, Harry Jernigan ; tous deux semblaient fatigués et tendus. A son tour, Garfunkel présenta Donaldson, le chef de l'entretien de nuit, un homme à l'air préoccupé.

L'uniforme et le visage de Garfunkel étaient barbouillés de suie : il avait dû prendre la tête de l'équipe qui avait essayé d'éteindre l'incendie avec les extincteurs portatifs.

— Avez-vous une idée du nombre de personnes qui sont encore dans l'immeuble ? demanda Infantino.

Garfunkel, l'air hagard, secoua la tête.

— Non. Impossible de savoir exactement qui se trouve dans les étages commerciaux ; quant aux étages résidentiels, tant que les occupants n'auront pas été évacués, on ne peut rien dire.

— Des blessés ?

Le chef de la sécurité hocha tristement la tête.

— Griff Edwards, le doyen des ingénieurs. Il était avec nous lors de la première tentative ; c'était trop pour lui : il est à l'hôpital ; les médecins diagnostiquent un infarctus. Je n'ai pas encore eu le temps de demander de plus amples informations.

— Où est le directeur de l'immeuble ?

— En vacances. Son assistant est rentré chez lui cet après-midi, avec la grippe. Griff était le troisième sur la liste.

Infantino se tourna vers Donaldson.

— Et votre système de ventilation ? Est-ce qu'on peut l'utiliser pour évacuer la fumée ?

Donaldson se fit amer.

— Les ventilateurs auraient dû s'inverser automatiquement. Il y en a deux bloqués. L'un est grillé, le second gelé. Les autres sont bien réglés sur « aspiration ». — Maintenant, son visage était rouge de fureur. — Dès que je les ai vus, j'ai dit à ces salopards-là que c'était de la camelote.

— Et ceux-là, ils peuvent servir à quelque chose? Infantino désignait les écrans de contrôle qui tapissaient les murs de la salle.

Garfunkel haussa les épaules.

— Je ne vois pas comment. Ils couvrent le hall, l'entrée de la banque, la Credit Union International Curtainwall, l'entrée du restaurant et la terrasse. L'un est à l'extérieur, l'autre au 18e étage. — Il hésita. — Il y a des détecteurs à infrarouges dans les cages d'escalier. Certains sont bousillés, mais, avant de claquer, l'un d'eux a signalé plusieurs personnes dans l'escalier sud du 17e.

— Combien?

— Trois. Peut-être plus.

L'escalier nord serait pratiquement dégagé, mais l'escalier sud... Et le système de ventilation rejetterait une partie de la fumée, mais une partie seulement. On ne pouvait que souhaiter bonne chance aux fugitifs... Trois des quatre chefs de compagnies s'étaient maintenant rassemblés dans la salle et Infantino reporta son attention sur eux :

— Où est le capitaine Verlaine?

— Au 17e étage ; il est surchargé de travail, dit une voix.

Infantino se tourna vers la porte.

— Ça fait plaisir de vous voir, colonel.

Fuchs hocha la tête.

— Messieurs, au cas où vous ne seriez pas au courant, le commandant Infantino a la direction complète de cette opération. Je sais que, comme moi, vous lui apporterez votre entière collaboration. Je ne vous cacherai pas que, par le passé, nous avons eu des différends ; mais, pour le moment, ils sont hors de propos. Cet incendie est sérieux, un des pires que la ville ait connus, et nous sommes tous ici avec le même but : l'éteindre, n'est-ce pas, Mario ?

Fuchs se retira au fond de la pièce. Infantino s'adressa alors au capitaine Miller, qui assumait depuis peu les fonctions de responsable de la 23e Compagnie.

— Une idée sur l'origine de l'incendie et la charge de feu ?

— Il semble que le feu ait pris dans une réserve, près du puits de service, au 17e : un stock important de solvants, de liquides à détacher, et autres produits divers. De là, le feu s'est étendu à une entreprise de décoration intérieure : du matériel de fabrication et des balles de mousse de polyuréthane pour les rembourrages. De manière générale, une quantité de matières inflammables beaucoup plus importante que de coutume ; des plafonds surbaissés à tous les étages, ce qui a permis aux flammes de se propager sans qu'on s'en aperçoive. L'immeuble, neuf, a attiré bon nombre de riches commerçants, et presque tous ont fait décorer leurs bureaux par des professionnels. Vous connaissez la règle : plus les matériaux sont chers, plus ils sont inflammables. Le système d'alerte était apparemment défectueux et l'incendie a pris de l'ampleur. Aucune trace d'une alarme quelconque au quartier général.

— Fleming, où en est-on actuellement ?

— Le 17e est complètement perdu ; quelques foyers mineurs au 16e ont été rapidement maîtrisés. La situation est sérieuse au 18e ; il semble même qu'elle nous échappe. Une fumée épaisse au 19e et au-dessus. Nous ne savons pas exactement jusqu'où, si ce n'est qu'elle a pénétré dans les étages résidentiels. — Il marqua une pause. — Il va y avoir beaucoup de dommages causés par les eaux aux 18e, 17e et aux étages immédiatement inférieurs.

— J'ai réclamé une autre compagnie de sauvetage et une section de déblai. Castro, quelle est votre position ?

— Il nous faut plus d'hommes. On est concentrés sur le 17e mais personne ne peut travailler dans cette fournaise plus de dix à quinze minutes d'affilée. La chaleur radiante roussit les uniformes et carbonise les lances. Le feu s'étend au 18e et nous n'avons pas assez d'hommes pour le contenir.

— Vous les aurez. Et l'équipement?

— Standard, jusqu'à présent, mais en plus grande quantité. La bouche d'incendie extérieure fonctionne en ce moment ; dans certaines cages d'escalier, les manches ont disparu, brûlées ou arrachées par des vandales. Il nous faut des masques, des respirateurs. Et des hommes. Surtout des hommes.

Le regard d'Infantino croisa celui de Fuchs et n'y décela aucune trace de triomphe.

— Des accidents?

— Quatre hommes à l'hôpital : asphyxie. Murphy, de la 25e Compagnie, risque d'y rester. Un autre a été grièvement coupé, une recrue de la 33e Compagnie : il a tenté d'abattre une fenêtre à la hache pour aérer le feu au 17e : il a perdu un pouce et deux doigts.

« Une des premières choses qu'un pompier est censé apprendre, c'est à tenir une hache », pensa Infantino.

— Très bien. Verlaine, vous avez la responsabilité du 17e ; dès que la prochaine Compagnie arrive, vous la prenez en charge. Castro, vous avez le 18e ; on vous enverra des renforts le plus rapidement possible. Miller, occupez-vous de faire dégager le 16e. Fleming, contactez Bylson au camion radio ; qu'il établisse une liaison à poste fixe dans le hall, pour les contacts intérieurs ; ça le soulagera un peu. J'ai demandé des renforts de police pour dégager l'entrée. Tout le monde à son poste ; je reprendrai contact avec chacun de vous dès que possible.

Tous quittèrent la pièce à l'exception des responsables de la sécurité, de Donaldson et du colonel Fuchs. Garfunkel se nettoyait le visage avec un mouchoir et paraissait hésiter à prendre la parole. Il se décida enfin.

— Vous avez un autre problème sur les bras.

— Lequel?

— Il y a un poste d'hydrocarbures dans le sous-sol.

Infantino le fixa.

— Quelle capacité?

— Deux réservoirs de 4 000 litres. On les a remplis au début de la semaine.

— Les permis passent par mon bureau. La Tour de Verre n'en a jamais réclamé un.

Garfunkel transpirait à grosses gouttes.

— Harriman, le directeur, comptait le faire. Je me souviens qu'il m'en a parlé une fois.

— Et vous avez foncé et installé la station avant l'obtention de l'autorisation. Quel est votre fournisseur? la City Gas and Oil? Appelez leur gardien de nuit ; qu'ils amènent un camion-citerne pour vider les réservoirs.

Il marqua un temps, puis reprit lentement :

— Peut-être que j'en fais trop, mais je joue le jeu de la sécurité ; d'accord?

— C'est votre affaire.

— On pourrait peut-être pomper l'essence dans les collecteurs, suggéra Garfunkel.

— Pas question. L'essence flotte sur l'eau. On remplirait tout le collecteur de vapeurs. Une simple étincelle ou une décharge électrique et nous aurions un sacré problème sur les bras.

Il se leva pour partir ; Garfunkel l'interpella de nouveau :

— Et les gens qui sont dans le restaurant du haut?

— Combien sont-ils ?

— Cent trente, environ.

— Ça ira, tant qu'ils ne s'affolent pas — et ils n'ont aucune raison de le faire. L'incendie est quarante étages plus bas.

— Mr Leroux et Mr Barton sont là-haut avec leurs épouses.

— Craig Barton ? En ce moment la présence de Leroux et la sienne seraient inestimables. Personne ne connaît mieux un immeuble que son architecte et Leroux est tout à fait l'homme qu'il nous faut pour remplacer le directeur. Appelez-les et demandez-leur de descendre le plus vite possible.

— Et dites-leur de prendre l'ascenseur extérieur, reprit-il subitement.

En emprunter un autre pouvait équivaloir à un suicide.

— Bien, monsieur.

Garfunkel partit. Jernigan et Donaldson le suivirent.

Un silence prolongé, puis Fuchs se décida :

— Vous ne me l'avez pas demandé, mais je pense que, jusqu'à présent, vous vous en tirez très bien.

— Vous ne souhaitez pas que je me casse la figure ?

Un petit muscle tressauta sur le front de Fuchs et son visage se figea.

— Cette remarque est parfaitement déplacée, Infantino. Si vous échouez, il y aura de nombreux morts et c'est une chose que je ne souhaiterais pas à mon pire ennemi.

— Vous avez raison. Ma réflexion était de trop.

Dans le hall, les pompiers avaient bien du mal à s'ouvrir une voie au milieu de la foule des locataires affolés. Où était ce foutu capitaine de police ? Pourquoi l'entrée n'avait-elle pas été dégagée ? Un jeune pompier passa en courant, son masque respiratoire pendant autour du cou. Infantino le reconnut et l'attrapa par le bras.

— Quels sont les dégâts, là-haut, Lencho?

— Ça va sacrément mal. — Autour de la marque rouge du masque, son visage était sillonné de traces de suie. La fatigue le faisait paraître plus vieux que son âge. — Le feu a pris au 18e étage.

Saisissant le talkie-walkie de Philtron, Infantino appela Verlaine.

— Hal, ici Infantino. Je monte.

La voix de Verlaine résonna, fatiguée et caverneuse, dans l'appareil.

— Vous signez votre arrêt de mort!

Infantino tendit l'appareil à Philtron.

— Gardez le contact avec moi, tant que je suis là-haut. Restez sur la fréquence de Verlaine.

Il se tournait vers l'ascenseur lorsque la porte s'ouvrit sur un pompier, tenant par la main un bambin, de quatre ans au plus, qui pleurait et s'étouffait. Échappant soudain à l'étreinte de son sauveteur, le gamin se précipita vers la femme qu'Infantino avait remarquée plus tôt dans la soirée. Mario se décontracta un peu ; le drame qu'il avait connu autrefois avait une chance de moins de se reproduire.

Il prit l'ascenseur avec deux autres pompiers ; quelques instants plus tard, il était au 16e étage.

L'eau coulait maintenant à jet continu du plafond qui s'affaissait entre les poutres ; ses bottes s'enfonçaient dans la moquette détrempée. Sur presque toute la longueur du couloir de cet étage de bureaux, les pompiers avaient disposé des bâches, mais des morceaux du plafond et de la moquette étaient définitivement perdus. De larges portions du sol et des murs étaient noircies. Les dissolvants, pensa Infantino, avaient coulé par la cage d'ascenseur. Ç'allait être un vrai plaisir de se frayer un chemin là-dedans!

De larges auréoles d'eau tachaient les murs de plâtre.

A certains endroits, les coûteux revêtements de bois s'étaient gondolés et détachés du mur. Et le même spectacle allait se reproduire, à un moindre degré peut-être, dans plusieurs des étages inférieurs. Les compagnies d'assurances auraient à faire face à un sacré déficit quand tout serait terminé.

L'un des pompiers s'appuyait à la rampe, crachant gras et noir ; un de ses camarades essayait de le soutenir.

— Il en a pris plein les poumons, mon commandant. La valve de son masque a lâché.

C'était assez rare. Les pompiers s'exerçaient à monter, démonter, nettoyer leur masque jusqu'à ce qu'ils soient capables d'effectuer l'opération dans le noir, mais, avec les vieux équipements, les valves tombaient quelquefois en panne.

— Descendez-le immédiatement.

L'eau qui rendait le sol glissant, la fumée qui empuantissait l'air avaient vite raison des équipes de combattants du feu : au moment où Infantino fit son apparition, un groupe s'était retiré dans la cage d'escalier et l'équipe fraîche, avec ses chargements de tuyaux, se faufilait pour prendre la relève. Une main amie tendit un masque au commandant.

— Vous ne pouvez pas rester ici sans un « Scott », chef!

Le pompier aida Infantino à assujettir le masque et à fixer la valve.

Les tuyaux encombraient tout le couloir. La fumée, déjà épaisse, prenait une densité presque solide lorsqu'on progressait à travers l'obscurité grandissante. Non seulement Infantino ressentait la chaleur, mais il pouvait apercevoir le reflet rouge des flammes à quelques dizaines de mètres. Il s'accroupit à côté de l'équipe. Le portelance dirigeait le jet à haute pression sur les flammes. L'eau sur le carrelage formait une nappe de deux centimètres — une nappe chaude. Quelques mètres plus loin, l'équipe de tête subissait le déluge d'eau vaporisée qui dégouttait ensuite des uniformes, formant de larges flaques sur le sol.

Sentant une main sur son bras, Infantino se retourna et reconnut Lencho en dépit de son masque ; celui-ci colla son respirateur tout contre l'oreille de son supérieur.

— Ça va mal, hurla-t-il. On a déjà fait descendre deux équipes. On a affaire à un stock de matières inflammables, des plastiques et autres choses de ce genre. L'écran phonique continue à nous tomber dessus. C'est une vraie merde !

— Quelle est l'équipe au-dessus ?

— Celle de Mark Fuchs ; il est porte-lance.

Ainsi le fils du grand patron subissait son baptême du feu. Tenir la lance est un travail d'homme ; si on perd le contrôle, le lourd tube de cuivre peut faucher quelqu'un et l'assommer. De plus, le porte-lance est plus exposé que les autres à la chaleur. Infantino en avait vu quelques-uns en bas, après un quart d'heure de travail, le visage écarlate et le dessus des mains couvert de cloques en dépit des gants.

— La charge de feu est incroyable ! cria Lencho : des bureaux, des classeurs, des tentures, des sièges de mousse et des canapés... Et tous ces panneaux ! Ces trucs brûlent comme si on les avait arrosés de kérosène.

Infantino hocha la tête et poursuivit sa progression dans le couloir. Il venait d'atteindre un croisement quand retentit un cri d'alarme :

— Couchez-vous ! couchez-vous !

Une vague de chaleur, pensa-t-il en un éclair, la différence de température entre le plafond et le plancher pouvait avoisiner les trente-cinq degrés et la chaleur arrivait par à-coups. Au même instant, retentit une sourde explosion. L'extrémité du couloir s'embrasa et Infantino fut instantanément enveloppé d'une fumée à couper au couteau. Il courut à la porte de la cage d'escalier et, agrippant le talkie-walkie de l'un des hommes :

— Philtron! explosion de fumée au 17e; envoyez une équipe de secours, en quatrième vitesse.

Dans le couloir, l'activité redoublait : deux hommes arrivaient, titubant sous le poids d'un de leurs camarades. Ils arrachèrent son masque et allongèrent le blessé sur le sol. Le masque était plein de vomissures ; déjà des cloques apparaissaient sur le visage de l'homme et il toussait à en perdre le souffle.

— Les poumons! cria quelqu'un.

Le blessé avait dû respirer de l'air surchauffé ou même des flammes et s'était littéralement brûlé un poumon, sinon les deux.

— Ici, Infantino, hurla le commandant dans le talkie-walkie. Préparez une ambulance, on descend le premier accidenté. Prévenez les urgences... Poumons brûlés!

Deux hommes descendirent l'accidenté par l'escalier.

— Ça va être une vraie soirée barbecue, Mario.

Verlaine venait d'apparaître sur le palier, le souffle court et le masque relevé. Son visage était écarlate.

— La tempétature doit atteindre 300 ou 350 degrés. On est en train d'aligner les tuyaux sur le plancher.

D'autres hommes revenaient maintenant vers eux, toussant et vomissant. Infantino sentit qu'il ne faisait que gêner.

— Prenez soin de vous, Hal.

Il fit demi-tour et redescendit les marches, se collant de temps en temps à la paroi pour laisser monter une nouvelle Compagnie. Il se retrouva dans le même ascenseur que l'accidenté : cet homme va mourir, pensa Mario ; il ne passerait probablement pas la nuit. Un court instant il souhaita que les contribuables qui étaient venus protester au dernier conseil municipal contre l'augmentation des taxes pour les pompiers soient présents ce soir.

Se frayant un chemin à travers le hall, il traversa la place en direction du camion radio d'où lui parvenait le grésillement des communications entre la police et les pompiers. Fuchs était accoté à la porte entrouverte et, le regard levé vers le building, semblait perdu dans ses pensées.

— Nous n'avons même pas la situation bien en main. — Le ton d'Infantino était sinistre. — Je m'y attendais d'ailleurs : il est trop tôt. Si l'on peut empêcher que le feu ne prenne de l'importance, tôt ou tard, il s'épuisera faute de combustible.

— On aurait dû se débrouiller foutrement mieux! Le feu est plus important que d'habitude, mais on en a déjà vu de pires.

— Moi, je n'ai jamais vu d'incendie de cette taille auparavant. Et vous non plus, je crois.

Fuchs lui jeta un regard appuyé.

— D'accord, Mario, que voulez-vous? Vous n'êtes sorti que pour admirer le paysage?

— Je veux des explosifs pour souffler le feu à travers le plancher de l'étage supérieur.

— N'y comptez pas. Le service central n'en a pas.

— Mais le département de Southport en a, lui. On pourrait lui en emprunter.

— Infantino!

Fuchs marqua une pause pour trouver les mots justes. La neige, s'accrochant à ses sourcils, le faisait ressembler à un Père Noël mince et hagard.

— Mario, reprit-il, vous avez eu les coudées franches jusqu'ici mais, quant aux explosifs, la réponse est non. Vous ne ferez rien sauter dans cet immeuble. Si vous voulez faire un trou dans le plancher, la compagnie de sape est là pour ça!

— Il faudrait du temps, et précisément, nous n'en avons pas.

— Au contraire, nous avons toute la nuit. Nous continuerons à employer les méthodes traditionnelles, les autres sont trop dangereuses.

Infantino sentit monter en lui les premiers signes de la peur.

— Vous y connaissez quelque chose en charges explosives ?

— Je les connais parfaitement bien. Mais je sais aussi le danger qu'il y a à utiliser des explosifs ; tant du point de vue légal que pour la structure de l'immeuble. Prouvez-moi que vous êtes ingénieur en construction et je vous suis les yeux fermés. Sinon, vous risquez d'affaiblir l'immeuble au point de devoir le condamner après l'incendie.

— C'est idiot ! J'ai utilisé des explosifs dans l'armée et je sais ce qu'ils peuvent faire.

Ignorant Infantino, Fuchs reprit son observation de la tour.

— J'ai dit non, monsieur !

Mario suivit son regard, en direction du mince point lumineux qui descendait le long de la face de l'immeuble ; la Cage de Verre ! Barton et Leroux étaient probablement dedans ; ils pourraient peut-être lui offrir à la fois les informations et les arguments dont il avait besoin...

Le hurlement d'un pompier le rappela soudain à une autre réalité ; au-dessus de lui, Infantino perçut un bruit de casse et d'éclatement : une des énormes baies du 18e étage venait de s'évanouir d'un seul coup ; un instant une forme large et plate miroita au-dessus de la place ; une seconde plus tard, des morceaux de verre explosaient sur l'esplanade. Un autre éclatement suivit. Le cadre des fenêtres avait dû se déformer, et, poussée par la pression intérieure, une autre vitre s'était libérée ; tel un planeur, elle tranchait maintenant l'air froid de la nuit.

Un des fragments de verre s'enfonça dans le toit d'une voiture de police ; un autre s'écrasa sur une jarre de céramique plantée d'un conifère. Les débris de verre ricochaient maintenant sur le camion radio. Fuchs et Infantino reculèrent, une fraction de seconde trop tard : Infantino ressentit un picotement à la joue ; il explora son visage de la main, et la retira tachée de sang...

Non loin des deux hommes, une jeune fille et son ami, à côté de leur voiture, contemplaient eux aussi la fumée et les flammes. Le bras du garçon entourait tendrement la taille de sa compagne, blottie contre lui, en partie pour se protéger du froid. Au bruit de l'éclatement, elle sursauta.

— Qu'est-ce que c'est, Rick?

— Les fenêtres ; elles explosent hors de leur cadre et sont projetées sur l'esplanade.

— Je suis contente de ne pas être là-bas, dit-elle, tout excitée.

Le miroitement sur le sol ne les alerta malheureusement pas. Le verre explosa devant eux. Les éclats, acérés comme des lames de rasoir, leur griffèrent les mollets; derrière eux, les pneus de la voiture se vidèrent en sifflant.

— Rick! hurla la fille.

Mais Rick ne répondit pas. Son bras glissa de la taille de la jeune fille. Elle resta là, hébétée, un bon moment ; puis elle se mit à hurler...

27

« La Consolidated Distributors est une boîte épatante, pensait Krost, on peut vraiment y choisir ce qu'on veut. Et le moins qu'on puisse offrir à un bon buveur, c'est justement le choix le plus large. »

Il se renversa dans son fauteuil, l'œil vague, et passa en revue les dix bouteilles soigneusement alignées devant lui, sur le bureau. Au début, il comptait ne voler qu'une bouteille de brandy à bon marché ; quoi qu'il en soit, ce serait bien étonnant que la boîte pratique un quelconque inventaire... Mais une nouvelle cargaison venait d'arriver, comprenant certaines marques dont Krost n'avait jamais entendu parler. La situation, en conséquence, demandait un examen plus approfondi.

Il secoua la tête, sans grand résultat, dans l'espoir de s'éclaircir les idées. Il était saoul, trop saoul. Daisy ne le laisserait pas rentrer par la porte de devant et, pire que ça, Donaldson allait le virer. Ce dernier mot déclencha chez Michael Krost une brève séance d'apitoiement sur son propre sort, puis, le mauvais moment passé, il se replongea dans l'examen de ses bouteilles. Il était très content de lui. Il atteignit le verre à eau. Que choisir maintenant ?... Le whisky irlandais, un peu de ce brandy à l'intrigante couleur ambrée, ce bourbon du Kentucky dans son emballage de luxe, ou encore ce scotch de huit ans qui devait coûter une fortune ?

Pourquoi pas le whisky irlandais ? Il en versa dans le

verre, pour réaliser aussitôt, avec dépit, que c'était précisément celui qu'il avait bu tout l'après-midi et que, maintenant, la bouteille était vide. Aucune importance ; de toute façon, il n'aurait pas pu la remettre à l'étalage. A votre santé, Monsieur Krost! Il huma longuement le liquide ambré, puis en descendit trois bons centimètres en quelques lampées. Si seulement ce vieux crâne d'œuf de Donaldson avait pu le voir en ce moment...

Ses doigts se refermèrent sur une autre bouteille et il la hala triomphalement pour s'en envoyer un coup. Ses mains tremblaient tellement qu'il répandit une partie du liquide sur la table. Il faudrait un chiffon. Ses yeux cherchèrent l'objet désiré, ils firent le tour de la pièce. Toutes les décorations de Noël étaient installées et les pensées de Krost prirent un autre tour. « C'est la saison », soupira-t-il. Noël était la seule époque où Daisy et lui s'accordaient une trêve dans leurs perpétuelles prises de bec. Le meilleur moment de l'année : les chants à la radio, l'Armée du Salut avec ses cloches, ct les carillons des églises... Pas comme ces damnées sirènes qu'il avait entendues la moitié de la soirée...

Tiens, il y en avait de plus en plus, maintenant. Il n'aimait pàs les sirènes ; il n'aimait même pas y penser. Elles lui rappelaient quelque chose qu'il s'efforçait d'oublier. Ce bruit et aussi les cris des gens loin en dessous, et d'autres rumeurs, plutôt comme des pétards de 14 Juillet, d'ailleurs.

Il ferait mieux d'aller jeter un coup d'œil. Heureusement qu'il y avait ce brave vieux bureau pour s'accrocher... Sa tentative couronnée de succès, il louvoya en direction de la fenêtre pour voir où en étaient les choses. La fumée s'échappait par vagues des étages inférieurs ; la rue était bourrée de voitures de pompiers et de cars de police. Ses mains renforcèrent leur appui sur le rebord de la fenêtre. Une seconde, son esprit s'éclaircit :

les souvenirs qu'il cherchait désespérément à oublier remontaient à la surface... L'incendie du Melton Building... Il y avait si longtemps! Ils avaient essayé de le lui coller sur le dos, mais Leroux était intervenu pour sauver sa tête. Il ne savait toujours pas pourquoi, d'ailleurs, ou, du moins, il n'en était pas certain. Son regard essaya de percer le rideau de fumée et de neige ; il repéra les ambulances, et retint son souffle. Des blessés? ses souvenirs affluaient maintenant en masse et la panique le saisit.

Abandonnant la fenêtre, il se dirigea d'un pas hésitant vers la porte du bureau. Il fallait sortir, et vite. Il se hâta autant qu'il le put vers l'ascenseur, se retenant de temps en temps aux murs pour garder l'équilibre. L'odeur de la fumée, enfouie au plus profond de sa mémoire depuis un an et demi, remontait à la surface. Bon sang, où était cet ascenseur? Il appuyait sur le bouton d'appel, transpirant, essayant désespérément de ne penser à rien. Une cabine finit quand même par stopper à l'étage et il se laissa positivement tomber à l'intérieur. Pressant le bouton du hall, il se laissa aller en sanglotant contre la paroi.

Il était presque sobre, maintenant. Les souvenirs lui revenaient en force. L'incendie du Melton Building était aussi clair dans sa tête que s'il avait eu lieu la veille... Il se reposait dans sa réserve, les pieds sur le bureau, et les cendres de sa cigarette tombaient sur le plancher sans qu'il s'en aperçoive. La pièce était sale. D'ailleurs, Donaldson le lui reprochait toujours. Une traînée grasse avait pris feu. Après, tout était allé très vite... Presque tout le monde avait quitté l'étage, mais une secrétaire et sa fillette, qui venait souvent au bureau, étaient restées coincées. La mère s'en était sortie, mais pas la petite fille. Krost s'était vraiment mis à boire après cette affaire-là.

Il se tourna pour surveiller la progression de l'ascenseur à travers les étages. L'air s'échauffait de manière désagréable, et la cabine ralentissait considérablement. 19e, 18e... Bon Dieu, qu'est-ce qui clochait? Il s'acharna à coups de poing sur le contacteur. L'ascenseur allait s'arrêter au 17e étage. La cabine vibra et stoppa complètement. Tranquillement, les portes s'ouvrirent, et Krost découvrit l'enfer.

La fournaise rugissait tout autour de la cage; les flammes emplissaient le couloir, entourées de noirs tourbillons de fumée grasse. Une seconde, le monde s'arrêta. Krost contemplait le spectacle dantesque. Reprenant soudain conscience, il appuya frénétiquement sur le bouton « fermeture », au moment même où les flammes s'engouffraient en rugissant dans la cage. La vague de chaleur le saisit au moment d'une inspiration; telle une coulée de métal en fusion elle se déversa dans ses poumons. Ensuite, il ne ressentit plus rien du tout.

Les portes de l'ascenseur oscillaient : avant-arrière-avant-arrière... La fumée coupait le rayon lumineux, empêchant la fermeture. Krost essaya de crier, mais il n'y avait plus d'air dans les sacs desséchés qui avaient été ses poumons. Il sentit des cloques se former sur son nez et ses pommettes; ses paupières et ses lèvres enflaient. Un liquide épais commença à s'écouler de ses narines. Il pressa une fois de plus sur le contacteur du panneau de contrôle, essaya de griffer de ses mains gonflées ses pauvres yeux aveugles; ses sourcils et ses cheveux s'enflammèrent. Il tourna le dos à l'holocauste et se tassa au fond de la cabine, attendant la fin. Le dos de son bleu de travail brunit, puis noircit, mais Krost ne sentait plus la chaleur ni la souffrance.

Il eut le temps de se rappeler que la petite fille s'appelait Bonnie, et qu'il l'avait toujours bien aimée.

28

Barton se fraya un chemin à travers la foule des locataires agglutinés dans le hall. Les pompiers se battaient farouchement pour atteindre les ascenseurs ; les policiers, eux, essayaient sans aucun résultat de ramener l'ordre dans ce caravansérail. En quelques heures à peine, l'aspect de l'entrée avait radicalement changé. Les bâches, répandues sur le sol, étaient couvertes d'eau sale et de morceaux de glace, et l'air frisquet transportait des relents de fumée. Contre le mur le plus proche de la sortie, des groupes d'ambulanciers se penchaient sur une civière, la recouvrant entièrement d'une couverture de l'armée. Barton mit un moment à réaliser ce que cela pouvait signifier.

Il cherchait à reconnaître quelqu'un dans la foule, et il accéléra soudain le pas vers un groupe de pompiers près du poste de communication installé au bureau de tabac.

— Qui est le responsable, ici ?

— Qui êtes-vous, mon vieux ?

Un des pompiers le fixait avec curiosité.

— Craig Barton, l'architecte de l'immeuble. Je représente aussi Mr Leroux. Vous pouvez vérifier, il dîne à l'étage panoramique.

La tirade n'impressionna que fort peu son interlocuteur :

— Le commandant Infantino est l'homme que vous

cherchez. Mais nous avons trop à faire en ce moment pour discuter avec des civils.

Ainsi, c'était Mario qui menait la barque. Barton se sentit soulagé ; l'immeuble était en de bonnes mains.

— Dites-lui simplement que je suis dans le hall ; j'aimerais lui parler dès qu'il aura une minute. Je peux être de quelque utilité, en tout cas.

— Ça, c'est sûr. — Le pompier désignait le hall de la tête. — Vous pourriez essayer de faire quelque chose au sujet de ce bordel. Les flics n'arrivent à rien.

— Je vais essayer.

Dans le hall, il aperçut Garfunkel et Jernigan qui discutaient près de la salle de contrôle ; tous deux semblaient épuisés et soucieux. Garfunkel s'interrompit net, et son visage s'éclaira en voyant arriver Craig.

— Quand descend Mr Leroux ? On aurait besoin de lui, maintenant. Les gens posent des tas de questions et je ne sais quoi leur répondre.

— Il descendra plus tard ; je le remplace en attendant.

Barton montra du doigt la forme étendue sous la couverture :

— Combien d'accidentés ?

Le visage de Garfunkel se tendit à nouveau.

— Un, à ce qu'on sait. C'est Sol Jacobs qu'ils sont en train de sortir, le célibataire du 3214, victime de la fumée.

Barton jeta un coup d'œil sur le hall ; de petits groupes de locataires erraient, sans but, ou restaient jalousement près de leurs tas d'affaires.

— Dan, faites ouvrir le petit restaurant en bas de l'escalier, et trouvez des volontaires pour faire des sandwiches et du café. Prévenez les locataires quand ce sera prêt. Ça les fera sortir du hall. Chargez aussi un gardien de téléphoner aux hôtels les plus proches pour retenir des chambres. C'est un week-end de vacances, ils doivent avoir de la place. Que votre gars fasse les réservations pour les locataires qui le désireraient, pour la nuit jusqu'à ce qu'ils aient contacté leur famille. Contactez les directeurs et expliquez-leur la situation. Qu'ils envoient la note à la Curtainwall. Il vaudrait mieux alerter aussi une compagnie de taxis... qu'ils utilisent l'entrée nord, surtout, pour ne pas gêner les pompiers. Revenez me faire votre rapport.

Jernigan, lui aussi, était prêt à recevoir des ordres.

— Harry, trouvez le responsable de la police et demandez-lui de venir.

Jernigan disparu, Barton reprit son inspection. Deux pompiers sortaient de l'ascenseur en titubant. Le premier s'effondra en vomissant sur la bâche de protection tandis que son camarade se précipitait sur un masque respiratoire. Une nouvelle fois l'ascenseur libéra une équipe de secours chargée d'un brancard. La forme, sous la couverture, était complètement recouverte. Barton éprouva une satisfaction morbide devant ces ambulanciers aux traits dépourvus d'expression, peut-être parce que leurs visages étaient trop soigneusement neutres, peut-être aussi parce qu'ils étaient sillonnés de rides tendues. Il fut soulagé lorsque la couverture recouvrit entièrement la forme allongée ; ainsi, grossièrement dessinée, elle en paraissait moins humaine. Ils passèrent devant lui et son estomac se souleva ; il y a des odeurs qu'on n'oublie pas : celle des pommes de terre en train de pourrir par exemple et celle de la chair brûlée.

De l'autre côté du hall un des gardiens téléphonait sans discontinuer à l'extérieur ; il devait retenir les chambres d'hôtel. Au bord de la foule, Craig reconnut Garfunkel, en grande discussion avec des locataires d'un certain âge. Ceux-ci l'écoutaient attentivement, puis, d'un commun accord, ils le suivirent vers l'escalier mécanique. Dès qu'ils auraient fait du café en bas, on ouvrirait le restaurant et un de leurs problèmes serait pratiquement résolu.

Jernigan fit son apparition. Il remorquait un capitaine de police manifestement très mécontent.

— Mr Barton, le capitaine Greenwalt.

Le capitaine ne laissa pas une chance à Barton d'entamer la conversation.

— J'ai des problèmes, là dehors, Monsieur. Qu'est-ce qui est assez important pour que vous me dérangiez?

— Vous avez des problèmes à l'intérieur, aussi, répliqua sèchement Barton. Pourquoi le hall n'a-t-il pas été dégagé?

— Je n'ai pas saisi votre nom.

Le regard du capitaine était glacial.

— Craig Barton. Je suis l'architecte en chef du bâtiment.

— Eh bien, c'est parfait! J'ai un bordel du tonnerre à nettoyer à l'extérieur.

Il fit mine de se retirer.

— Je remplis les fonctions de Wyndom Leroux jusqu'à son arrivée, poursuivit Barton. Quelle est la situation dehors?

— Leroux? — Le mot miracle avait dégelé l'officier. — Nous sommes en train de reculer les barricades. Chutes de verre.

— Mauvais?

— Il y a un vent assez fort. La situation est préoccupante. — Son visage se ferma un instant à quelque chose qu'il voulait visiblement chasser de son esprit. — Un accident mortel, à un bloc. Assez dégueulasse. Une douzaine d'autres personnes hospitalisées. Des voitures avec le toit ou la capote esquintés. C'est tout ce que vous voulez savoir?

— On a commencé à évacuer les locataires. Des taxis vont arriver d'ici quelques minutes, par l'accès nord.

Dites à vos hommes de les laisser passer. — Puis, après un bref regard sur les occupants du hall qui commençaient à se diriger vers l'escalier : — On aurait besoin d'hommes ici et en bas pour maintenir l'ordre. Pouvez-vous nous les procurer ?

Le capitaine haussa les épaules.

— Je vais faire tout mon possible. Dehors, c'est le cirque. Toutes les chaînes de télévision filment l'incendie ; et la moitié de la ville est là. Foutu temps !

Du pain et des jeux, pensa Craig. Et quel jeu était plus amusant qu'un feu ?

— Vous avez un talkie-walkie ?

Le capitaine désigna de la tête le P.C. de communications du bureau de tabac.

— Je suis en permanence collé là-bas ; on peut me joindre à n'importe quel moment.

La foule diminuait graduellement. Garfunkel revint, le visage moins sombre.

— Ils ne tiendront jamais tous dans le restaurant, mais les locataires peuvent camper dans le hall principal. Le café et la nourriture vont arranger un peu les choses. Le niveau des plaintes, au moins, a baissé.

— Des malades ou des blessés ?

— Non. La plupart ont été transportés en ambulance. Asphyxie, en grande partie. — Il hésita. — On a réservé des chambres dans les hôtels proches mais beaucoup ne veulent pas partir d'ici.

— Personne de la Croix-Rouge aux environs ?

— Ils servent du café, là-dehors. Certains étaient là, il y a une demi-heure, pour relever les adresses des familles ou des personnes à prévenir.

— Contactez les responsables et voyez ce qu'on peut faire pour les lits de camp et les couvertures.

Jernigan parti, Garfunkel entreprit Barton.

— J'ai parlé au commandant des réservoirs d'hydrocarbures du sous-sol. Il était assez furieux, surtout lorsque je lui ai dit qu'on venait de les remplir.

— Qu'est-ce qu'il veut qu'on fasse?

— C'est déjà fait. On a appelé la City Gas and Oil. Ils envoient un camion-citerne pour vidanger les cuves et les remplir d'eau à cause des vapeurs explosives.

— Mieux vaudrait prévenir Greenwalt que le camion passera la barricade. Qu'il prenne aussi par l'entrée nord.

Il était fort improbable que le feu prenne en bas ; mais pourquoi rester assis sur une bombe? Il avait justement remarqué des traînées et des vapeurs dans le sous-sol en garant sa voiture... Oh, merde! Il fit demi-tour et courut vers l'escalier mécanique. Garfunkel, qui finissait de donner des ordres, n'eut que le temps de foncer à sa suite.

— Mr Barton, qu'est-ce qui cloche?

Toujours courant, Craig eut cependant le loisir de noter au passage que l'atmosphère avait changé parmi les rescapés ; ils commençaient à jouir de l'aventure et, tout en grignotant des sandwiches arrosés de pots de café, collectionnaient des souvenirs à raconter à leurs amis. Il s'engouffra dans l'escalier conduisant aux parkings, Garfunkel toujours sur ses talons.

— Où est le gardien, Dan?

— Eh! Joe, appela Garfunkel.

Le jeune homme sortit de sa guérite, l'air effrayé.

— Dites, Mr Garfunkel, ça va mal là-haut? Je ne voulais pas abandonner mon poste, mais depuis le début, je ne sais rien de ce qui se passe. Le feu, c'est grave?

— Ça pourrait être pire. Un camion de la City Gas and Oil sera ici dans quelques minutes.

Le surveillant blêmit :

— Ça se rapproche?

— Simple précaution, intervint Barton. Nous voulons que les voitures soient dégagées. Combien y en a-t-il?

L'étage semblait à moitié vide. Les vacances, probablement...

— Soixante-trois, Mr Barton. Sans compter la mienne.

— Combien de gars pensez-vous pouvoir contacter en quelques minutes pour donner un coup de main?

— Une demi-douzaine, je pense. Avec ce temps pourri les clubs du coin ne font rien en ce moment.

— Bon. Faites le nécessaire. Je veux que toutes ces voitures aient disparu le plus tôt possible. Pas la peine de prendre des risques.

— On les met où?

— Il y a un garage public au coin d'Elm et de Taylor, à trois blocs d'ici. J'arrangerai ça avec la police.

Quand Barton remonta, Mario Infantino l'attendait au bureau des communications. Il sentit son estomac se serrer. Il n'éviterait pas les questions... qu'il avait peur de poser, ni les réponses qu'il aurait préféré ne pas entendre.

— Où en sont les dégâts, Mario?

— De grosses pertes. Pire que je n'aurais imaginé. Vous auriez aussi bien pu arroser les murs de kérosène. Pour autant qu'on sache à l'heure actuelle, l'incendie aurait démarré dans une réserve de solvants et de cires. Et rien pour l'arrêter, après ça.

— Des accidents?

— Un de mes hommes est mort. Trois autres sont à l'hôpital; brûlures et asphyxie. Deux locataires, plus peut-être; on ne sait pas très bien encore. L'oxyde de carbone se forme lentement, on ne le remarque pas. Et j'ai cru comprendre qu'un des hommes de la surveillance de nuit était hospitalisé, avec un infarctus. — Il haussa les épaules. — C'est tout, jusqu'à présent.

— Et le feu lui-même?

— Tout dépend de la chance. Le 17ᵉ est détruit mais l'incendie s'atténue. On doit pouvoir le contenir au 18ᵉ.

Des fenêtres brisées aux deux étages ont donné de l'air et nous ont beaucoup aidés. J'ai cru un moment qu'il faudrait percer, au 19e, pour aérer ; on a pu l'éviter mais la fumée, par contre, a fait autant de dégâts que le feu. La Curtainwall va devoir débourser une fortune, ne serait-ce que pour nettoyer ses propres bureaux.

— Ça, c'est l'affaire de Leroux. Et les étages supérieurs ?

Infantino parut un peu moins sûr de lui.

— Je n'ai pas pu retirer d'hommes pour aller vérifier. La fumée a pénétré jusqu'au 35e, probablement plus haut du côté sud. Au nord, le vent la chasse assez efficacement. Une chose est certaine, c'est que le feu et la fumée se sont répandus très rapidement. Les murs et les planchers de cet immeuble sont percés comme une meule de gruyère, Craig. Il n'y a pas une seule barrière efficace contre l'incendie dans toute la tour.

— Le système de ventilation aurait pourtant dû s'inverser dès que la fumée a été détectée, dit lentement Barton.

Ça aussi ! pensait-il désespérément.

— Nombre de choses sont arrivées qui n'auraient pas dû, Craig. Une partie de votre système a fonctionné, une partie seulement. Un de tes employés pourra te mettre au courant. On aurait dû être alertés automatiquement au quartier général. Mais rien. — Saisissant l'expression sur le visage de Barton, il se hâta d'enchaîner. — Personne ne te condamne, Craig ; ce n'est pas toi qui l'as construit.

Certes. Ça avait commencé avec les ascenseurs. Depuis, Barton avait eu bien des surprises en examinant l'immeuble ; de mauvaises surprises.

Un pompier interrompit la conversation avec un message pour Infantino.

— Je reviens dans quelques minutes. Il faut que j'évalue la charge de feu des autres étages.

Barton se plongea un long moment dans ses pensées. Puis, faisant un effort sur lui-même :

— Est-ce qu'on a une liste des locataires qui manquent à l'appel, Dan ?

— Rien d'utilisable.

— Et pour les étages commerciaux ?

— Une des femmes de ménage a disparu ; les autres sont parties. On a perdu la trace d'un des associés de la Décoration d'Intérieurs. Il nous a renseignés sur le feu au début, mais on ne l'a plus revu.

— Quelqu'un d'autre ?

— Un des surveillants de nuit ; un dénommé Krost. Personne ne sait non plus où il se trouve actuellement. — Jernigan s'ébroua. — Personne ne le sait jamais.

— Et où en est l'évacuation des locataires ?

— C'est justement ce qui crée la pagaille actuelle. Personne, moi y compris, ne sait que faire. Aucun de nous n'a jamais appris. Mais je pense qu'on a sorti à peu près tout le monde. Les pompiers ont évacué Mrs Halvorsen et son mari.

Barton se souvenait vaguement d'eux ; un couple d'un certain âge. Elle se déplaçait en fauteuil roulant.

— Avez-vous essayé de contacter tout le monde par téléphone ?

Infantino les avait maintenant rejoints.

— Les standardistes appellent les locataires des étages supérieurs, qu'on les ait déjà repérés ou non.

— Donnez-leur la consigne d'ignorer les autres appels et de continuer à essayer tous les appartements dont vous n'êtes pas sûrs. Appelez tous les quarts d'heure. Dès que je pourrai soustraire quelques hommes, je les enverrai aux étages supérieurs avec un passe. Si les standardistes obtiennent une réponse, qu'elles passent les consignes suivantes : ne pas bouger et placer des serviettes-éponges humides contre les portes et les grilles de ventilation. Si les gens insistent pour quitter leur appartement, dites-leur de vérifier d'abord la température de la porte, bien que je ne pense pas qu'il y ait de foyer au-dessus du 18e. Dirigez-les de préférence vers l'escalier nord ; il est relativement dégagé. Sous aucun prétexte ils ne doivent prendre l'ascenseur. Il est près du puits de service et la fumée y est trop épaisse, maintenant.

— Mr Barton, la famille Albrecht est au 3416.

Jernigan semblait avoir reçu un choc.

Barton eut l'impression qu'il était censé savoir quelque chose, mais quoi ?

— Et alors ?

— Les parents sont sourds-muets.

Infantino émit un long sifflement.

— D'accord, j'envoie immédiatement quelques hommes.

Tout en discutant, Barton surveillait inconsciemment le tableau de contrôle des ascenseurs. Il sursauta.

— Quels ascenseurs utilisent vos hommes ?

Infantino suivit son regard.

— Les deux de droite, à commande manuelle. Pas besoin de s'en faire.

Sur le panneau, les signaux rouges indiquaient que les autres cabines venaient de stopper d'un seul coup au 17e étage. Ils clignotèrent, puis s'éteignirent. Définitivement. Les boutons d'appel avaient fondu, appelant toutes les cabines à l'étage du feu. Si quelqu'un était en train d'essayer de descendre... Cela laissait seulement trois engins en état de marche, l'express des étages résidentiels et les deux commerciaux à commande manuelle.

— Craig, reprit Infantino, nous étions en train de discuter de la charge. As-tu une idée de ce qu'il y a au-dessus et en dessous du 17e ?

Barton secoua la tête.

— La Curtainwall occupe les 18e, 19e et 20e étages. Les bureaux sont au 18e ; ils sont probablement décorés en « inflammables », selon vos normes. Les deux autres étages sont standards, ce qu'on pourrait classer dans la catégorie « charge de feu ordinaire ». Je ne peux rien dire sur le 21e et le 16e. Où sont les plans ? Il serait intéressant de savoir à quoi correspondent les chiffres.

— A ce que je sais, ils sont classés dans nos bureaux, au 18e.

— Nous n'avons pas de double, et tu ne peux pas aller chercher les tiens. Peux-tu me tracer, de mémoire, un diagramme général des étages ?

Barton explora ses poches, puis se dirigea à grands pas vers le bureau des vérifications où l'employé avait coché les noms sur la liste des réservations pour le restaurant du Panoramic. Saisissant le tableau et le marqueur noir abandonné, il se dirigea vers le bureau de tabac, retourna l'imprimé et se mit à tracer un plan grossier des étages.

— Dan, vous étiez chargé des patrouilles de feu de l'immeuble ? — Garfunkel approuva de la tête. — Très bien ! remplissez ça avec les numéros de bureaux et fournissez à Mario des détails sur l'ameublement, les tentures, les canapés, les systèmes de rangement, les meubles de bois ou de métal, ce qu'il vous demandera. Si vous n'arrivez pas à vous souvenir de tout, demandez à Jernigan ! — Il jeta un regard autour de lui. — Où diable est-il parti ?

— Il était là il y a une minute !

Garfunkel était blême.

— Quand il reviendra, voyez s'il peut vous être utile. Je serai en bas dans la chaufferie.

Dans le hall principal, la Croix-Rouge avait commencé à distribuer les lits de camp et quelques enfants dormaient déjà sous les lourdes couvertures. A l'étage du parking, le camion-citerne était arrivé et pompait le contenu des cuves. Les couleurs étaient un peu revenues sur le visage de Joe occupé à hurler des ordres aux quatre recrues qui déplaçaient les voitures. Dans une demi-heure environ, le garage serait vide. Quand les invités redescendraient du Panoramic il faudrait prévoir des taxis pour les conduire au garage public. De l'argent à sortir pour la Curtainwall!

Donaldson, au bord des larmes, épuisé, était assis dans le bureau de Griff Edwards. Un autre excellent ami d'Edwards, pensa Barton.

— Les choses vont bien, Mr Donaldson

La voix de Craig s'était adoucie.

— Rien ne va bien, depuis que j'occupe ce poste, Mr Barton.

— J'ai cru comprendre que certains moteurs des ventilateurs étaient morts.

— Un est grillé, et un autre, gelé.

Il se renversa sur sa chaise, sembla hésiter, puis se jeta à l'eau :

— Mr Barton, ça va peut-être me coûter ma place, mais je vais vous dire ce que je pense. L'équipement est valable, mais pour un immeuble des deux tiers de cette taille. Tels quels, Griff était obligé de pousser les moteurs, même dans des conditions normales. Pour un cas d'urgence, ils n'étaient pas à la hauteur.

— Ils ont passé les tests, pourtant, répliqua durement Craig.

Donaldson poussa un soupir et ses épaules s'affaissèrent.

— Vraiment? Je me le demande quelquefois. Ce matériel-là n'est pas celui qui était prévu au début.

La nausée monta d'un degré de plus dans l'estomac de Barton.

— Que voulez-vous dire?

— Quand j'ai su que j'allais être transféré ici, j'ai discuté avec les ingénieurs. Ils avaient réclamé des moteurs et des générateurs plus coûteux, et le système de détection était plus élaboré. Ce qui a été réellement livré fait le boulot, mais tout juste. — Il passa ses doigts sur son crâne déjà zébré de traces de fumée. — Le matériel fonctionne à condition qu'on ne lui demande pas de surcharge de travail.

L'équipement n'était donc pas celui que le département d'études de la Wexler & Haine avait recommandé! Leroux avait passé outre et court-circuité l'affaire. Barton sentit la colère l'envahir. C'est lui qui, en principe, aurait dû être nommé surveillant des travaux, mais Leroux l'avait expédié à Boston. Avait-il prévu qu'il se battrait pour son immeuble ? ou savait-il qu'il démissionnerait plutôt que d'accepter les restrictions de coûts ?

Il repartit vers le hall.

— Je serai là-haut, si vous avez besoin de moi, Donaldson.

Il s'arrêta au restaurant, avala un café, essayant de mettre de l'ordre dans ses idées. C'était *son* immeuble. Leroux n'avait pas le droit... Mais il l'avait pris, évidemment. Leroux payait les notes ; Leroux payait son salaire ; Leroux s'était occupé du financement... Mais pourquoi avait-il réduit les frais? Il n'y avait aucune raison...

Au retour de Barton, Garfunkel avait terminé le plan de plusieurs étages. Il y eut un éclair de flashes au moment où Craig se penchait sur les feuilles. Un groupe de reporters se pressait à l'entrée.

— Où est Leroux?

— Y a-t-il une déclaration de l'administration?

Un des reporters se souvenait de Barton, pour l'avoir aperçu le jour de l'inauguration et se rabattit sur lui :

— Qu'est-ce qui a flanché, Mr Barton? Le building ressemble à une torche.

— Pas de commentaires ! hurla Craig.

Puis, s'adressant à Greenwalt, venu vérifier si tout allait bien à la station de communication :

— Videz-moi les reporters, qu'ils restent derrière les barricades. Je ne veux pas être responsable d'un accident supplémentaire. Aucun étranger au service n'est autorisé à pénétrer à l'intérieur de la zone dangereuse.

Le capitaine récupéra quelques policiers et se dirigea vers l'entrée.

— Allez, les gars, vous aurez un compte rendu plus tard. Allons-y, dégageons ! Un bloc de distance au moins ! et gare aux vitres, elles ont déjà tué quelqu'un !

A la demande d'un journaliste, Greenwalt fournit tous les détails sur l'accident, et des détails précis. Le reporter pâlit, et le groupe fit retraite à toute vitesse, sans oublier, cependant, de prendre quelques photos de dernière minute. Une fois les reporters parqués à l'extérieur, le capitaine refit son apparition dans le hall.

— Il y a un gars de la compagnie d'assurances, là-dehors ; il veut vous parler. Et des propriétaires de bureaux ou de boutiques pour vérifier l'état des lieux, vider leurs caisses, etc.

— Personne ne rentre ! fut la réponse automatique de Barton, absolument personne.

— Certains sont passablement excités.

Les bandits ! Ils voulaient se plaindre à un responsable, ils voulaient lancer des menaces de procès ! Le linge sale, c'étaient les affaires de Leroux.

— Greenwalt ? — Le capitaine se retourna. — Que je ne les trouve pas dans mes pattes ! et peu m'importe la façon dont vous vous y prendrez ! Je me fous qu'ils soient locataires, assureurs ou quoi que ce soit. Dites-leur...

Il hésita, puis haussa les épaules. Il en avait fait assez, plus qu'assez. A Leroux de jouer, maintenant, puisqu'il s'était bien moqué de lui. Et il se fichait pas mal de ce qu'en penserait Jenny.

— Dites-leur, reprit lentement Barton, que Mr Leroux sera là dans quelques minutes.

Il allait s'emparer du téléphone, lorsque Infantino l'appela.

— Craig, n'y a-t-il vraiment aucun moyen de se procurer les plans ? Il nous faut les distances entre les bureaux et leur répartition.

— Impossible, Mario, à moins que vos hommes ne puissent pénétrer dans les locaux de la Curtainwall.

— Eh bien! on s'en passera. Mais ça nous aurait bien rendu service. — Puis, jetant un coup d'œil au plan rudimentaire étalé devant lui : — J'aurais bigrement souhaité que tu dessines aussi des portes anti-incendie dans les cages d'escaliers. Ça couperait l'avance de la fumée. Ce n'est pas exigé par les règlements de la ville, mais c'est rudement efficace.

— Je les *ai* dessinées, Mario! — Barton était furieux. — Je sais qu'elles ne sont pas obligatoires, mais je connais aussi leur utilité.

Infantino secoua la tête.

— Ils ne se sont jamais inquiétés de les installer, Craig. — Il éclata d'un rire amer. — Il semble que l'accouchement de ton enfant se soit fait par le siège.

Barton, se précipitant sur le téléphone intérieur, composa rapidement le numéro du Panoramic. Il savait maintenant pourquoi Leroux l'avait envoyé en bas avant lui. Tout était prévu. Le patron savait parfaitement ce qu'il allait entendre en descendant, et il ne voulait pas être là à ce moment précis. Eh bien, c'était terminé. Quand Leroux arriverait, il allait lui coller sa démission sur-le-champ.

La sonnerie se faisait attendre. Silence de mort au bout du fil. Une seconde tentative ne donna pas plus de résultat. Il appela le standard... et raccrocha quelques instants plus tard, l'air infiniment las. C'était effrayant! Aucun contact téléphonique n'était plus possible, à partir du 45e étage. Quelque part, le feu avait détruit le câble coaxial qui desservait l'étage panoramique. Le restaurant était maintenant coupé de tout contact. Et Jenny aussi.

29

La plupart des bureaux situés du côté de la réserve du 17e étage, le lieu de naissance de la bête, sont maintenant complètement dévastés. Les tapis et les tentures sont une nourriture riche pour le feu, de même que les lourds parquets installés par la « Psychiatric Associates » sur une moitié du couloir. La peinture murale des bureaux et du couloir est d'une marque très connue « qui résiste au feu » comme le signale sa publicité. Au cœur de l'incendie, elle se boursoufle rapidement, faisant apparaître la couche inflammable du dessous. La partie visible du métal qui soutient les cloisons rougit et commence à fondre; le plâtre se craquelle puis s'effrite en une pluie d'éclats blancs.

Dans les toilettes, les joints au mortier se décomposent et les murs carrelés se déforment. Les gobelets de plastique et les corbeilles à linge roussissent et finissent par s'enflammer. La peinture des distributeurs de serviettes en papier noircit et les serviettes flambent, se détachant du rouleau comme la peau d'un oignon. Dans plusieurs bureaux, les bouteilles des distributeurs d'eau fraîche se fendent et volent en éclats, tandis que leur contenu bout et se transforme en vapeur. Du côté du restaurant, la vitrine d'un distributeur de sandwiches se brise, les sandwiches grillent, et finissent carbonisés, leur emballage de plastique enflammé. La devanture d'un distributeur de boissons gazeuses se déforme, gondole sous la chaleur et finalement s'enroule sur elle-même. Les canettes de soda explosent en chaîne comme un tir de gigantesques pétards. Un peu plus loin, dans les locaux d'une agence de recouvrement, le feu débarrasse définitivement les bureaux de toute correspondance, et autres dossiers, puis fond les épingles et les trombones en une solide masse de métal. Il roussit la peinture sur toute la longueur des classeurs, déforme les tiroirs, et se faufile à l'intérieur pour s'emparer du contenu. Les traces de milliers de dettes s'envolent en une énorme flambée.

Au 18e étage, l'incendie s'est frayé un chemin à travers les canalisations mal scellées pour gagner la moquette d'une douzaine d'autres bureaux. Il grimpe sur le papier mural d'une compagnie d'assurances et pénètre dans l'espace vide au-delà de l'écran phonique. Là, il découvre un long conduit d'air conditionné qui s'est revêtu d'une épaisse couche de poussière. Il y a juste assez d'air à l'intérieur pour assurer une chaude quoique incomplète combustion, qui carbonise les organes internes, dégageant des gaz inflammables qui brûleront dans cet air confiné. La température de ce mélange d'oxyde de carbone et de fumées résineuses approche les 550°. Une centaine de pieds plus bas, le conduit lâche à la hauteur d'un joint de plastique. Les gaz combustibles surchauffés débouchent à l'air libre. Cela provoque une sourde explosion qui projette au loin le plâtre du plafond. Pour quelques secondes, une espèce d'énorme lance-flammes jaillit sur les meubles de bois en dessous et s'attaque au revêtement en plastique du mur, qui prend l'allure d'une coquille de noix. Le mur s'embrase sur-le-champ.

A l'extrémité du 10e étage, une portion du revêtement d'aluminium s'est échauffée au point de se dégager de l'armature du bâtiment ; cela ouvre une voie menant jusqu'au 21e. Des nuages de fumée brûlante soulèvent par vagues le fleuve de feu à travers les fenêtres du 19e, du 20e et du 21e étage, surchauffant les cadres métalliques.

Au 21e étage, une fenêtre craque subitement, se détache de l'encadrement, pour plonger dans la rue et se fracasser entre deux voitures.

Trois étages plus bas, la bête marque une pause, réalisant qu'elle est pratiquement à court de nourriture. Soudain, quelque chose la pique sur un côté et elle recule de quelques mètres. Un autre choc, plus douloureux, et elle recule plus loin encore. Elle a peur tout à coup : on est en train d'essayer de la tuer.

La douleur devient permanente. Lentement — mais sûrement — une sensation d'engourdissement commence à s'emparer d'elle.

30

Pendant les premières minutes de l'alerte, Wyndom Leroux resta silencieusement assis à regarder les dîneurs. Il n'y avait pas de danger immédiat et tous paraissaient le savoir.

Au début, après que la nouvelle se fut répandue à l'étage panoramique, les convives avaient traité l'incendie presque à la blague. Le rugissement des voitures de pompiers, le vin à volonté offert par la maison, l'aiguillon du danger, et cette sensation d'être suspendus en plein ciel avec un monde en flammes en dessous... tout ceci avait créé une atmosphère de gaieté un peu folle. Quelques dîneurs seulement étaient sortis tranquillement, empruntant la Cage de Verre pour descendre, mais les autres s'étaient rapidement trouvés en étroite communion. La calme soirée s'était transformée en fête de quartier, où les gens plaisantaient d'une table à l'autre, partageaient une sensation de lointain danger, ou bien se transportaient sur la terrasse pour essayer de voir ce qui se passait dans les rues en dessous. Ils se montraient les uns aux autres les barrages de police, leurs voitures et celles des pompiers, tout cela à moitié caché par la neige qui descendait en planant. Ils s'amusaient beaucoup.

Puis les ambulances stoppèrent en bordure de l'esplanade et des silhouettes portant des brancards disparurent dans l'immeuble, pour réapparaître quelques minutes plus tard chargées des mêmes brancards cachés par une couverture. A cette distance, il était impossible de dire si la couverture recouvrait entièrement la forme étendue ou non. L'ambiance de fête s'atténua au fur et à mesure que la salle à manger se vidait. Presque tout le monde maintenant se pressait au balcon pour contempler la scène en silence. La neige et la fumée s'échappant de plusieurs étages au-dessous rendaient la visibilité difficile. On pouvait cependant voir le camion-citerne descendre la rampe conduisant au sous-sol, mais presque personne ne comprit le sens de cette manœuvre. Ensuite, un flot serré de voitures quitta le parking. A l'entrée nord, des taxis ramassaient des locataires en pyjamas se rendant vers des hôtels pour la nuit. Plus tard, les fenêtres des étages en flammes commencèrent à exploser. Sous la pluie de verre qui scintillait un instant à travers la neige, les petites silhouettes de l'esplanade s'éparpillaient dans tous les sens. Les dîneurs subitement dessaoulés, le babillage des conversations chaleureuses se réduisit à un murmure ou à un chuchotement occasionnel. Un sentiment d'appréhension commençait à grandir dans la pièce. Les invités quittaient silencieusement le promenoir pour revenir à leur table manger et boire en silence, posant de temps à autre une question à leur hôtesse. Celle-ci, qui semblait n'avoir rien perdu de son assurance, était étonnamment peu informée. Son calme avait beaucoup fait au début pour rassurer les clients agités ; ce même calme maintenant paraissait forcé et son absence d'informations effrayante.

Les plus perspicaces avaient deviné que le câble du téléphone avait été coupé par le feu. D'autres avaient calmement réglé leur note et s'étaient dirigés vers l'ascenseur où une queue se formait.

De toute sa vie, Leroux ne s'était jamais senti aussi peu concerné. Il mangeait et buvait mécaniquement, lâchant quzlques mots lorsqu'il lui semblait que c'était ce qu'on attendait de lui. Réalisant que Jenny était terrifiée, il fit un effort pour lui prodiguer toutes les paroles réconfortantes qu'on prononce dans ces cas-là. Thelma, il le savait, l'observait attentivement, essayant de surprendre sa tension interne. Aucune chance qu'elle y parvienne ; ses affaires étaient une part de sa vie qu'il avait rarement partagée avec elle, et il était un peu tard pour s'y mettre. Intellectuellement, il savait et acceptait ce qui allait se passer : les protestations du public, sa crucifixion dans les journaux et à la télévision, les enquêtes, les procès...

— Wyn!

Il leva la tête, alarmé.

Thelma commença à lui dire quelque chose, s'arrêta au milieu de la phrase, sourit, lui prit la main et la serra entre les siennes. Il l'étreignit puis se retira. Elle sentit son éloignement et son repli, et reporta son attention sur Jenny, qui répondait par monosyllabes à ses tentatives de conversation. « Curieux, pensa Leroux, nous nous détachons tous les deux et chacun à partir d'une réalité différente. »

L'étage panoramique était maintenant parcouru d'un courant d'air froid, et curieusement d'une sensation de manque d'air. Leroux s'en rendit compte le premier. On avait coupé l'installation de ventilation et de chauffage, pensa-t-il, ou du moins l'équipement des étages supérieurs était tombé en panne.

— Mr Leroux! — Quinn Reynolds se pressait vers sa table, une expression alarmée sur le visage. — Certains dîneurs sont en train d'essayer de sortir par les ascenseurs intérieurs. J'ai essayé de les en dissuader parce que je pensais que ce n'était pas un moyen sûr mais ils ne veulent rien écouter.

C'était comme de sortir enfin du brouillard ou d'émerger après un grand plongeon dans une piscine. Ça, c'était quelque chose que Leroux pouvait prendre en main.

— J'y vais, Quinn.

Deux couples se trouvaient dans le hall, discutant avec un garçon d'ascenseur terrifié.

— Écoute, mon garçon, personne ici ne sait ce qui se passe et nous n'allons pas traîner pour le savoir. Pas une minute de plus. Ça n'a aucun sens de poireauter dans une queue pour la Cage de Verre ; cet ascenseur est aussi rapide.

Le garçon avait la face blême.

— Je suis désolé, Monsieur, mais j'ai reçu des ordres et personne n'est censé utiliser ces cabines.

— Mon vieux, je ne paie pas les prix qu'ils demandent ici pour me colleter avec un sous-fifre.

L'homme repoussait le liftier de côté quand il sentit une main sur son épaule.

— Ce garçon a parfaitement raison, dit Leroux calmement. Les ascenseurs ne sont pas sûrs. Il vous faut aller dans le hall résidentiel et de là, traverser la zone d'incendie pour atteindre le premier étage. Je doute que l'ascenseur y arrive, et dans ce cas même, que vous, vous y arriviez.

L'homme se retourna et examina Leroux un certain temps. La trentaine, supposa Leroux, à peu près de sa taille, probablement un ex-footballeur qui a perdu la forme. Le second homme était du même âge, mais un peu plus petit ; ils avaient probablement joué dans la même équipe. De vieux copains de collège sortant leurs épouses en ville pour la soirée. Son regard s'arrêta brièvement sur les femmes. Des banlieusardes. Trop de maquillage, pomponnées et gominées pour la soirée. Le genre de femmes dont la vie ne va pas au-delà de leur maison de style « ranch », de leurs deux gosses et de la télé ; et qui vivent par procuration, au travers de leurs maris. Elles allaient lui causer des ennuis.

— Frank, je ne resterai pas ici une minute de plus!

Celle qui venait de parler se pendit en propriétaire au bras droit de son mari et Leroux eut un demi-sourire pour lui-même. Il attendait, impassible, pendant que le mari vaguement bedonnant calculait ses chances d'intimider son adversaire.

— Qui diable êtes-vous?

— Wyndom Leroux, président de la National Curtainwall. Nous sommes propriétaires de l'immeuble.

— Frank, on s'en va!

Frank se tourna légèrement :

— Ferme-la, Gale!

Puis il revint à Leroux, un peu moins agressif maintenant. La peur perçait dans sa voix, évidente, authentique.

— Je crois qu'il faut qu'on sorte, Mr Leroux, le plus vite possible. Nous sommes isolés, aucun pompier n'est monté jusqu'ici pour nous évacuer.

— Probablement parce que les ascenseurs intérieurs ne fonctionnent pas ou qu'ils sont trop dangereux, dit Leroux calmement.

La femme pâlit et l'homme hocha la tête.

— Vous avez probablement raison. Mais alors, que faisons-nous ?

Il s'était automatiquement mis sous les ordres de Leroux, et celui-ci lui fit bon accueil ; c'était une situation qu'il comprenait, une situation qu'il pouvait maîtriser. L'explosion de la panique à l'étage panoramique n'était probablement qu'une question de minutes. Physiquement, à l'endroit où ils se trouvaient, ils ne risquaient rien. Mais psychologiquement, la situation ne pouvait pas durer beaucoup plus longtemps.

— Je pense que nous devrions organiser nous-mêmes notre évacuation, dit Leroux. Si la panique se déclenche dans la pièce, il y aura des blessés, et il est même possible que quelqu'un détériore involontairement l'ascenseur extérieur. Si l'un de vous, messieurs, voulait bien aller chercher notre hôtesse, nous mettrions au point un plan d'action.

Le plus petit des deux bondit sur l'occasion de prendre part à ladite action.

— C'est certain, Mr Leroux!

L'esprit d'équipe, pensa Leroux, cynique. On peut jouer là-dessus comme sur un violon. En quelques secondes, l'homme était de retour avec Quinn.

— Quinn, quelle est la capacité de l'ascenseur extérieur? Je n'ai jamais vraiment regardé.

— Dix personnes. Mais on peut aller jusqu'à onze ou douze.

— Très bien. Circulez dans la salle à manger et dites

à vos invités qu'on va les évacuer ; dites-leur aussi de ne pas oublier leur vestiaire .Commencez par les tables les plus éloignées de l'ascenseur. Leurs occupants sont ceux qui doivent se sentir le moins en sécurité, donc les plus susceptibles de s'affoler quand on commencera à faire descendre les groupes.

Il se retourna et s'adressa aux deux hommes derrière lui.

— Je vais avoir besoin de votre aide au cas où il y aurait un moment de panique, ou si quelqu'un essayait de se précipiter dans l'ascenseur.

— Vous pouvez compter sur nous!

Leroux jeta un coup d'œil à leurs épouses nerveusement plantées près d'eux.

— Nous ferons descendre vos femmes par le premier convoi. Je pense qu'on a dû transférer les voitures du sous-sol dans un garage public et qu'elles pourront aller les chercher.

C'est probablement elles qui avaient insisté pour prendre l'ascenseur intérieur, pensa-t-il. Écartons-les et les hommes seront plus faciles à manier — si cela s'avère nécessaire...

Il fit une courte halte à sa table.

— Thelma, Jenny, on fait descendre les gens par la Cage de Verre. Prenez vos affaires.

— Et toi? demanda Thelma.

Un sourire fugitif se dessina sur le visage de Leroux.

— Je dirige les opérations.

Thelma se rejeta sur sa chaise.

— Je partirai avec toi quand tu seras prêt à descendre, Wyndom.

— Et vous, Jenny? Craig est en bas.

— Je serais dans ses pattes, dit-elle aigrement. — Puis avec un léger sourire : — Je reste avec vous deux. Ça ne sera pas long, n'est-ce pas?

— Une demi-heure peut-être. Pas beaucoup plus.

— Juste le temps de finir mon vin, dit-elle sobrement.

Leroux se pressa vers la Cage de Verre dont l'entrée donnait dans le foyer. Il se présenta brièvement aux gens qui faisaient la queue, expliquant son idée d'évacuer les tables les plus éloignées d'abord — après que les gens déjà alignés fussent partis, évidemment. Il apercevait Quinn au fond de la salle à manger, expliquant consciencieusement la situation. Une à une les tables les plus éloignées se vidaient, les gens allant récupérer leurs vêtements au vestiaire du foyer et venant ensuite prendre leur place dans la file. Il n'y avait pas de panique. Une fois que les gens surent qu'ils allaient descendre dans peu de temps, qu'il y avait un plan, et qu'un responsable était présent, l'atmosphère dans la pièce devint considérablement plus légère.

Quelques problèmes mineurs subsistaient cependant.

— Je n'ai jamais pris un ascenseur extérieur, déclara une femme, verte de terreur. J'ai peur du vide ; je ne crois pas que je pourrai supporter de regarder la rue de cette hauteur avec rien que du verre autour de moi.

Leroux sourit et la tendit fermement à son mari qui se trouvait déjà à l'intérieur de l'ascenseur.

— Fermez les yeux, et quand vous sentirez la secousse, ça voudra dire que l'ascenseur sera à l'arrêt dans le hall.

Un homme dans les quarante-cinq ans, l'air d'un lutteur, fut le second à renâcler.

— Comment être certains que nous ne risquons rien? Je vous ai entendu dire à vos amis que les ascenseurs devaient traverser la zone d'incendie. Pourquoi ce côté est-il sûr et pas les autres?

— La Cage de Verre passe à l'extérieur de la façade de l'immeuble, jusqu'au hall du premier étage, expliqua Leroux patiemment. Il y a un solide mur de béton entre vous et le feu, et absolument aucune raison que l'ascenseur s'arrête à l'étage incendié.

Il poussa l'homme à l'intérieur et les portes de l'ascenseur se refermèrent sur la question suivante. En fait, il avait probablement peur du vide, comme la femme plus âgée qui l'avait précédé.

— Mr Leroux?

Le petit homme tiré à quatre épingles qui avait occupé la table juste derrière eux était debout à l'entrée du foyer, une expression inquiète sur le visage.

— Oui?

— Vous n'avez pas vu monter Mlle Mueller dans l'ascenseur, n'est-ce pas?

Leroux parut déconcerté. L'homme ajouta :

— Je l'avais invitée à dîner ce soir. Je me suis absenté quelques instants, et quand je suis revenu, elle avait disparu.

Leroux se retourna pour aider d'autres personnes à entrer dans l'ascenseur. On avait déjà fait deux voyages depuis le début de l'évacuation, mais Mlle Mueller n'avait fait partie d'aucun d'eux.

— Je suis désolé, Monsieur, elle n'est pas encore descendue. Êtes-vous sûr qu'elle n'est pas à une autre table avec des amis?

L'autre secoua la tête, l'air indiciblement triste.

— Non, dit-il lentement. J'ai fait deux fois le tour de la salle ; elle n'est pas là.

Leroux se rappela les bons moments qu'ils avaient passés ensemble et conseilla :

— Dites à Mlle Reynolds de vérifier dans les toilettes ; il se peut qu'elle soit malade.

L'homme eut un sourire contraint.

— Son père était un lutteur. Elle pourrait probablement boire et nous tenir tête jusqu'à ce que nous roulions, vous et moi, sous la table.

Il repartit faire le tour des lieux et Leroux se demanda pendant un court instant ce qui avait bien pu arriver à cette femme. Puis l'ascenseur revint pour le troisième chargement et il l'oublia.

Il se sentait bien, immergé dans l'action, mais dans une demi-heure, il serait de retour dans le hall et la réalité prendrait une tout autre forme. Son esprit se refusait à y faire face maintenant ; il doutait même d'y arriver à ce moment-là. Car il n'avait toujours pas de plan de rechange, et il ne savait pas ce qu'il allait inventer.

Il se demanda alors ce que faisait Barton, en bas, et comment il s'en sortait. Il supportait probablement tout le cirque que lui-même aurait dû subir s'il était descendu le premier. Mais ça lui semblait bien pratique en ce moment et ça pourrait bien l'être encore un certain temps.

Il savait, enfin, qu'à la minute où il descendrait, il perdrait le meilleur employé qu'il ait jamais eu.

31

Tom Albrecht s'agitait dans son sommeil. Il était rentré du travail, épuisé, et, après avoir mis les enfants au lit, Évelyne et lui s'étaient retirés très tôt. Il travaillait tard le soir au nouvel appareillage de satellite car l'U.S. Air Force exigeait de lui plus qu'il ne l'aurait supposé. Ce soir, il avait fait l'amour, pour la forme ; mais ensuite sa tête n'avait pas plus tôt touché l'oreiller qu'il avait sombré dans le sommeil.

Pourtant, il était à moitié réveillé maintenant. Il donna un coup de poing dans l'oreiller, le retourna d'une chiquenaude, et enfouit sa tête dans les fraîches profondeurs de l'autre face, frôlant au passage le corps chaud de sa femme endormie. Mais le sommeil s'obstinait à le fuir ; comme si quelque chose de lourd, assis sur son dos, écrasait sa poitrine contre le matelas. Encore tout embrumé de rêves, il toussa, se frottant machinalement le nez. Son malaise grandissait : il se sentait mal, il avait froid. Il était complètement réveillé à présent.

Il se retourna sur le dos, scrutant l'obscurité. A côté de lui, Evelyne commença elle aussi à s'agiter et fut prise d'une quinte de toux. Le sentiment d'inconfort se faisait plus réel de minute en minute. Tom renifla et reconnut l'odeur caractéristique de la fumée. Il tâtonna à la recherche de l'interrupteur de la lampe de chevet posée sur la table de nuit, et alluma. La lampe dessinait un halo de lumière dans la pièce remplie de fumée. L'obscurité était presque totale.

Il s'assit dans son lit, la gorge serrée par la peur. Funeste manœuvre. Provenant des bouches d'aération, la fumée s'étalait par couches dans la pièce. Il retomba sur le lit, pris d'une violente quinte de toux ; il avait peur de se mettre à vomir.

A côté de lui, Evelyne se mit à tousser violemment elle aussi. Il ne pouvait pas l'entendre et s'en rendit compte aux vibrations du lit. Il essaya de crier, mais aucun son ne sortit de sa gorge ; aucun son n'en était d'ailleurs jamais sorti. Il secoua Evelyne, tentant désespérément de la réveiller. Elle entrouvrit paresseusement les yeux, puis, reconnaissant le danger, les ouvrit tout grand. Elle aussi voulut pousser un cri, mais, même si elle avait été en mesure de le faire, Albrecht se rendit compte qu'il ne l'aurait pas entendue. Avant qu'il ait pu tenter un geste, elle se redressa sur le lit et, comme lui, fut saisie d'une quinte qui menaçait de l'étouffer. Il la repoussa sur le matelas et la fit rouler sur le sol.

La fumée était moins épaisse au niveau du plancher et l'air plus respirable. Evelyne se calma ; sa toux diminua ; il fit des signes frénétiques avec les mains : *l'immeuble est en feu !*

Les enfants ! répondirent les doigts de sa femme.

La fumée s'épaississait et tous deux commençaient à suffoquer. *Ne te lève pas ! Reste près du plancher !* En partie à cause des larmes, en partie parce que la visibilité baissait de plus en plus elle ne le comprit pas. Elle lutta pour se redresser et il dut la repousser en arrière, touchant son visage avec le sien pour la rassurer. Elle se mit à pleurer en silence.

Les enfants ! avaient supplié les mains. Il sentit la panique le gagner. Ils étaient dans l'autre chambre. Est-ce qu'ils dormaient toujours ? ou étaient-ils réveillés, pleurant et appelant à l'aide ? Il entreprit de ramper pour s'éloigner du lit, au ras du sol. Le cordon de la lampe s'enroula dans ses jambes, et il le repoussa d'un coup de pied. La lumière s'éteignit ; ils étaient plongés dans le noir dorénavant. Il avait dû débrancher le fil. Maintenant, pensa-t-il avec désespoir, il était sourd, muet et aveugle. Prisonnier d'un monde privé de lumière, de sons et de voix.

Il progressa rapidement sur le sol, retoucha le bras de sa femme et la poussa en direction de la porte. Tous deux entreprirent de ramper puis furent saisis d'une hésitation. Est-ce qu'ils se dirigeaient bien vers la porte des enfants ? Dans l'obscurité et la confusion Albrecht avait perdu le sens de l'orientation. Il s'allongea complètement, balayant de la main l'espace environnant ; son poignet heurta le pied du lit — le bout du lit, d'après l'agencement des couvertures — : ils avaient rampé parallèlement à la porte.

Affolé, Albrecht se dressa sur ses pieds pour ressentir aussitôt l'impression d'avoir passé la tête dans un four. Il se rejeta sur le sol ; à mi-hauteur, la chaleur devait friser la température d'ébullition. La peau de son front lui parut tendue, presque racornie. Il reprit sa reptation vers le mur. Ses mains parcoururent fébrilement la surface de la paroi, à la recherche de l'interrupteur. Rien. Il reprit son manège et, finalement, son bras heurta quelque chose ; un bouton de porte. Il le tourna frénétiquement et s'élança. Il allait trouver les enfants et revenir secourir Evelyne aussitôt après. Si seulement il avait possédé la parole! si seulement il pouvait appeler les enfants, s'il pouvait les entendre au moins!...

Une subite sensation de fraîcheur. Il allait pouvoir remplir ses poumons. Il se redressa, pour se trouver enroulé dans des tas de vêtements et d'étoffes de soie. Il tituba, aveuglé. Un objet accroché au mur lui racla le front. Ce n'était pas la chambre des enfants! Il avait atterri dans la penderie!

Il tournait sur lui-même, comme une toupie, bousculant les vêtements. Manteaux, robes et costumes glissèrent sur le sol. Il retrouva la porte et se laissa tomber à genoux. Où était Evelyne? Fouillant le plancher, il la découvrit près du lit. Son corps était flasque. Il la prit dans ses bras, la serra contre lui. Ses poumons pompaient désespérément l'oxygène. Trop tard! il était trop faible pour ramper plus loin.

Une quinte de toux le saisit et des mucosités commencèrent à s'écouler de ses narines comme de l'eau. Il semblait n'y avoir plus aucune trace d'air dans le monde ; plus rien que ces interminables bouffées de gaz surchauffés. L'étreinte d'Evelyne se telâcha ; il la sentit perdre conscience à ses côtés.

Les enfants! Mon Dieu, les enfants!

Ce fut sa dernière pensée consciente.

32

— Un toast? dit Harlee Claiborne. Et il leva son verre.

Lisolette sourit et leva le sien. Ils trinquèrent et elle but une gorgée. Il était vraiment très « vieille France ». Elle lança un coup d'œil à la ronde ; les dîneurs, pour la plupart, parlaient à voix basse, ou ne parlaient pas du tout. Mr Leroux était allé discuter avec quelques couples près de l'ascenseur, et le dialogue semblait âpre. Elle se demanda quel en était le sujet et pensa qu'elle pourrait deviner.

— Je suis certain qu'il n'y a aucune raison de s'alarmer, Lisa. Le feu est à plus de quarante étages plus bas et ils doivent certainement s'en être rendus maîtres, maintenant.

— Vous avez sûrement raison, Harlee. Ça paraît raisonnable.

Il la regarda avec perspicacité.

— Mais quelque chose semble cependant vous inquiéter?

— Oui, admit-elle. Il ne s'agit pas de votre sécurité ou de la mienne. C'est quelque chose d'autre et je ne sais pas exactement quoi.

Quinn Reynolds s'approcha de leur table.

— Puis-je vous faire servir une autre bouteille de vin?

Claiborne eut un sourire rayonnant.

— Et comment! Merci, mademoiselle Reynolds. Je peux vous assurer que nous l'apprécierons beaucoup.

— Avec les compliments de la direction, bien entendu, dit Quinn en s'éloignant.

Quelques instants plus tard, la serveuse s'approcha et remplit leurs verres. Sa main tremblait un peu et Lisolette lui jeta un rapide coup d'œil.

— Je suis sûre qu'il n'y a pas à s'en faire, Mademoiselle. Les pompiers sont là depuis des heures et ils ont certainement arrêté la progression du feu, ou alors on en aurait entendu parler.

— Les ambulances aussi sont là depuis des heures, Madame. — Elle emplit le verre d'Harlee. — Je ne suis même pas censée être de service ce soir. Je remplace une amie.

Elle s'éloigna. Harlee sirota son vin en connaisseur.

— Flûte! Désolé, Lisa, je deviens maladroit sur mes vieux jours.

La serveuse avait été trop généreuse : quelques gouttes éclaboussaient le devant de la chemise blanche de Claiborne.

Lisolette trempa sa serviette dans un verre d'eau et frotta la tache.

— J'ai une idée, Harlee. Pourquoi n'emportez-vous pas la salière aux toilettes avec vous? Répandez un peu de sel sur la chemise ; le sel absorbera le vin et un peu d'eau et de savon feront le reste. Ce sera humide quelques instants, mais ce genre de chemise sèche rapidement.

— Décidément, Lisa, vous savez tout faire. Je reviens tout de suite.

Il empocha la salière et se fraya un chemin jusqu'aux toilettes. Lisolette le regarda s'éloigner. « Il est vraiment très beau, pensa-t-elle. Si gentil, et, plus important encore, fondamentalement honnête. » Elle se demanda s'il était vrai qu'il y eût des mandats d'amener lancés contre lui dans certains États. Sûrement rien qu'un bon avocat ne puisse régler avec du temps et de la patience.

Elle laissa son regard errer dans la pièce. Cette soirée avait été très agréable, jusqu'à l'annonce du feu. Et même alors, pendant un certain temps, s'était déclenchée une sorte de carnaval. Jusqu'à ce que, comme l'avait dit la serveuse, les ambulances arrivent. Quelques dîneurs étaient encore sur le balcon, observant l'activité déployée en bas. Harlee et elle étaient sortis un moment, mais la vue des brancardiers et le bruit des fenêtres explosant sur l'esplanade avaient tué chez elle tout frisson d'excitation. Même maintenant, on entendait encore le hurlement des sirènes de camions supplémentaires se précipitant vers l'immeuble. Lisolette en était toute agitée. Quelque chose criait aux limites de sa conscience et elle ne parvenait pas à l'identifier.

Les sirènes, pensa-t-elle. Évidemment. Les sirènes et les vitres s'écrasant, et l'encombrement dans la rue, et probablement les opératrices du téléphone appelant les appartements pour prévenir les locataires. Assez de bruit pour réveiller les morts et à coup sûr les vivants.

Seulement il y avait des gens qui n'entendraient jamais les sirènes.

Des êtres pour qui de tels avertissements ne signifiaient rien, des êtres qui vivaient dans le silence, dans un monde sans mots, qui parlaient avec leurs mains et lisaient sur les lèvres des autres.

Tom et Evelyne Albrecht! Elle savait qu'ils se couchaient tôt, que Tom était épuisé par des soirées et des nuits de travail, et qu'il attendait avec impatience les vacances pour rattraper le sommeil perdu. Ils n'auraient pas pu entendre les sirènes, ni celles des pompiers, et des ambulances, ni la plainte des voitures de police. Même pas le téléphone, si la standardiste avait essayé de les avertir. La petite Linda avait appris à se servir du téléphone, mais elle et les autres enfants avaient certainement été mis au lit avant leurs parents. Et si la sonnerie avait pu réveiller Linda, qu'aurait-elle su des consignes d'évacuation d'un immeuble, des alertes au feu, ou même des recommandations de rester tranquille et de mettre des serviettes mouillées autour des portes et sur les grilles de ventilation ? Linda n'avait que sept ans, après tout...

Lisolette se décida soudain ; elle se leva et se dirigea vers le fond de la salle, où se trouvaient les téléphones intérieurs. Elle fit rapidement le numéro de la sécurité. Mais il n'y avait pas de tonalité, ni d'interférences de conversations dans le récepteur. Elle essaya un autre appareil pour obtenir le même résultat. Les téléphones étaient morts, et ils l'étaient probablement depuis peut-être une demi-heure ou plus.

Elle jeta de nouveau un coup d'œil au palier de l'ascenseur. Mr Leroux et les deux couples avec lesquels il discutait étaient partis ; Mr Leroux avait rejoint sa table pour un moment et les deux couples se tenaient près de la Cage de Verre, de l'autre côté du foyer. Personne ne regardait dans sa direction. Elle pressa en hâte le bouton de descente, se précipita vers une table vide, ramassa une serviette et la trempa dans l'eau du pichet. Elle pourrait en avoir besoin. Puis elle se hâta vers l'ascenseur. Elle y pénétra rapidement et appuya sur le bouton du 34ᵉ étage. Il y aurait probablement de la fumée, ou peut-être pas après tout. Les étages en dessous étaient en feu, mais elle n'allait même pas jusqu'au hall résidentiel. La pensée l'effleura de nouveau qu'elle se lançait dans une folle aventure, mais, d'une certaine manière, elle l'espérait.

La cabine ralentit et s'arrêta. Au moment où la porte s'ouvrit, elle détecta une odeur de fumée qui devint plus forte à mesure qu'elle s'enfonçait dans le couloir ; l'air en était lui-même tout embrumé. Plus elle approchait de l'appartement des Albrecht, plus le nuage devenait dense. Des deux côtés du corridor, les portes étaient ouvertes, témoins de l'évacuation rapide des occupants, dont les appartements n'abritaient plus qu'une atmosphère irrespirable. Dans l'un d'eux, elle vit la fumée sortir de la grille d'aération et elle ferma automatiquement la porte. Maintenant, elle avait vraiment peur pour la sécurité des Albrecht.

Ils habitaient dans un angle mort du couloir où la fumée, épaisse et étouffante, raclait la gorge. Lisolette sentait que ses poumons commençaient à peiner. Elle fit une pause pour attacher la serviette mouillée sur le bas de son visage afin de se couvrir le nez et la bouche. Ça aiderait un peu. La porte de l'appartement des Albrecht était fermée et, comme prévu, verrouillée. Cela ne voulait rien dire. Elle cogna dans la porte à coups de poing, dans l'espoir que les enfants, de l'intérieur, l'entendraient, si les parents ne le pouvaient pas. Elle frappa encore, puis réalisa qu'elle était en train de perdre un temps précieux.

Elle fouilla dans son sac et en sortit sa carte de crédit des grands magasins. Combien de fois ne l'avait-elle pas vue employée dans des romans policiers, ou dans des feuilletons télévisés ? Pourvu, mon Dieu, qu'ils n'aient pas fermé au verrou. Elle s'agenouilla et faillit fondre en larmes. Une latte de métal dépassait du cadre de la porte, empêchant d'atteindre la surface entourant la serrure. Lisa cogna sur la plaque de métal, dans une explosion de dépit et de colère, puis réalisa qu'elle obtenait un vague résultat. La plaque n'était fixée aux montants que par quelques rivets. Elle fouilla de nouveau dans son sac à la recherche de sa lime à ongles, en inséra la pointe entre le métal et le montant de la porte, l'enfonça de quelques pouces, et la courba. La lime plia et, dans un crissement de rivets tordus, la plaque prit légèrement du jeu, la peinture de la porte se craquelant au-dessus et en dessous du point d'insertion.

Lisa poussa la lime plus avant et l'interstice entre la plaque et le montant s'élargit. Encore un effort et l'ou-

verture serait suffisante pour introduire la carte de crédit
Elle pouvait entrevoir la faible lueur du cuivre, à l'endroit où la languette du verrou glissait dans la fente du montant. Elle introduisit directement la carte contre la languette incurvée. Elle était incapable de dire si la lame reculait ou non ; mais la carte glissa de ses mains moites. Elle entoura d'un mouchoir le bout qu'elle tenait, et recommença. Pendant un moment, rien ne se passa ; enfin, la languette se dégagea d'un coup. Lisolette tourna le bouton de la porte et poussa, s'affalant presque dans l'appartement.

A l'intérieur de la pièce, l'air était lourd de fumée. Pendant une minute, Lisolette fut saisie d'une quinte de toux ; elle rajusta la serviette sur son visage et avança à tâtons.

— Les enfants! hurla-t-elle. Linda! Chris! Martin! — c'est Lisa! Vous êtes là, les enfants?

Elle se tut, attendant intensément une réponse. Il n'y en eut pas et l'espace d'un instant, elle se sentit malade et folle d'avoir risqué en vain sa propre vie. La fumée devenait insupportable. Elle appela une fois de plus, sans succès. Dieu merci, ils étaient déjà partis.

Elle passait tout juste la porte lorsqu'elle crut entendre un faible cri. Elle fit demi-tour, espérant s'être trompée.

— Les enfants? cria-t-elle à nouveau. — Cette fois, pas d'erreur, un faible bruit de pleurs se faisait entendre. Elle traversa la salle de séjour en courant et ouvrit la porte de la chambre. La fumée y était moins dense et, après avoir actionné l'interrupteur, elle parvint à y voir un peu — les lits étaient vides. — Les enfants! Chris! — Elle se retourna pour sortir, subitement effrayée de ce qu'elle risquait de trouver dans le fond de l'appartement. Derrière elle, elle entendit un bruit, comme les sanglots d'un bambin. Elle réalisa soudain que cela venait de la literie amoncelée sur le sol. Elle se précipita et repoussa les couvertures. Le petit Chris était blotti en dessous, les yeux baignés de larmes et rougis par la fumée.

— Chris! Chris! Maintenant, écoute-moi! Où sont les autres? — Chris se frotta les yeux et se remit à sangloter. — Chris, dis à Lisa, je t'en supplie, dis-le à Lisa!

— Ils sont cachés, parvint-il à articuler entre deux sanglots.

— Où, Chris? Dis à Lisa où ils sont!

Il montra du doigt la penderie. Lisolette y courut et ouvrit la porte. L'intérieur était sombre et plein de housses à vêtements. Elles bougeaient légèrement; Lisa les repoussa d'un revers de main. Linda et Martin, le bébé, étaient recroquevillés sur le sol, tout au fond du placard, serrés l'un contre l'autre. Linda ne pleurait pas, mais la fumée lui avait rempli les yeux de larmes. Elle se jeta sur Lisolette, lui entourant les jambes de ses bras.

— Oh! Lisa, j'ai si peur! J'ai appelé en bas, mais personne n'a répondu. Ça sonnait, ça sonnait, mais il n'y avait personne! Et je ne pouvais pas réveiller maman et papa; ils avaient fermé leur porte à clef.

Comme le font tous les parents qui ont des enfants en bas âge et qui veulent être seuls un moment, pensa Lisolette. Et ils s'étaient probablement effondrés de sommeil en oubliant de la déverrouiller ensuite. Elle passa doucement les mains dans les cheveux de Linda.

— Voilà, voilà... Nous nous en sortirons. Reste là, je reviens tout de suite.

Elle retourna dans la chambre, arracha les taies des oreillers, courut dans la salle de bains, et les passa rapidement sous la douche. De retour dans la chambre, elle en tendit deux à Linda.

— Mets-en une sur ta bouche et aide Martin pour l'autre. Je me charge de Chris. Ça retiendra une partie de la fumée et vous pourrez respirer.

Elle les aida à nouer les taies derrière la tête et

commença à les guider vers la sortie quand brusquement elle se souvint.

— *Mein lieber Gott!*

Elle s'était à ce point inquiétée de la sécurité des enfants qu'elle en avait complètement oublié Tom et Evelyne. Il fallait les réveiller, leur signaler ce qui était arrivé.

— Attendez-moi là!

Lisolette agrippa le bouton de la porte de la chambre, mais elle était fermée à clef. Cherchant autour d'elle, ses yeux tombèrent sur un lourd pied de lampe, posé sur une table proche. Elle dut s'y reprendre à trois fois avant que la serrure cède, et fit claquer la porte démolie. A l'intérieur, on se serait cru dans une fournaise. Elle s'accroupit, cherchant à tâtons l'interrupteur. La fumée était presque solide et elle eut du mal à localiser les formes près du lit. Elle rampa rapidement. Les deux adultes étaient inconscients, mais ils respiraient faiblement et difficilement, avec des hoquets intermittents. Elle secoua Tom qui se contenta de grogner. Elle perdrait du temps à tenter de les ranimer, pensa-t-elle. Tom était presque tombé en travers du corps de sa femme. Lisolette le fit rouler sur le côté, empoigna Evelyne sous les bras et la tira sur le plancher. L'épaisseur de la moquette rendait le travail difficile et les quelques pas jusqu'à la porte lui demandèrent toute la force qu'elle pouvait rassembler ; elle trouvait de plus en plus difficilement son souffle.

— Linda, entoure le front de ta mère avec ta taie d'oreiller. Les autres, couchez-vous par terre. Toi aussi, Linda. Tu peux faire ce que je t'ai dit en restant allongée. Je retourne chercher votre père.

C'était peut-être le fruit de son imagination, mais il lui sembla que l'air était encore plus chaud et la fumée encore plus épaisse dans la chambre à coucher. Elle reprit sa reptation, et agrippant Tom par les bras, le tira vers la porte. Il devait peser dans les quatre-vingt-dix kilos ; ç'aurait été plus facile s'il avait été d'un petit gabarit comme Harlee. Il râla et fut saisi d'une terrible quinte de toux. Lisolette se demanda un moment si elle y arriverait ; la fumée provenant du ventilateur rendait ses poumons douloureux. Elle agrippa plus étroitement les bras de Tom et fournit l'effort final ; ils étaient maintenant dans la salle de séjour. Elle referma derrière elle comme elle le put la porte de la chambre. La serrure endommagée empêchait qu'elle se referme complètement.

— Ils sont morts, n'est-ce pas? demanda Linda, les yeux secs. Maman ne bouge pas.

— Non, dit Lisolette, elle-même au bord des larmes. Mais il faut que nous leur donnions de l'air frais.

Elle essaya le bouche-à-bouche sur Tom ; il grogna subitement, toussa, puis se retourna sur le côté. Des glaires épais jaillirent de sa bouche et il se mit à vomir sur le tapis. Que faire? Lisolette tentait frénétiquement de rassembler ses pensées. Elle n'avait pas la force de les sortir tous les deux de l'immeuble, dans l'état d'inconscience où ils se trouvaient. Elle ne pouvait même pas se charger d'Evelyne pourtant plus légère que son mari. Elle allait être obligée d'abandonner les parents à la fumée et au feu, réalisa-t-elle peu à peu. Les enfants, elle pourrait les sauver.

— Venez, les enfants ; tenez-vous par la main pour ne pas être séparés.

Linda était rétive.

— Et maman et papa?

Elle était au bord des larmes. Le petit Chris, sensible au ton de sa voix, se mit à pleurer.

— On enverra quelqu'un les chercher.

— Je veux rester auprès d'eux, plaida Linda.

— Non, non, *kinder*, tu dois venir avec moi, répondit

Lisolette, presque en larmes elle-même. Seigneur, pensa-t-elle, pourquoi moi? Puis s'adressant directement à Linda : — Linda, est-ce que ton père et ta mère voudraient que tu restes en arrière?

Alors Linda comprit et les larmes affluèrent à ses yeux. Elle acquiesça et tendit les mains vers Chris et Martin, puis suivit Lisolette vers la porte, pleurant en silence.

La fumée était devenue plus épaisse et Lisolette trouva la porte beaucoup plus à tâtons que parce qu'elle la voyait. Ses yeux pleuraient carrément maintenant et elle les tenait à moitié fermés pour les protéger de la brûlure du feu.

— Mademoiselle Mueller, que diable faites-vous ici?

Elle pensait avoir entendu des bruits de pas dans le hall extérieur, mais elle n'avait pas osé espérer. Ses yeux s'ouvrirent. Harry Jernigan s'encadrait dans la porte. Derrière lui, se tenaient deux pompiers en tenue avec des casques.

— *Gott sei' dank'!* — Elle sanglotait ouvertement, poussant les enfants vers les pompiers. — Vous, les hommes, allez aider ces deux-là!

L'un des pompiers alla s'agenouiller près des deux formes étendues sur le plancher. Il n'avait pas plus de vingt-cinq ans, pensa Lisolette. Mais c'était difficile à dire, avec son visage rouge et barbouillé de traînées de suie. Il tint le poignet d'Evelyne un moment, comptant les pulsations, puis posa la tête sur la poitrine d'Albrecht.

— Comment vont-ils, Johnny? demanda le plus âgé des pompiers.

— Ils sont en assez mauvais état tous les deux — asphyxie due à la fumée. Il faut les embarquer tout de suite.

— Ils vont s'en sortir? s'enquit Lisolette, craignant d'entendre la réponse.

— Je ne suis pas médecin, Madame. On va les descendre dans le hall ; là, ils ont l'équipement à oxygène et le matériel de réanimation nécessaires. Pouvez-vous tous les deux vous charger des enfants ?

Jernigan approuva de la tête :

— Bien sûr !

— Je m'occuperai des deux petits et vous aiderez Linda, déclara Lisolette prenant les plus jeunes par la main.

Linda pleurait toujours, et Jernigan lui dit doucement :

— Ce n'est pas tous les jours que je puis aider une fille aussi jolie que toi.

Elle essaya de refréner ses sanglots.

Les deux pompiers s'activaient.

— Johnny, attrape la femme ; je me charge de l'homme.

Le plus jeune saisit Evelyne dans ses bras comme on porte un enfant ; le plus âgé, à la manière classique des pompiers, balança Albrecht sur son dos.

— Bon. Fichons le camp ! On verra pour le reste. Le hall résidentiel est tout enfumé et les ascenseurs ne descendent pas plus bas qu'ici. Prenez l'escalier ; les portes sont ouvertes du dix-huitième au quinzième, et vous pourrez sortir de là. La compagnie de secours viendra prendre en charge les enfants et vérifiera leur état.

Ils s'engagèrent dans le hall avec leurs fardeaux, Lisolette suivant et Jernigan fermant la marche. Elle trébucha une fois et Jernigan dut la soutenir d'une main ferme. Elle se rendait compte qu'elle était bien plus faible qu'elle ne le pensait. La fumée, qui semblait avoir sapé ses forces, lui avait cependant laissé l'esprit clair. Ou peut-être vieillissait-elle simplement, se dit-elle. Elle devait sans cesse répéter aux enfants, pendus de chaque côté de sa jupe, de bien maintenir leur taie d'oreiller humide sur la figure. La chaleur de la chambre à coucher des Albrecht avait depuis longtemps séché sa serviette de table et elle était périodiquement prise de quintes de toux. Elle aurait dû penser à la remouiller avant de quitter l'appartement. Les deux pompiers avaient déjà disparu dans l'escalier quand ils y arrivèrent. Jernigan poussa la porte. Il ouvrit la marche.

— Venez, mademoiselle Mueller.

Elle le suivit, les deux enfants juste derrière elle. Quelques étages plus bas, ils purent entendre résonner les lourdes bottes des pompiers et Lisolette pria pour qu'ils arrivent à temps. L'escalier était tout enfumé, mais l'air y était à peu près respirable. La pression qui s'était exercée sur ses poumons diminua sensiblement.

— Ils ont marqué quelques points contre l'incendie, dit Jernigan. On a fourni de l'air aux 17e et 18e étages et les pompiers combattent le feu par l'autre escalier, en s'infiltrant à l'intérieur. Ça a supprimé beaucoup de fumée.

— Il fait aussi un peu froid, dit Lisolette.

Et elle se prit à rire de ses jérémiades. Quand on peut se plaindre, se dit-elle, c'est que tout va bien. Chris tira Lisolette par le bras.

— Est-ce que maman et papa vont guérir ?

— Bien sûr qu'ils vont guérir, Chris. Ils dorment, c'est tout !

— Si je dis une prière, est-ce que ça va les faire se réveiller plus tôt ?

— Je suis sûre que oui, Chris. Nous allons tous les deux dire une prière — mais doucement, dans notre tête.

Le bruit de bottes des pompiers s'accélérait maintenant.

— Ils vont nous battre, dit Jernigan.

Il était presque un étage plus bas que Lisolette.

— Tant mieux ! dit Lisolette sobrement.

Elle allait devoir porter Martin. La façon qu'il avait

de descendre marche après marche les retardait trop. Elle n'y serait jamais arrivée un moment plus tôt, mais elle avait recouvré assez de force maintenant. Elle se pencha vers lui et l'éleva au creux de son bras.

La cage d'escalier elle-même lui paraissait étrange, toute encombrée de tuyaux qui émergeaient des étages et couraient au-dessous des paliers.

— Harry, quel est cet escalier? Je ne l'ai jamais pris auparavant.

La réponse flotta vers elle, provenant de presque un étage et demi en dessous.

— En principe, on utilise l'escalier nord, Mademoiselle. Celui-ci est du côté sud, juste à côté du puits de service. La Cage de Verre passe exactement de l'autre côté.

Elle s'était plus ou moins repérée maintenant. Elle vérifierait d'ici quelques volées de marches.

— Dépêchons-nous, Chris, nous ne voulons pas rester en arrière.

— Vous avez besoin d'aide, Mademoiselle?

— Non, on y arrive, Harry.

Ses lèvres remuaient en une prière silencieuse, non seulement pour Tom et Evelyne, mais aussi pour quelqu'un d'autre.

C'était la deuxième fois dans la soirée qu'elle trouvait le temps de penser à Schiller, bloqué dans son propre appartement.

33

Barton ne pouvait décemment pas attendre que Leroux se montre et se lave les mains de toute cette affaire. Leroux n'était pas redescendu avec le premier chargement qui avait évacué l'étage panoramique. Thelma et Jenny non plus. Il apparaissait donc de plus en plus clairement que quand Leroux finirait par se montrer, il ne lui resterait plus grand-chose d'autre à faire qu'à affronter les caméras. Le hall avait été évacué et ceux des locataires qui n'avaient pas profité de l'offre d'une chambre d'hôtel dormaient sur des lits de camp installés dans le hall inférieur de la cafétéria ou dans le couloir attenant. Quelques-uns avaient navigué entre les tables du restaurant, apaisés, tranquilles et se félicitant d'avoir formé le petit comité fraternel des survivants.

Il y avait eu d'autres problèmes, en plus de ceux posés par les résidents. Barton s'était débrouillé pour trouver des hommes capables de réparer la ventilation dans la machinerie. Ils lui avaient promis qu'en une heure les ventilateurs seraient remis en état et videraient l'immeuble de toute la fumée. Le système de conduites desservant les étages supérieurs était encore en grande partie intact. La remise en état des lignes téléphoniques de ces étages devrait cependant attendre l'extinction totale du feu à ses différents niveaux.

Une douzaine de locataires et un nombre équivalent

de pompiers étaient à l'hôpital, pour intoxication par la fumée. Et il y avait les disparus, ceux qui ne s'étaient pas encore montrés, et pour lesquels Barton éprouvait une anxiété croissante. Douglas, Albina Obligado... — entre autres, plus nombre de locataires que Barton ne connaissait pas.

Enfin, il y avait les accidentés. Un locataire qui était mort d'asphyxie. Et Michael Krost. Les pompiers s'étaient rendus maîtres de l'incendie au 17ᵉ étage, aidés par le fait que tout y avait brûlé. Ils avaient trouvé l'ascenseur bloqué, ses portes encore ouvertes. Une équipe d'ambulanciers avait emporté les restes de Krost, déposant le brancard sur le sol du hall pour demander à Barton d'aider à l'identification. Il lui avait fallu une bonne et très pénible minute pour reconnaître qui avait pu être ce tas fripé. Barton avait tenté de deviner et les brancardiers étaient repartis avec leur fardeau, les bords de la couverture dégouttant de l'eau sale absorbée au cours du sauvetage.

L'un dans l'autre, se disait farouchement Barton, ça aurait pu être pire. Bien pire. Le feu avait été maîtrisé au 17ᵉ étage, les quelques foyers du 16ᵉ avaient été éteints, et l'on contrôlait à peu près le 18ᵉ. Les hommes d'Infantino avaient des problèmes au 21ᵉ, car le feu s'était frayé un chemin sur un côté de l'immeuble, en empruntant le canal formé par la déformation du revêtement. Mais jusqu'à présent, ce n'était pas trop sérieux. Pourtant, le moindre incendie l'est, ou peut le devenir.

— Jenny est redescendue?

Infantino venait d'entrer avec du café pour l'équipe de communication.

— Pas encore. Elle et les Leroux feront sans doute partie du dernier chargement de l'étage panoramique.

— Quelle est la situation au 21ᵉ?

— Le feu a pris pied dans une série de pièces du côté nord, mais nous faisons des progrès.

Il lança des instructions à un groupe de pompiers qui passait, puis se tourna vers Barton.

— Pourquoi Leroux n'est-il pas descendu avec le premier groupe de l'étage panoramique, Craig? Je suis heureux que tu sois là, mais ça n'a pas l'air de tourner très fort pour lui.

— Apparemment, il dirige l'évacuation au sommet, calmant les gens, évitant la panique, ce genre de choses... — La question le mettait mal à l'aise. — Pourquoi demandes-tu ça?

— Il y a peut-être une autre raison. C'est lui qui est sur la sellette et pas toi. Dès qu'il mettra le pied dans le hall et que les reporters le sauront, les flics auront un mal fou à les tenir à l'écart. Ils vont s'acharner sur lui, quelle que soit la manière dont tu vois les choses. Je pense que Leroux l'a compris.

— Possible, admit Barton. Il pourrait geler les choses jusqu'à ce qu'il ait trouvé des réponses aux questions qu'ils poseront; et puis, il pourra toujours se réfugier derrière un « pas de commentaires ». De toute manière, c'est son problème.

Infantino ajouta :

— Repartons consulter les plans. Je veux vérifier ce qu'il y a au 21e.

Ils passèrent devant le bureau de tabac et le centre de relais des communications. Barton nota qu'il y avait moins de transmissions maintenant. Infantino avait arrêté de réclamer des renforts, et dans le reste de la ville, le fonctionnement général du service était redevenu presque normal, sans alertes à de nouvelles unités.

Ils étaient en pleine discussion sur l'importance du feu au 21e lorsqu'un policier intervint.

— Mr Barton, il y a un homme aux barricades qui insiste pour vous voir.

— Je ne veux voir personne, grogna Barton, exaspéré par l'interruption. — Puis il soupira et posa son crayon. — Qui est-ce ?

— Il dit que son nom est William Shevelson, qu'il a été chef de travaux ou quelque chose dans ce genre-là pour l'immeuble.

Barton retint sa respiration. Shevelson. Ses yeux rencontrèrent ceux d'Infantino.

— Envoyez-le-moi.

Shevelson apparut dans le hall, un cigare éteint à la bouche. Il était plus petit que Barton d'une dizaine de centimètres et à peu près de la même largeur. Les deux hommes s'observèrent un bon moment, et Barton décida, comme deux ans auparavant lors de leur première rencontre, qu'il ne l'aimait pas. Shevelson avait une attitude agressive difficile à supporter, un air qui disait clairement qu'il trouvait tout le monde incompétent.

— Vous êtes Barton. — Shevelson l'étudia encore un moment. — Je vous ai rencontré une fois, je m'en souviens maintenant. Il y a deux ans. — Il salua Infantino d'un signe de tête. — Où est Leroux ?

— Il n'est pas encore redescendu de l'étage panoramique.

— Si j'étais dans ses pompes, j'en ferais autant.

— Vous vouliez me voir au sujet de quelque chose ? demanda sèchement Barton.

— Oui. — Shevelson hésita un instant, puis tendit brutalement à Barton un rouleau de plans. — Si ce salaud était là, je lui en aurais fait voir pour ces papiers ; mais comme il n'est pas là, je suppose qu'ils peuvent vous être utiles.

Barton les prit.

— Merci beaucoup.

Il aurait souhaité mettre un peu plus de chaleur dans ces mots, mais il était difficile d'être poli avec Shevelson. Il croisa de nouveau le regard d'Infantino et soudain ils se comprirent parfaitement.

C'est pour lui qu'Infantino dit :

— C'est vous qui fournissiez des informations à Quantrell, n'est-ce pas ?

Il ne faisait aucun effort pour masquer l'hostilité perçant dans sa voix.

— Il m'utilisait en retour, dit Shevelson calmement. J'étais aussi naïf que vous. Maintenant, nous sommes tous les deux plus prudents. — Et montrant les tirages : — Si vous vouliez me voir faire pénitence, c'est fait.

— Je ne sais pas si nous en avons besoin maintenant, dit Barton. Merci, de toute façon.

C'était un congédiement ; les plans ne lui apprendraient plus rien désormais.

Shevelson ne bougea pas. Il fit des yeux le tour du hall, puis lança un bref coup d'œil en l'air.

— Oh, je crois qu'ils vous seront très utiles. — Il s'avança vers les croquis de Barton étalés sur la table. — Si j'étais vous, je ficherais ceux-là en l'air, et j'étudierais les tirages. Il se peut que vous les trouviez intéressants.

— Vous oubliez que j'ai établi le projet de cette Tour de Verre, dit Barton.

— Je n'ai rien oublié. Vous avez fait la maquette, je l'ai construite et Leroux n'a absolument rien foutu, sinon la payer. Et c'est bien là que le bât blesse. Il n'a pas payé beaucoup.

Quelque chose dans la voix de Shevelson décida Barton à étaler les plans par-dessus ses croquis.

Ils ressemblaient beaucoup au souvenir qu'il en avait gardé. Mais soudain, il commença à remarquer des contradictions, des changements qui avaient été opérés et dont il n'avait pas été averti. Il réalisa qu'il était devant les véritables plans de travail, et non les projets initiaux sur lesquels il avait travaillé chez Wexler & Haines.

Il devait y avoir un responsable, se dit-il, malade... Et pas Leroux seul. C'était une habitude courante des entreprises de construction que de rogner sur les prix, suggérer d'autres matériaux, ou changer les spécifications techniques, toujours dans le même but. Et Shevelson avait été le représentant de l'entreprise de construction.

— Vous avez raison, Shevelson, j'ai dessiné cette tour, vous l'avez construite, et vous avez fait du sale boulot. Si vous désirez des détails précis, nous pouvons commencer par les conduits. Il y en avait sacrément peu qui étaient ignifugés ; c'est une des raisons pour lesquelles le feu a pu s'étendre si vite.

Shevelson hocha aimablement la tête et fouilla dans ses poches à la recherche d'allumettes pour son cigare. Infantino le lui arracha de la bouche.

— Je ne voudrais pas qu'un de mes hommes vous pète la gueule. Ils ont assez vu de feu pour ce soir.

Shevelson haussa les épaules.

— C'est exact, Barton ; les conduits n'ont sans doute pas été ignifugés comme ils l'auraient dû. Du travail de cochon, je suis d'accord. Mais vous avez mieux à faire que de discutailler avec moi sur ce genre de trucs. Parlez donc aux gars des services publics concernés ; ce sont eux qui ont poussé à la roue. Ou bien allez parler avec l'un des contrôleurs du ministère de la Construction et de la Sécurité ; c'est lui le type qui aurait dû faire du foin à ce sujet. Mais peut-être que ce jour-là, il avait un emploi du temps chargé, et qu'il n'a eu que le temps de faire un vague petit tour. Et, après tout, la ville ne le paie pas suffisamment cher pour qu'il aille se crever le cul à dénicher tous les défauts mineurs, même avec une expertise technique lui indiquant où gratter en premier lieu. Ou peut-être bien que quelqu'un l'a payé pour passer par-dessus les défauts en question...

— Il aurait dû y avoir des coupe-feu dans les cages d'escalier pour éviter la dispersion de la fumée, dit Barton lentement. Ça, c'était sous votre responsabilité ; on vous les avait réclamés.

— Bon, vous l'avez fait. Mais les règlements anti-incendie de la ville ne les exigeaient pas et peut-être que le promoteur les a considérés comme un luxe dispendieux. Dans ce cas, il n'y a pas de peut-être, il ne les voulait pas et c'est tout. A l'époque de la construction, les règlements de la ville n'exigeaient pas non plus que les cages d'escalier soient pressurisées. Et pourtant votre projet le réclamait, non?

— Exact. Alors, pourquoi ne l'ont-elles pas été? demanda Barton avec colère.

Shevelson sortit un autre cigare.

— Vous êtes sûr que je ne peux pas fumer, commandant? Il y a assez d'eau dans ce hall ; et je ne crois pas que vous devriez vous inquiéter de quelques cendres sur vos bâches de sauvetage.

Il alluma son cigare sans en attendre l'autorisation et se retourna vers Barton.

— Écoutez, Barton, pourquoi ai-je été viré à votre avis? Parce que j'avais approuvé les changements qui ont été faits?

Il secoua la tête.

— Je ne vous aime pas particulièrement, mais je reconnais que vous avez dessiné un bel immeuble. Tout bien considéré, vous en avez également correctement étudié la sécurité. Je n'ai pas demandé les changements survenus ; c'est votre patron qui l'a fait. Je n'étais qu'un larbin, pour l'entreprise de construction.

— Vous êtes en train de dire que c'est Wyndom Leroux le responsable?

— Et qui d'autre? Il a payé les factures.

Shevelson se retourna et souffla sa fumée de cigare au loin.

— Peut-être qu'il ne faisait que se conduire en bon homme d'affaires.

Barton pouvait très bien imaginer Leroux prononçant ces mots : il faisait des affaires, et pas la charité. Il s'était plié au minimum aux exigences des règlements concernant le feu, avait rogné les prix jusqu'à l'os, et éliminé la « dentelle ».

— On dirait que vous prenez sa défense.

— Vous rigolez!

Shevelson devenait mauvais tout à coup.

— J'ai été fichu à la porte parce que je n'étais pas d'accord avec lui, parce que je ne croyais pas aux barrages à feu d'immeubles, quel que soit leur aspect agréable dans le paysage.

Il changea soudain de sujet, les yeux rapprochés par la colère.

— Où diable étiez-vous donc pendant la construction? Vous êtes un peu faiblard dans vos accusations! Qu'est-ce que vous fichiez pendant ce temps-là? Vous étiez l'architecte en chef; c'était votre enfant bien plus que celui de n'importe qui.

— J'ai été envoyé à Boston pendant la première phase des travaux, répondit Barton, pincé. Et j'étais à San Francisco durant les travaux intérieurs.

Shevelson se faisait dédaigneux.

— Et qu'auriez-vous fait en vous apercevant que Leroux rognait sur tout, petit à petit? Vous rendiez votre tablier et vous foutiez le camp? En fait, Leroux a obtenu ce qu'il voulait. Il vous a eu vous — et vous, hors de son chemin.

— Vous avez raison, acquiesça Barton avec colère. J'aurais rendu mon tablier. Mais il y a une différence entre nous, Shevelson : vous, vous étiez au courant. Moi pas. Pourquoi ne pas vous être adressé aux autorités officielles ou aux pompiers ? Vous saviez parfaitement ce qu'il faisait. Vous connaissiez toutes les violations ; qu'avez-vous fait à ce sujet ?

— C'est justement le problème, dit Shevelson lentement. Il n'y a pas eu réellement de violations. Oh ! sans doute quelques-unes, mineures, çà et là. Mais rien de bien grave. Et rien que je puisse trouver. Quelques coïncidences peut-être, comme par exemple le changement soudain des règlements officiels, supprimant l'obligation de pressurisation des cages d'escaliers. Mon problème était essentiellement émotionnel ; aussi en ai-je fait part aux journaux et aux chaînes de télévision, et personne n'a agi, sauf Quantrell. Maintenant, Dieu m'est témoin que je le regrette.

Shevelson resta là un moment, les traits figés, luttant pour contenir sa colère. Barton et Infantino, silencieux, attendaient.

— Chaque chose qu'il a faite était parfaitement... légale. Une petite déformation par-ci, une petite déformation par-là, jusqu'à ce que, finalement, l'immeuble soit une version édulcorée de ce qu'il était supposé être. Pas plus dangereux peut-être que d'autres immeubles de la ville, mais c'en était un que j'avais construit.

— Tout ça ne nous mène à rien ! coupa Infantino avec impatience. Nous avons toujours un feu sur les bras, ici.

Barton tourna les plans dans la direction de Shevelson.

— Quels sont les risques que nous ignorons encore ? Je passerais la nuit à les rechercher ; vous, vous les connaissez probablement par cœur.

Shevelson devint soudain tout affairé.

— Attendez-vous au pire. Il y a probablement peu de conduits convenablement ignifugés, et l'immeuble en est truffé. Dangereux et mal installés, mais je suis certain que ça a été plus rapide, plus facile à faire et moins cher ; les types des services publics ont dû y trouver leur compte et Leroux ne sortait pas beaucoup d'argent. Alors ils ont triché un peu aussi. Vous devez vous attendre à ce que l'immeuble ait peu de résistance au feu. Tenez compte aussi du fait que les longrines sont exposées à des endroits où les conduits passent directement en dessous, et qu'elles sont utilisées comme supports pour ces tuyaux. Ou peut-être que ce sont les conduites qui y sont rattachées. Dans chacun des cas, le revêtement ignifugé des poutrelles a dû être éraflé, et je vous parie à deux contre un qu'il n'a jamais été remplacé. C'est une pratique très courante, et, dans un incendie important, ça peut vous valoir de recevoir le plafond sur la tête. Mais mon plus grand souci se trouve probablement juste ici.

Il ôta le cigare de sa bouche et en pointa l'extrémité allumée sur une partie des plans.

— Le puits de service. La vieille méthode pour rendre une colonne montante inaccessible au feu était de la fabriquer en blocs de terre réfractaire et de plâtrer pardessus. Maintenant, on utilise du Pyrobar, ça a une haute résistance au feu, mais du point de vue de la structure, ce n'est pas très costaud. Le vice de forme du plan, c'est qu'il y a des salles de stocks, celles de l'immeuble proprement dit et celles de bureaux ou de commerces, qui ont un mur mitoyen avec le puits de service. Rappelez-vous, maintenant, que le gaz, l'électricité, la vapeur, et certains des câbles téléphoniques suivent directement ce puits. On peut donc concevoir que si l'une des salles de réserves prend feu, et sans contrôle, vous aurez de gros ennuis, selon l'importance de l'incendie. Et dans un dépôt, c'est généralement le cas.

Barton regarda Infantino :

— Quels sont les risques ?

— Pas très grands. — Infantino ne semblait pas impressionné. — Nous contrôlons la seule salle de réserves qui ait pris feu.

Il lança un coup d'œil à Shevelson.

— Mais, merci d'avoir apporté les plans ; ça nous aide à nous repérer de façon certaine.

Shevelson eut un rapide sourire.

— Je me rappelle un professeur qui déclarait qu'un immeuble de grande hauteur est la plus grosse machine qui puisse se concevoir, mais que personne à ce jour n'a jamais écrit son mode d'emploi. Ces plans sont les meilleurs que j'aie pu faire.

Il les observa un moment, puis refit des yeux le tour du hall.

— C'est un bel immeuble. C'est essentiellement le vôtre, Barton, mais j'en revendique une bonne part aussi. J'ai dû faire ce que je pouvais ; je l'aurais même fait pour Leroux, bien que je le méprise profondément.

— Vous ne le méprisiez pas au départ? demanda soudain Barton.

Shevelson réfléchit un moment, puis :

— Non, je ne le méprisais pas. Au début, je pensais qu'il était l'un des hommes les plus capables que j'aie jamais rencontrés.

La Cage de Verre déversa un nouveau convoi dans le hall. Barton scruta les visages des gens qui en sortaient. Combien y avait-il eu de chargements déjà? dix? onze? Leroux serait sûrement dans le prochain.

Et Jenny aussi.

34

Des marches, encore des marches! Pour Ian Douglas le monde n'était plus fait que d'une infinité de marches qui montaient inexorablement.

Faire l'ascension d'une douzaine de marches; se reposer un moment sur le palier de béton; et puis, attaquer un autre étage...

A l'occasion, il essayait un bouton de porte. Peut-être en avait-on laissé une ouverte? Ils pourraient ainsi gagner l'entrée d'un couloir...

Après une dizaine de tentatives, il renonça. Et cette fumée! L'odeur, d'abord, puis les traînées dans l'air. La brume s'épaississait sans cesse et il devenait de plus en plus difficile de respirer. Pour agrémenter le tout, la foulure de la cheville d'Albina n'avait fait qu'empirer, et, depuis le trentième étage, il était contraint de la porter, ou presque. Il lui semblait avoir dépassé depuis longtemps les limites de l'endurance physique; il s'arrêtait de plus en plus souvent pour se reposer. Il allait se remettre à grimper lorsqu'une quinte de toux le saisit : la fumée remplissait complètement la cage d'escalier.

Ils étaient au quarante-cinquième étage. Il n'irait pas beaucoup plus loin avec son fardeau et cette difficulté croissante pour respirer. Albina toussait continuellement et il était évident que Jésus ne pouvait pas faire plus que de traîner son propre poids.

Il leur fallait du repos à tous les trois, même si, pour ça, ils couraient le risque de laisser la fumée s'accumuler encore plus. Douglas s'assit sur les premières marches et la toux le reprit.

— Continuez seul, déclara calmement Albina. Vous enverrez les pompiers me chercher quand vous serez arrivé. Prenez Jésus avec vous et allez-y!

Il considéra la proposition et la rejeta aussitôt. Albina, déjà affaiblie, ne supporterait pas longtemps la fumée. Et puis le problème était ailleurs : pour la première fois de sa vie, Douglas devait se battre pour ne pas mourir ; et il voulait gagner. Toute son existence, on l'avait pris pour un minable, malgré ses muscles et sa place. Il voulait prouver que c'était faux. Mais qui allait trouver extraordinaire qu'il s'en tire seul? Alors que s'il sauvait tout le monde...

Jésus et Albina commençaient à étouffer. Puis, soudain, un souvenir resurgit ; quelque chose que Douglas avait lu un jour...

— Vous avez des mouchoirs, tous les deux?

Jésus opina de la tête et montra un morceau de chiffon rien moins que propre. Albina fouilla dans sa blouse et en extirpa un foulard d'un rouge saisissant. Douglas avait une pochette de fil, soigneusement pliée en triangle, selon l'usage.

— Qu'est-ce qu'on est censés en faire? demanda Jésus, curieux.

— Pissez dessus.

Jésus n'en croyait pas ses oreilles.

— Pissez dessus! intima Douglas ; puis attachez-le pour protéger le nez et la bouche ; ça arrêtera, en partie, la fumée.

Jésus parut parfaitement choqué par la suggestion.

— Vous plaisantez, mec?

— Je suis bougrement sérieux, au contraire, répliqua

sèchement Douglas. Maintenant, faites ce que je vous ai dit.

— Qui m'a donné un ordre, mec, vous?

L'intonation de mépris était plus que Douglas n'en pouvait supporter. Il envoya le garçon dinguer contre le mur, puis, l'attrapant par le col, le frappa à deux reprises, du plat de la main. La colère grondait dans sa gorge.

— Je me fous de ce que tu penses de moi! tu vas faire ce que je t'ai dit! On a encore vingt étages à monter et l'on n'y arrivera pas si l'on ne peut pas respirer. Tu as mieux à proposer? Si tu as une idée, c'est le moment de la sortir, ou je te fais avaler tes dents!

Il ramena son poing en arrière.

Jésus essayait de se redresser, luttant contre le poids de la main sur sa chemise.

— Vous vous vengez sur moi, mec!

Sa voix ne laissait percer aucune trace de peur ; ni de mépris d'ailleurs.

— Et de quoi je me vengerais sur toi?

— De ce que vous êtes, mec! Et je vous emmerde... Drogué... tapette... tout le monde s'en fiche. D'ici dix minutes, personne n'en aura plus rien à foutre!

Douglas renonça et baissa le poing. A ce moment précis, Jésus personnifiait le monde : la somme de tous les sarcasmes, de tous les ricanements et de tous les chuchotements qu'il subissait depuis des années. Il eut honte de lui-même.

— Pisse sur le mouchoir! — Sa voix n'était plus qu'un murmure. C'est la seule chose qui puisse nous aider, à mon avis.

— Fais ce qu'il dit, dit seulement Albina. Tu es un homme, ou quoi?

Jésus se retourna, sans un mot, le mouchoir à la main. Douglas s'exécuta aussi, tandis que, sur l'escalier,

Albina se retournait avec une grâce remarquable pour effectuer l'opération. Douglas l'aida à ajuster le mouchoir autour de son visage, puis, passant le bras de la femme autour de son épaule, se remit à grimper. Jésus suivit.

L'aide des mouchoirs était en fait plus psychologique que réelle. Le tissu était trop mince pour arrêter les particules de fumée et ne filtrait même pas les gaz. Simultanément, Douglas et Albina se remirent à tousser. Jésus arracha le mouchoir et le jeta sur les marches. Il n'y eut aucun commentaire de qui que ce soit.

Au palier suivant, Douglas remarqua la lance à incendie, derrière sa vitre. Cette manche allait peut-être apporter une solution à leurs problèmes. Il s'arrêta, délaça une de ses chaussures et la retira. Les autres le regardaient faire. Se saisissant de la chaussure par la pointe, il expédia un violent coup de talon dans la glace qui vola en éclats. Il retira les morceaux de verre du cadre et entreprit de sortir la lance de son logement.

Quand il eut estimé avoir en main une longueur de tuyau suffisante, il se tourna vers la fenêtre.

— Allez, reculez le plus loin possible!

Il leva le corps de lance, libérant une longueur de 3 mètres environ, et, s'en servant comme d'une fronde, se mit à impulser un mouvement de va-et-vient à l'objet. Le lourd embout, après avoir acquis l'énergie nécessaire, passa par-dessus sa tête pour aller frapper de plein fouet la fenêtre. Il y eut un bruit de verre brisé et une soudaine bouffée d'air froid envahit la cage. Douglas réitéra l'opération pour dégager du cadre les plus gros débris. L'air froid, venu du nord, s'engouffrait dans l'escalier, chassant au passage la fumée qui s'élevait. En aérant, il avait créé son propre inverseur, pensa Douglas. Il y avait des chances que ça marche.

Ils reprirent leur ascension. Une volée de marches plus loin, ils frissonnaient déjà ; la température de l'air baissait rapidement, mais il était quand même plus facile de respirer.

— Je suis désolé, pour l'idée du mouchoir, déclara-t-il soudain. J'avais lu ça quelque part ; je pensais vraiment que ça marcherait.

Jésus éclata de rire.

— Ne vous faites pas de bile pour ça, mec : au moins, vous avez pensé à quelque chose... Moi, je n'ai rien trouvé.

A l'intonation, Douglas se rendit compte que Jésus le traitait comme un égal et, un court instant, il se haït lui-même d'en être content. Pour qui se prenait-il, ce voyou ? Mais il n'y avait pas trace de condescendance dans la réplique et Ian se surprit à se demander ce que Jésus pensait vraiment de lui. Est-ce qu'il le méprisait ? Est-ce qu'il l'acceptait ?

Il jeta un long regard à Jésus, en réfléchissant : tous deux avaient peut-être appris à s'accommoder de leur propre peau et à s'assumer un peu mieux...

35

Devant la Tour, l'esplanade et le trottoir étaient enveloppés dans un manchon de glace. Les bottes d'Infantino glissaient sur le sol vitrifié ; il s'appuya à la porte ouverte du camion radio pour observer l'immeuble.

Dans la lumière des spots qui jouaient sur ses façades, la Tour, en dépit de ses cicatrices, restait une très belle réalisation. La reine de la ville, pensa Infantino ; mais une reine un peu dépenaillée maintenant. Des brèches apparaissaient dans le revêtement, là où les fenêtres avaient été détruites, aux 17e et 18e étages. L'épais manteau de glace encapuchonnait l'immeuble presque jusqu'au niveau du sol. L'effet ajoutait à la beauté de la Tour : elle étincelait tel un joyau dans son écrin.

En fin de compte, l'affaire ne se terminait pas trop mal. Il avait craint un moment que le feu ne se répande et qu'ils se voient contraints de faire appel aux hélicoptères pour évacuer les locataires par le toit. Mais les principaux foyers d'incendie, ceux du 17e et du 18e, étaient relativement bien maîtrisés, tandis qu'au 21e, on tenait le feu en respect. Les pompiers en auraient pour la matinée à abattre les cloisons ravagées et les plafonds et traquer les flammes dans les moindres recoins. Un peu avant l'aube, la plus grande partie des compagnies allait pouvoir se mettre à l'abri, enrouler les lances et retourner à leur repas refroidi. Les hommes essaieraient d'oublier qu'ils avaient assisté à l'un des plus grands désastres que la ville ait connus.

Au moins, le nombre des accidentés était relativement faible. Infantino se serait attendu à pire pour un incendie de cette importance. Sur un contingent d'une centaine d'hommes, une douzaine avaient dû être hospitalisés pour cause d'asphyxie, de brûlures ou coupures de verre. Quelques-uns étaient gravement atteints : des combinaisons en mauvais état n'avaient pas résisté à la chaleur radiante. Mais, jusqu'ici, on n'avait déploré qu'un seul accident mortel : l'homme aux poumons brûlés.

Après un dernier coup d'œil à l'immeuble, Infantino se dirigea vers la cantine de la Croix-Rouge, rejoignant le colonel Fuchs déjà en possession d'une tasse de café.

Il accepta celle que lui tendait une jeune fille, y versa de la crème et ajouta trois bonnes cuillerées de sucre.

— On aime les douceurs, Infantino?

— On utilise de l'énergie à combattre le feu.

Il scruta le visage de son interlocuteur et décida qu'il était temps de vider l'abcès.

— Shevelson, l'ancien chef des travaux, a fait son apparition, il y a un moment... Il apportait les plans.

— Ah, oui?

— Si vous cherchiez des renseignements sur l'aménagement intérieur, il est votre homme. Il en a discuté avec Quantrell pendant des semaines. Apparemment, Leroux l'a mis en boîte et il lui garde un chien de sa chienne.

— A ce point-là? — Fuchs avalait son café sans lever la tête. — Votre ami Barton m'a parlé de ça. Il m'a même présenté Shevelson pendant que vous étiez là-haut. Un gars intéressant! il aurait fait un bon capitaine de pompiers, bien que je ne sois pas sûr d'aimer travailler avec lui.

Une surprenante pointe d'hostilité perçait dans la remarque.

— Vous avez des plaintes à formuler?

— Sur votre façon de diriger les choses? Si j'en avais eu, vous en auriez entendu parler. Un gentil petit feu, modèle standard. Plus important que certains, mais normal.

— Quand on a vu un feu, on les a tous vus, hein?

— Je n'ai pas dit ça!

La voix de Fuchs s'était durcie.

— Moi, je n'ai jamais vu un feu comme celui-là. Et vous non plus, je crois. Il s'est développé plus rapidement que n'importe quel incendie sur lequel j'ai travaillé. Et il était foutrement chaud!

— Je suis d'accord là-dessus, dit doucement Fuchs, en hochant la tête.

De nouveau, l'hostilité avait disparu de sa voix. Infantino ne savait jamais sur quel pied danser avec Fuchs.

— Où diable est le sujet de bagarre, colonel?

Appuyé au camion, Fuchs laissait son regard errer sur l'immeuble. Il y eut un long moment de silence, puis il se décida :

— Vous avez votre façon de voir les choses et j'ai la mienne. Ce n'est pas par brimade que je ne vous ai pas chargé des problèmes des tours, mais parce que je pensais que vous seriez d'accord avec moi. Ce qui me faisait mal au ventre, chez vous, c'était votre manière d'exposer en public les affaires intérieures du département.

Infantino devrait s'estimer satisfait avec ça ; il n'obtiendrait pas d'autres excuses ; mais celles-ci lui suffisaient.

— Je ne pensais pas que c'était gênant, mais je me rends maintenant parfaitement compte de l'endroit où le bât pourrait blesser certaines personnes.

— Bien sûr, approuva Fuchs. Vous savez combien certains sont... susceptibles.

Il reposa sa tasse sur le rebord du camion, derrière lui, et resserra son col.

— Au sujet des affaires du département, reprit-il, j'imagine que vous avez quelques remarques à formuler.

— Oui. Et il y en a probablement quelques-unes que vous n'apprécierez pas.

— Cela n'a rien à voir avec la question.

— Tout sera inscrit dans un rapport en bonne et due forme.

— Je l'espère bien, Mario ; mais j'aimerais quand même connaître vos suggestions dès maintenant.

— L'équipement doit être en grande partie renouvelé. — Le visage de Fuchs demeura impassible et Infantino poursuivit. — D'abord l'équipement personnel ; des respirateurs à haute capacité nous permettraient de tenir plus longtemps face au feu. Il nous faudrait des bouteilles d'oxygène au lieu d'air comprimé ; des masques plus confortables et des valves plus solides ; de nombreuses combinaisons de protection : la plupart des nôtres sont si vieilles qu'elles s'effritent à la chaleur. Les équipes de porte-lance s'accommoderaient bien de tenues recouvertes d'alumine — celles qu'on utilise pour les feux d'hydrocarbures — pour le travail de près ; presque toutes les brûlures ont été causées par la chaleur radiante.

— Autre chose ?

— Je crois que tout homme travaillant dans la fumée devrait posséder un talkie-walkie ; il est si facile de se trouver isolé !

Fuchs semblait perdu dans ses pensées, et Infantino dut insister :

— Des commentaires ?

— Peu. Vous avez raison en ce qui concerne la chaleur. C'était pire que je ne le pensais, bien qu'une grande part puisse être imputée à la nature de l'immeuble — des procédés techniques à bon marché, une charge de feu bien au-dessus de la normale, et le reste. — Il eut un demi-sourire. — Mais vous n'avez pas terminé votre liste, n'est-ce pas ?

— Les charges explosives ? En fait, nous n'avons pas eu à les utiliser cette nuit, mais il serait bon d'en avoir sous la main.

— Parlez-en aux ingénieurs du département et faites-moi parvenir un mémo. S'ils les recommandent, j'envisagerai la question.

Fuchs s'éloignait déjà. Infantino le rappela.

— Je n'ai pas encore fini!

— Je ne sais pas pourquoi, mais je pensais que vous alliez dire ça. — Le ton était sec. — Qu'avez-vous oublié, cette fois?

— J'aimerais recommander l'emploi d'ingénieurs pour la protection contre l'incendie, peut-être à temps partiel, dans les grands immeubles.

— Bonne idée ; si l'on peut en trouver ; il n'y en a pas beaucoup qui ont du temps de reste. Mettez ça aussi dans votre mémo.

Fuchs avait fait quelques pas en direction de la Tour quand une voix l'arrêta net.

— Et vous, messieurs, avez-vous quelque chose à déclarer, pour la télévision?

C'était Quantrell, débouchant de derrière le camion de la Croix-Rouge, suivi par un cameraman, son équipement 16 mm sur l'épaule, prêt à tourner.

— Pourquoi n'allez-vous pas directement au diable, Quantrell?

Infantino se sentait soudain très fatigué.

— C'est probablement ce que je ferai, quand les temps seront venus. — Quantrell leva les yeux vers l'immeuble. — Jolie flambée! On aurait peut-être pu l'éviter si le promoteur avait été consciencieux. Vous êtes d'accord, messieurs?

— Foutez le camp, voulez-vous, Quantrell! aboya Infantino. La Tour de Verre n'est ni pire ni meilleure qu'une demi-douzaine d'autres immeubles dans cette ville. Ils sont tous pareils ; ils souffrent tous des mêmes défauts.

— Ça vous ennuierait d'en citer quelques-uns? Vous rendriez un grand service à notre public. C'est maintenant qu'il faut donner l'alarme, quand la presse écoute et regarde. — Il pencha la tête et eut un demi-sourire. — Alors, chef de division Infantino?

— Ce fut un rude feu, dit Infantino lentement. Une douzaine de mes hommes sont à l'hôpital, et certains n'en sortiront peut-être pas avant des mois. L'un d'eux est mort. Je n'ai aucune envie de faire joujou avec vous ce soir. Tout ce que je veux, c'est que vous foutiez le camp d'ici. C'est probablement un salaud dans votre genre qui a trouvé le terme « décompte des corps » pour l'ennemi mort au Viêt-nam. Vous couvrez les désastres comme s'il s'agissait de matches de football ; pour vous, il n'y a pas de différence entre un homme qui est plaqué et un homme qui est tué. Ce ne sont que des chiffres sur un tableau.

Quantrell se rapprocha d'Infantino, son sourire gouailleur complètement évanoui.

— Où avez-vous donc été chercher qu'on pouvait m'insulter, Infantino ? Je fais mon boulot comme vous le vôtre. Et mon travail, c'est justement de récolter des nouvelles pour les électeurs qui paient votre salaire. Je donne quelques coups de pieds au cul et je froisse quelques sentiments, et personne ne m'élira jamais le gars le plus populaire de la classe. Je me fous des communiqués de presse officiels ; je sors pour voir par moi-même. Mon gars, vous ne connaissez rien à tout ça : quelle quantité d'informations pensez-vous que j'obtiendrais en m'en tenant à la bonne vieille routine ? Il n'y a pas un seul service de cette ville qui n'aimerait se débarrasser de moi avec un ou deux verres et trois pages de relations publiques de merde. Eh bien, si vous n'aimez pas la façon dont je vous cite, cessez de jouer au métèque bavard et fermez votre gueule.

— Ça suffit, interrompit calmement Fuchs. Vous avez dit ce que vous vouliez dire, Quantrell. Maintenant, foutez le camp d'ici ou je vous fais escorter hors des limites.

— Allez-y, continuez ; ça fera une belle histoire, lança Quantrell, sarcastique.

— Si vous ne me croyez pas, restez donc.

Quelque chose dans la voix de Fuchs fit reculer Quantrell.

— D'accord, chef ; j'ai eu mon histoire de toute façon.

Il héla le cameraman et tous deux s'éloignèrent.

— Ce foutu journaliste a fait filmer toute la discussion, dit Infantino, furieux.

— Ne vous en faites pas, ils ne s'en serviront pas.

— Je me fiche pas mal qu'ils s'en servent ou pas, dit Infantino. Mais il l'a fait.

Quantrell l'avait vraiment touché au vif.

Fuchs lui recommanda de rester calme, puis, riant sous cape, retraversa l'esplanade, le vent glacial lui plaquant le manteau autour de la taille. Infantino demeura un moment auprès du camion, contemplant la Tour de Verre. Il pensait aux hommes qui se trouvaient toujours à l'intérieur de l'immeuble, occupés à éteindre les restes de l'incendie. Il regardait, désœuvré, la Cage de Verre qui entamait une nouvelle descente. Elle ressemblait à un insecte aquatique phosphorescent se mouvant avec lenteur. Infantino aperçut alors Quantrell et son cameraman qui grimpaient les marches de la terrasse conduisant au hall. Le journaliste avait dû compter les fournées et en avait déduit que Leroux se trouvait dans celle-ci. Il serait intercepté à la sortie, encore vêtu de son smoking — un contraste parfait avec les locataires à l'air apeuré, en pyjamas, que Quantrell avait probablement déjà photographiés dans le restaurant du sous-sol.

Infantino but son café jusqu'à la dernière goutte. Il se moquait éperdument de ce que Leroux et Quantrell auraient à se dire. Il le lirait dans les journaux du matin ou bien le regarderait aux nouvelles de 6 heures le lendemain soir.

Le vent se leva de nouveau. La combinaison de neige à moitié fondue et de neige drue piquait comme autant de petits dards. Infantino frissonna, souhaitant désespérément pouvoir rentrer chez lui. Il rêva d'un lit et de la chaleur de Doris à ses côtés.

Encore une heure, songea-t-il ; ou deux, peut-être...

36

David Lencho frotta sa main gantée sur son uniforme, en jurant. La brûlure n'était pas très grave, mais il se passerait bien des jours avant qu'elle ne se cicatrise parfaitement. La peau rougie le faisait souffrir et les bords de la plaie commençaient à le démanger. Probablement une allergie à la pommade. Aussi loin que remontaient ses souvenirs, il avait toujours eu des problèmes avec les produits de soins.

Le feu n'avait noirci qu'une partie du seizième étage, le coin situé directement au-dessous de l'incendie du 17e. Lencho, Fuchs et quelques autres arpentaient, sous les ordres du capitaine Miller, le couloir principal. Armés de crochets de démolition et de barres de levier, ils arrachaient les placages carbonisés et les portions détrempées de moquette roussie, à la recherche de quelques traces d'un feu attardé. Toute braise rougeoyante était impitoyablement détruite par le préposé armé de sa lance.

Pour éviter que les autres ne trébuchent sur les débris,

Mark Fuchs balayait le sol avec sa lampe. Une équipe les avait précédés, faisant tomber les morceaux de plâtre abîmés, découpant les lattis et arrachant le papier mural qui aurait pu cacher quelque reste d'incendie. De temps en temps, Fuchs faisait son rapport au capitaine Miller, par talkie-walkie, sur les progrès de l'opération.

L'air empestait le feu. L'odeur âcre, si particulière, de bois, de tissu brûlé et de métal surchauffé emplissait tout le couloir. A l'exception du rayon de lumière de la lanterne de Fuchs, tout était noir. Il leur arrivait de passer devant un bureau, sa porte délabrée pendant à une charnière ou posée contre le mur. A travers les fenêtres, ils apercevaient alors le paysage nocturne, telle une toile dans son cadre, dans des tons de noir et de pourpre avec, parfois, des éclairs de neige tourbillonnant derrière la vitre. Lencho frotta de nouveau sa main boursouflée.

— Tu récoltes plus de brûlures que n'importe quel « bleu », dit Fuchs.

C'était une simple constatation, même pas une raillerie, mais Lencho sentit l'irritation pointant derrière la remarque.

— Ça aurait pu arriver à n'importe qui! protesta-t-il.

— Je sais, mais il semble toujours que ce genre de choses te soient réservées.

Ils reculaient prudemment dans le couloir, cherchant avec obstination les étincelles fumantes et les braises. L'équipe de déblai qui les avait précédés avait fait du bon travail; le sol paraissait presque complètement nettoyé, à l'exception de quelques étincelles qui s'étaient rallumées sur leur passage.

Ils arrivaient au bout du couloir.

— Voici le mur du puits de service, dit Fuchs ; on a couvert tout l'étage. — Il poussa le bouton du talkie-walkie, puis sembla se rappeler quelque chose. — Avez-vous vérifié ce placard à balais?

Il montrait la dernière porte du couloir.

— Probablement une pièce de service, dit Lencho, je m'en occupe.

— Capitaine Miller? Ici Mark Fuchs. Il semble que le 16e soit complètement net.

Lencho avait atteint la porte et tourné le bouton. Un cri d'agonie retentit. Le métal était incroyablement chaud. Il retira vivement la main, abandonnant sur la poignée une partie du gant ainsi qu'un morceau de peau racornie. Mais le mouvement avait suffi. La porte s'ouvrit à toute volée.

La pièce était directement en dessous des deux plus importantes charges de feu du 17e étage. Le feu ne s'était pas déclaré mais la chaleur avait chassé l'oxygène de la pièce. Les cires et les dissolvants avaient détruit leurs containers et s'étaient évaporés dans l'espace surchauffé. La porte était remarquablement bien ajustée et l'air du couloir n'avait pu se frayer un chemin dans cette atmosphère chargée de carburant. De plus, les lances en action n'avaient pas suffisamment refroidi le mélange.

Pendant quelques instants, seul le bruit des dalles se détachant du plafond vint trouer le silence. Puis, le son étouffé des débris du revêtement tombant dans le puits de service, là où l'explosion avait fendu le mur arrière de la pièce; un chuintement discret, et soudain... une deuxième explosion, plus forte que la première.

Immédiatement, le couloir s'emplit de fumée.

37

Dieu merci, pensait Leroux, c'est le dernier voyage. Ses deux « assistants » venaient de descendre et il ne restait plus que Thelma, Quinn, Jenny, le personnel de cuisine, quelques convives et lui ; assez de monde, en fait, pour surcharger le petit ascenseur.

Une des invitées, un soupçon de panique dans la voix, s'adressa à Quinn :

— Je croyais que Harry était ici. Il était avec moi il y a une minute!

Leroux se souvenait d'eux : une femme dans la cinquantaine qui dînait avec son jeune fils. Le garçon s'était jeté goulûment sur le vin, distribué à volonté, et Leroux n'eut pas à chercher beaucoup pour imaginer l'endroit où il avait des chances de le trouver. Il fit signe à Quinn et l'entraîna dans le foyer.

— Il est probablement aux toilettes. Trop de vin ; il ne pourra pas descendre avant quelques minutes.

Elle se mordit les lèvres.

— Mr Leroux, il n'y aura pas de place pour lui dans l'ascenseur ; on est déjà surchargés...

Leroux jura intérieurement.

— D'accord. Je vais rester pour l'attendre.

Quinn fit, de la main, un signe de dénégation.

— Je ne pense pas que ce soit la bonne solution. Ni votre femme ni Jenny n'accepteront de partir sans vous. Il est ridicule que vous restiez tous les trois en arrière. Je vais attendre le garçon.

— Je ne peux pas vous laisser faire ça, Quinn!

— Pourquoi pas? — Une trace d'irritation perçait dans sa voix. — Parce que je suis une femme? C'est ridicule. Vous et moi savons qu'il n'y a aucun danger, ici, même si les autres n'en sont pas persuadés. Si c'était le cas, on le saurait maintenant. Ne soyez pas stupide; allez-y, descendez, je vous rejoins dans dix minutes.

Puis, avec un rire bref :

— Je vais aller chercher de l'eau minérale à la cuisine; ce garçon aura besoin de quelque chose pour lui remettre l'estomac en place.

— Très bien, Quinn. C'est vous le patron.

Leroux pénétra dans la Cage, tout en rassurant la femme, et actionna le système de fermeture pour couper court à toute objection.

Il sentit enfin sous ses pieds la cabine commencer à descendre. Il se détendit. Il avait réfléchi à ce qu'il dirait aux reporters, c'est-à-dire rien, et il avait maintenant hâte d'en finir.

— Vous pouvez voir toute la ville sous vos pieds, dit tranquillement Thelma à Jenny. — Leur groupe se tenait près du côté vitré de la cage. — Avec la neige, on dirait un paysage de conte de fées.

— C'est très beau, acquiesça Jenny.

Leroux posa gentiment la main sur l'épaule de sa femme. Plus tard, il y aurait l'enquête, et il passerait un mauvais quart d'heure. Plus que jamais, il aurait besoin de Thelma. Il eut honte, tout à coup. Il l'avait tenue tellement à l'écart de sa vie! Il n'avait été correct ni avec elle ni avec lui-même.

La cabine arrivait à mi-hauteur de l'immeuble; on apercevait le sol à travers la neige tourbillonnante; dans quelques instants, ils seraient dans le hall. L'épreuve allait commencer.

A ce moment précis, une explosion étouffée secoua la

Cage. Quelqu'un agrippa Leroux pour se retenir. Il vit vaguement un jet de flammes au-dessous d'eux, réfléchi par la neige. La lumière s'éteignit subitement. Un bruit perçant retentit au moment où l'ascenseur plongeait dans le vide... Puis un brusque arrêt. Les câbles du frein d'urgence hurlèrent sur les rails. Au moment où l'électricité était tombée en panne, la cabine avait fait un bond de quelques mètres. Heureusement, les câbles de secours, activés par la trop grande rapidité de la chute, avaient automatiquement stoppé la descente.

Les passagers de la Cage de Verre étaient maintenant suspendus au-dessus de la ville, à une bonne centaine de mètres de hauteur.

LE LENDEMAIN MATIN

38

LA bête a perdu de sa force ; elle est devenue plus faible en vieillissant. L'eau a sapé sa puissance et la mort ronge ses œuvres vives. Elle n'a pas vécu longtemps, mais cela lui a suffi pour brûler et noircir la totalité du 17e et une fraction du 18e étage. Maintenant, la plus grande partie de ce 18e qui pouvait nourrir le feu a été consumée. Les flammes, au 21e, sont combattues et repoussées pied à pied. En quelques heures à peine, le feu est passé de l'enfance à l'adolescence, pour devenir un adulte vigoureux. Il a ensuite atteint sa maturité et amorcé une descente rapide vers la sénilité.

A tous les étages, les pompiers se frayent un chemin parmi les décombres, leurs leviers et leurs crochets déshabillant les murs, révélant le feu qui couve sous les revêtements, détruisant l'ameublement pour mettre à jour les étincelles qui, comme des vers, serpentent le long de la structure de l'édifice. Dès que l'une d'elles est repérée, elle est noyée sous un déluge d'eau et promptement achevée.

Mais la bête est maligne ; elle s'est préservé des réserves de nourriture dans de petites pièces isolées et dans les toilettes. L'une d'elles se trouve dans un entrepôt situé immédiatement au-dessous de la pièce où le feu est né. C'est une réserve appartenant à la « Top Supply Company », une importante chaîne de vente de peinture et de droguerie au détail — qui contient des échantillons divers de peintures, vernis, dissolvants, et autres produits. Beaucoup de pots ont été ouverts par les représentants désireux d'en tester le contenu, puis renvoyés à l'entrepôt avec leur couvercle hâtivement remis en place.

La porte de la pièce n'a pas été soufflée pendant la phase d'extension de l'incendie, mais solvants, peintures et cires se sont évaporés et mêlés dans l'intense chaleur. L'air étant limité, la plupart des produits volatils à moitié consumés ont donné du monoxyde de carbone brûlant et d'autres produits de décomposition hautement inflammables. Le monoxyde de carbone est un gaz dangereusement explosif, et la température de la pièce a largement dépassé son point de combustion.

La situation en est là quand le pompier David Lencho atteint la pièce et en ouvre la porte. L'air frais se rue pour se mêler aux gaz combustibles surchauffés. Le résultat est immédiat. L'explosion fait écrouler les murs de l'entrepôt, projetant le cadavre en lambeaux de David Lencho à mi-chemin du couloir. Elle entraîne l'ouverture d'une brèche dans le mur du fond de la pièce, qui est également un de ceux du puits de service de l'immeuble. Directement contre ce mur, se trouve une énorme tuyauterie qui amène la vapeur sous haute pression vers la salle des machines du 64e étage, pour alimenter la plus grande partie du système d'évacuation d'air. L'installation n'a d'ailleurs jamais été adaptée à sa tâche, et cette nuit-ci, la première nuit réellement froide depuis que l'immeuble a été construit, le tuyau fonctionne au-delà de sa capacité. A l'intérieur, la pression y est de plusieurs centaines de livres et la température avoisine les 260°. La soudaine explosion le frappe comme un énorme coup de marteau. Il se tord et un joint de dilatation soudé, destiné à compenser les variations de volume du métal, cède brusquement. Le tuyau explose. L'énorme déflagration de l'entrepôt paraît peu de chose à côté de celle-ci.

La vapeur sous pression traverse le mur extérieur de la colonne, à l'endroit même où les rails de l'ascenseur extérieur sont fixés. Les rivets jaillissent de leur logement et les rails d'acier se recourbent vers l'extérieur, comme s'ils étaient faits de plomb. L'ascenseur stoppe brutalement les cales de ses freins de secours, coincés entre la cabine et les rails déjetés. Mais ces rails sont hors de leurs montants, et le pouvoir freinant des cales est très faible.

A l'intérieur du puits, les tuyauteries s'effondrent comme si un géant avait piétiné leurs parois de métal galvanisé. Les circuits électriques sont déchiquetés. L'électricité est brusquement coupée dans tout l'immeuble, plongeant les étages d'appartements et de bureaux dans l'obscurité.

Près des circuits électriques, et courant elle aussi sur la hauteur du puits de service, se trouve la principale conduite de gaz, qui amène celui-ci aux appartements privés et aux restaurants. Elle est fixée à la maçonnerie par de puissants bracelets d'acier s'accrochant à l'endroit où les pompes auxiliaires sont installées. La force de l'explosion arrache le conduit du mur. Mais il ne casse pas à cet endroit-là ; ce sont ses supports qui lâchent, et le tuyau lui-même n'est que repoussé en arrière par le souffle. Le choc est véhiculé par le conduit qui vibre comme une corde de violon pincée. C'est dans l'étage supérieur des machines, séparé de l'étage panoramique par la galerie, que le conduit cède finalement.

Un fleuve de gaz jaillit alors et emplit l'étage des machines, submergeant les générateurs électriques de secours. Le gaz est généralement moins lourd que l'air mais, comme il est relativement froid par rapport à l'air ambiant, une bonne part redescend jusqu'aux étages inférieurs. Là, il s'infiltre dans les piles de revêtement d'asphalte, les panneaux de contre-plaqué et autres matériaux de construction stockés dans les étages encore inachevés.

A l'étage de service, un disjoncteur claque soudain et un moteur de secours démarre. L'étincelle émise par le disjoncteur est suffisante : une explosion sourde ébranle l'étage. Le moteur est arraché de ses supports déchiquetés et se met à fumer. Il surchauffe et le produit isolant commence à brûler. Çà et là à l'étage, de petits feux ont pris naissance près des taches d'huile et dans les petites boîtes de graisse ouvertes. A l'étage inférieur, l'explosion du gaz et de l'air mélangés allume des feux dans plusieurs pots de peinture, imprudemment laissés ouverts près d'une réserve de boiserie.

C'est peu, mais la bête en tire immédiatement le maximum. L'asphalte se liquéfie, charbonne, puis brûle. Les lattis de bois et les feuilles de contre-plaqué noircissent tout d'abord, puis finissent par flamber. Il ne faut qu'une minute ou deux à la bête pour s'établir fermement dans son nouveau logis. Loin en dessous, le feu a repris au 21e étage et trouve très vite sa voie à travers les ouvertures du puits de service et les conduits jusqu'au 22e.

La bête a un nouveau sursis et envoie de triomphantes langues de flammes fumeuses dans le ciel nocturne enneigé. Elle rugit sa colère, et regarde avec haine la cité qui s'étend à ses pieds.

39

Barton tressaillit. Il avait cru percevoir le bruit étouffé, caractéristique, d'une explosion. Il leva les yeux vers Shevelson, mais la question qui fusait sur ses lèvres fut stoppée net. Un deuxième choc, plus fort celui-là, ébranla la table de fortune supportant les plans. Les lumières s'éteignirent. Un silence mortel suivit l'explosion, puis, de la station de communications du bureau de tabac, jaillit un flot d'appels. Dans le hall principal, une femme se mit à hurler. Barton lâcha :

— Qu'est-ce que c'est, encore?

Quelqu'un alluma une lampe de poche ; la silhouette de Shevelson se dessina faiblement dans la lumière rouge. Il secoua la tête et tenta un « ce n'est rien » peu convaincant.

Barton tendit l'oreille. Une pluie régulière de débris dégringolait dans les cages d'ascenseurs, puis, soudain, un fracas plus fort retentit, en provenance du bas du puits de service. Shevelson remarqua calmement :

— Les murs sont en train de lâcher ; les explosions ont dû les crever en plusieurs points.

Barton « voyait » l'intérieur du puits : blocs calcinés dégringolant des étages mêlés à des morceaux de ciment et de revêtement qui s'émiettent, du plastique fondu des câbles, des « lambeaux » de tuyaux, du bois en flammes...

— Sortons d'ici! dit Barton. On ne peut se rendre compte de rien en restant enfermés.

Il courut vers la porte, suivi de Shevelson et de Garfunkel, arrivant du hall principal.

Il frissonna en débouchant sur l'esplanade. La morsure du vent transperçait sa veste et il remonta frileusement son col. Il ferait peut-être bien de rentrer pour récupérer un vêtement abandonné! Il aperçut Infantino, à proximité du camion radio.

— Qu'est-ce qui se passe, Mario?

— Je ne suis sûr de rien. Il y a eu deux explosions mais je ne sais pas ce qui les a provoquées.

Barton suivit son regard, levé vers le 16e étage. Les flammes éclairaient toutes les fenêtres et leur lueur perçait même à travers les trous béants de ce qui avait dû être le 17e. Le brasier devenait de plus en plus important à mesure que le regard montait vers le 22e étage. Le feu n'avait probablement plus trouvé à s'alimenter au 17e : il était complètement détruit. Mais les incendies des étages supérieurs paraissaient sérieux.

— J'ignore ce qui a pu provoquer la première explosion, dit lentement Shevelson ; quant à la seconde, je suis sûr qu'elle provient de la colonne de vapeur ; elle s'est probablement rompue quelque part entre le 16e et le 17e étage.

Dans sa chute, la colonne avait certainement étendu l'incendie à plusieurs étages. Il était trop tôt pour juger des dégâts du puits de service : toutes les canalisations de gaz et les installations électriques y étaient concentrées ; impossible de savoir si elles étaient touchées. Barton ne voulait risquer aucune supposition hasardeuse ; il se tourna vers Garfunkel.

— Trouvez Donaldson : qu'il coupe les principaux circuits électriques et le gaz. Immédiatement.

— Vous rendez les ascenseurs inutilisables! intervint Infantino avec colère. J'en ai besoin pour faire monter mes hommes.

Barton secoua lentement la tête.

— Mario, c'est toi le patron! Mais si jamais les canalisations sont touchées, les étages supérieurs vont bientôt se transformer en véritable bombe à retardement, et il suffira d'une étincelle pour tout faire sauter.

— Sais-tu combien pèse un rouleau de tuyau de six centimètres de diamètre, Craig? Plus de trente kilos. Tu crois qu'on peut porter ça sur seize ou dix-huit étages et être encore en état de faire quelque chose?

— Laissez tomber! coupa Shevelson. Les ascenseurs sont déjà hors d'usage. Le panneau de commande était mort quans nous sommes sortis. Quant aux canalisations de gaz, j'ai bien peur que le pire ne se soit déjà produit, et je crains de savoir où.

— Où voulez-vous en venir? demanda Barton.

Il recommençait à frissonner et enfonça ses mains dans ses poches pour tenter de les réchauffer.

Shevelson n'eut pas le temps de répondre. On entendit des claquements assourdis venus de très haut ; une seconde plus tard, un panneau de verre s'écrasait dans la rue, à trente mètres des quatre hommes. Barton eut la sensation d'une catastrophe imminente : cela ne venait ni du 21e, ni du 22e, mais de plus haut, beaucoup plus haut. Il ploya le cou et aperçut la lueur tremblotante des flammes au sommet de l'immeuble, quelques étages à peine au-dessous du toit. Le feu attaquait la salle des machines. C'était là que les conduits de gaz avaient dû se rompre.

Infantino, en réponse à sa question muette, secoua la tête.

— Pas question de parvenir là-haut. Ce serait du suicide ; et même si nous y arrivions, comme il n'y a plus d'électricité, les pompes de secours seraient inutilisables.

Barton jeta un nouveau regard à l'immeuble et sentit son estomac se nouer : l'ascenseur extérieur semblait bloqué à mi-hauteur de la Tour. C'était difficile à dire à cause de la distance, mais il avait l'impression que les rails s'écartaient de la paroi. Il distingua une ombre noire derrière le métal tordu : une partie du mur lui-même avait sauté.

— Mon Dieu, Jenny!...

Il entendait vaguement, dans son dos, Infantino, dans le camio radio, discuter avec l'officier des communications.

— Demandez des ambulances. On va sûrement descendre des blessés. Et nous aurons besoin...

Il s'arrêta net. Fuchs traversait l'esplanade, courant

dans leur direction. Infantino l'attendit, puis, autant pour le nouvel arrivant que pour l'officier, reprit :

— Nous aurons besoin de renforts. Il nous faut tous les hommes disponibles. Appelez Southport ; qu'ils envoient des explosifs, du Primacord et quelqu'un qui sache s'en servir. Réclamez aussi une équipe d'hommes avec des combinaisons d'amiante.

Barton répondit presque inconsciemment :

— Je sais me servir des explosifs.

Infantino ne détourna pas les yeux de Fuchs, silencieux à ses côtés.

— N'y pense pas ; tu n'es pas du métier, Craig.

Barton réalisa soudain ce qu'Infantino envisageait de faire.

— Si tu déclenches une explosion puissante, tu vas endommager la structure même de l'immeuble!

— Et que crois-tu qui soit déjà arrivé? — Le ton était cassant. — Il n'y a plus guère de chances d'éviter le pire.

Il gardait le regard obstinément fixé sur Fuchs.

— Si vous comptez vous opposer à mes ordres, c'est le moment, dit-il calmement.

Fuchs secoua la tête et se tourna vers la Tour. Barton contempla un moment ce petit homme vieux... et vaincu.

— Mon commandant?

Un jeune policier, jaillissant de l'immeuble, se précipitait vers Infantino. Barton écouta de toutes ses oreilles. C'était pire que ce qu'il avait imaginé.

Le feu faisait rage aux 21ᵉ, 22ᵉ et 23ᵉ étages. On affirmait aussi que l'étage des machines était en flammes. Sans un mot, Infantino désigna le sommet de la Tour. Le jeune homme se retourna, regarda, et reprit :

— L'explosion a eu lieu au 16ᵉ, Monsieur, dans l'entrepôt d'une firme de peinture. Elle a soufflé une partie du mur intérieur du puits de service et vraisemblablement coupé la colonne de vapeur, à moins qu'elle ne l'ait fait exploser.

— Et l'équipe de secours envoyée à cet étage?

L'homme pinça les lèvres, jeta un bref regard à Fuchs, puis revint à Infantino.

— La plupart des hommes sont indemnes, Monsieur, mais le stagiaire David Lencho et le pompier Mark Fuchs manquent à l'appel. Nous essayons d'envoyer une équipe à leur recherche mais il fait encore trop chaud...

Sans un mot, Fuchs fit volte-face et repartit vers la Tour.

— Autre chose? — Et, sur un signe de dénégation du jeune homme : — Très bien, allez faire votre rapport à votre compagnie.

Une fois l'homme parti, Infantino se tourna vers Barton.

— Le colonel a trois fils. Mark est le seul qui ait adopté le même métier que son père.

— C'est une dure nuit pour chacun de nous, commenta sobrement Barton.

Infantino eut un regard pour l'ascenseur qui pendait à mi-course.

— Oui. Une dure nuit. Tu viens, Craig?

Déjà, il repartait vers l'immeuble.

— Je te suis.

Une rafale de vent plus forte que les autres le rappela à la réalité. Ce n'étaient plus seulement ses mains et son visage qui souffraient du froid, mais son dos et ses jambes aussi étaient gelés. Il fut pris d'un tremblement incontrôlable et sentit ses dents s'entrechoquer. Les craquements, en haut de la Tour, s'intensifiaient et Barton, imité par Infantino, se mit brusquement à courir vers le hall. Derrière eux, des morceaux de verre s'écrasaient sur l'esplanade. Heureusement, pensa Barton, que les locataires avaient été évacués et logés ailleurs pour la nuit.

Évidemment, il restait ceux du hall principal et du petit restaurant ; plus ceux qui étaient encore bloqués dans le restaurant ou piégés dans l'ascenseur. Il valait mieux éviter de penser à ces derniers. Il ne pouvait rien faire pour eux.

Shevelson avait dégoté quelque part une lampe électrique et l'avait installée à l'extrémité d'une table pour leur permettre d'examiner les plans. Barton, appuyé sur ses poings, contemplait sans les voir les feuilles imprimées en bleu, torturé par l'impression qu'il y avait quelque chose à faire, mêlée à la certitude du contraire.

Le silence du hall n'était troublé que par le crachotement des messages transmis par le central et, de temps en temps, le bruit sourd des débris s'écrasant dans le puits de service. Le calme avant la tempête, pensa Barton. D'ici quelques minutes, on commencerait à amener les blessés, et les compagnies de renforts s'apprêteraient à monter.

— Barton ?

Échappant à son angoisse, Craig jeta un regard à Shevelson.

— Oui ?

L'autre avait un cigare non allumé à la bouche, et Barton nota les larmes dans ses yeux.

— Notre belle maison est un foutu gâchis, n'est-ce pas ?

40

— Ça va, mademoiselle Mueller?

Lisolette jeta un coup d'œil par-dessus la rampe; elle ne vit que Jernigan sur la plate-forme en dessous d'elle.

— Nous arrivons, Harry, mais le petit Martin est tombé et a perdu une chaussure.

Le bambin de trois ans essayait d'enfiler son soulier, sous le regard méprisant des cinq ans de Chris.

— Lisa, dépêche-toi!

C'était la voix de Linda. Lisolette se pencha de nouveau. Appuyée sur Jernigan, la gamine levait vers elle un visage crispé d'impatience. La voix de Jernigan se fit pressante.

— Vous feriez mieux de l'aider. Nous allons attendre que vous nous rattrapiez.

Chris, apparemment assez peu concerné par les événements, explorait le système d'ouverture d'une manche à incendie enfermée dans un coffre de béton scellé au mur. La serrure présentait un intérêt certain. Tout en lui intimant de s'arrêter, Lisolette s'agenouilla pour aider Martin.

L'explosion la surprit dans cette position instable. Le souffle la projeta sur le garçonnet, qui se mit à hurler de terreur. Elle demeura quelques instants immobile, légèrement abasourdie. Une autre déflagration secoua l'escalier et les lumières s'éteignirent d'un seul coup. Un grondement roula au-dessus d'elle et le palier de béton trembla. Le bruit s'apaisa peu à peu et Lisolette se redressa sur les genoux. Chris s'agrippait à sa jupe en hurlant : « Lisa, Lisa! » Une épaisse poussière de plâtre rendait plus opaque l'obscurité ambiante. Par bonheur, elle tenait toujours le petit Martin. En se redressant, elle sentit la dalle frissonner sous elle et s'écarter légèrement du mur. Tâtonnant dans l'obscurité, elle récupéra Chris et Martin et les colla étroitement contre elle. Le sol se raffermit sous ses pieds ; on n'entendait plus que la chute des débris et Martin pleurant de toute la force de ses petits poumons.

— Mon Dieu, murmura-t-elle, assez bas pour n'être entendue que d'elle seule, qu'est-ce qui s'est passé?

— Ça va, mademoiselle Mueller?

— Oui, oui, je crois.

Sa propre voix lui parut résonner bizarrement. Tout à l'heure, dans la cage d'escalier, ça ne rendait pas ce son-là. Elle réalisa subitement qu'il y avait une sorte d'écho.

— Harry, qu'est-ce que c'est?

Sa voix était anxieuse.

— Et les enfants? Comment vont-ils?

— Ils sont terrorisés, mais indemnes. Qu'est-il arrivé?

— Les canalisations de vapeur sous pression ont explosé. Quand ça se produit ça pète comme une bombe. — Une pause, puis : — Ne vous approchez surtout pas du bord! — L'anxiété qui perçait dans ces derniers mots alerta Lisolette. Elle ne voyait rien. A l'endroit où s'était trouvé le mur, il n'y avait qu'un trou noir. Une bouffée d'air frais, bizarrement mêlée de gaz froid et de gouttes d'eau chaude, la frappa. Les vapeurs qui se condensent, pensa-t-elle. Mais l'air frais?

Ses yeux s'étaient maintenant accoutumés à l'obscurité et elle réalisa qu'il ne faisait pas complètement noir. Des éclairs rougeâtres trouaient l'espace au-dessus et en dessous d'elle. Le mur séparant la cage d'escalier et le puits d'aération avait disparu sur deux ou trois étages. Celui de l'immeuble était bien derrière, mais devant... Il n'y avait plus rien.

L'explosion avait détruit la volée de marches qui lui aurait permis de rejoindre Jernigan. L'escalier était composé de marches de béton fixées sur un pilier central et, sur plusieurs étages, celles-ci avaient disparu ; les poutres elles-mêmes avaient été arrachées du mur. Lisolette était suspendue sur une plate-forme de béton quelque six mètres au-dessus de celle de son compagnon d'infortune. En face d'elle, s'ouvrait le gouffre du puits.

— Je veux descendre, faites-moi descendre! hurlait Chris.

Lisolette serra les enfants contre elle.

— Chut!... dans une minute, Lisa s'occupera de vous.

Elle eut un sursaut involontaire ; la plate-forme tremblait de nouveau. En bas, Jernigan essayait de se faire convaincant.

— Linda, passe dans le couloir, je te suis dans une minute.

— Non, non! sanglotait Linda. Et Chris, et Martin?

— Fais ce qu'il te dit, hurla Lisolette. Je m'occupe des garçons.

A la lumière tremblante qui éclairait le puits, Lisolette examina les lieux. Derrière, la porte conduisant au cœur de la Tour. Elle l'essaya... fermée. Puis aussitôt, l'affolement. Le bouton était brûlant ; l'incendie devait être juste derrière.

Il y eut un grondement de mauvais augure. Agrippant les enfants, Lisolette se réfugia tout contre la paroi. En face d'elle, un pan du mur vibrait dangereusement, et, comme elle le regardait fixement, il disparut et d'énormes pièces de maçonnerie dévalèrent le puits. Une poussière âcre s'éleva du fond, et Lisolette se mit à tousser. Trop terrorisés pour pleurer, les enfants se serrèrent encore plus fort contre elle.

Elle resta là, immobile, puis, réalisant qu'elle avait fermé les yeux au moment de la catastrophe, elle les rouvrit prudemment et hoqueta. Une partie du *mur* extérieur avait disparu et elle contemplait maintenant le ciel nocturne. Son petit plateau s'inclinait dangereusement dans le vide. Seules les barres d'acier qui amarraient la plate-forme intérieure l'empêchaient de plonger à la verticale, jusqu'au fond du trou. Et Jernigan, et Linda?

— Retournez-vous, les enfants! dit-elle aux garçons. Face au mur.

Elle ne voulait pas leur laisser voir ce trou terrible. Elle-même se força à aller jusqu'à la rampe pour voir l'autre plate-forme à six mètres au-dessous d'elle. Couverte de gravats, certains gros comme des pastèques, l'autre dalle s'inclinait aussi, maintenant. On ne voyait ni Jernigan ni Linda.

Et ça recommençait à bouger! La poussière s'élevait en petits nuages à l'endroit où la plate-forme venait heurter le mur extérieur. Ils ne pouvaient pas rester là! la dalle allait se séparer du mur, si ce n'était pas la paroi elle-même qui s'effondrait!

— Mademoiselle Mueller! vous êtes sauve?

C'était Jernigan. Il avait apparemment trouvé une lampe et la balançait dans sa direction. Elle se coula précautionneusement jusqu'à la rampe et regarda en bas. Il était au milieu des débris, la tête levée vers elle, essayant de la repérer. Un rai de lumière passait par la porte du palier. Elle supposa, à juste titre, que les pompiers étaient à l'œuvre dans le couloir un peu plus loin. La plate-forme devrait être celle qu'ils essayaient de dégager.

— Où est Linda?

— En sûreté, à l'intérieur! hurla Jernigan. J'ai vu des lézardes s'ouvrir dans le mur extérieur, et nous sommes rentrés juste à temps. Nous allons essayer de vous faire descendre tous les trois. Votre plateau ne tiendra plus très longtemps.

— Comment? hurla-t-elle.

— Pouvez-vous me lancer les enfants?

Lisolette sentit un souffle se bloquer dans sa poitrine.

— Il y a six mètres, Harry; si vous les manquez...

— Nous devons essayer! Je vous jure de ne pas les manquer.

— C'est trop risqué!

— C'est notre seule chance!

Jernigan s'époumonait. Lisa s'apprêtait à réitérer ses protestations quand elle sentit le plateau se détacher brusquement du mur. Plus question de réfléchir! Elle se tourna promptement vers Chris. Il ne devait pas peser plus de trente kilos, pensa-t-elle, mais ce que Jernigan attendait d'elle allait mettre à l'épreuve ses pauvres forces; sans parler de celles de l'homme qui devrait recevoir l'enfant.

— Chris, dit-elle gentiment, tu vas fermer les yeux et devenir raide comme un bout de bois.

— Tu vas me lancer! accusa-t-il.

Lisa sentit les larmes lui monter aux yeux.

— Mr Jernigan est un homme très, très fort, Chris. Il va t'attraper, mais tu ne dois ni te tortiller ni te balancer. Tu peux le faire?

— Il le faut absolument? demanda-t-il avec réticence.

Pas question de pleurer; elle se raidit.

— Oui, Chris.

Il hocha la tête, serra les poings et se mit au garde-à-vous.

— Ferme les yeux. Là, c'est très bien! Ne les ouvre

à aucun prix avant d'être dans les bras de Mr Jernigan.

Elle forçait sa voix à rester calme. Elle le prit dans ses bras, comme elle aurait soulevé une petite statue. Il frissonnait et, un instant, elle reconnut le sourd battement de son cœur contre sa poitrine. Elle se pencha par-dessus la rampe, vers Jernigan qui attendait, les bras grands ouverts. Elle fit une prière silencieuse tout en faisant passer l'enfant par-dessus la rambarde, le tint suspendu un instant à bout de bras, cherchant la meilleure position possible... et le lâcha.

Tel un film au ralenti, elle vit l'enfant tomber, Jernigan fléchir les genoux et le petit corps heurter ses bras. Un bref instant, ils semblèrent basculer tous les deux ; Chris n'était plus qu'un corps gesticulant qui s'agrippait désespérément à l'homme. Jernigan tomba sur les genoux, maintenant le garçon par la taille, Chris accroché à son cou.

— Il est sauvé! cria-t-il triomphalement.

Un pompier apparut derrière lui et emmena l'enfant. Jernigan se redressa et fit jouer les muscles de ses bras.

— Bon Dieu! Je crois que je me suis étiré un muscle.

— Pourrez-vous attraper Martin?

— Je crois que oui. De toute façon, il faudra bien.

Après cela, pensa Lisolette, la situation allait devenir dramatique. Pas question de sauter, comme les enfants, en espérant que Jernigan pourrait l'attraper. D'une manière ou d'une autre, il lui faudrait descendre par ses propres moyens. Elle se tourna vers Martin.

— Non! se mit-il instantanément à hurler, je ne sauterai pas!

Elle l'empoigna, mais il se débattait hystériquement dans ses bras. Le plateau vacilla et se rapprocha dangereusement du trou béant.

— Harry! je ne peux pas lancer Martin. Il faut que je le descende moi-même.

— Impossible! hurla Jernigan.

Lisolette chercha désespérément autour d'elle et avisa soudain le coffre de béton de la lance à incendie. Le cadre était maintenant sorti de la paroi.

— Si! il y a un moyen!

Elle abandonna un Martin sanglotant sur le sol et courut au mur. Le vent chassait la neige jusque dans la colonne ouverte, et elle sentait l'humidité pénétrer peu à peu le dos de sa robe. Elle tordit violemment le cadre qui se détacha complètement, et tira la manche à elle. Passant le tuyau par-dessus la rampe, elle entreprit ensuite de le dérouler. En quelques secondes à peine, ce fut chose faite. Elle tira sur l'extrémité fixée au mur, pour tester sa solidité. Ça tiendrait. Il faudrait bien, n'importe comment ; elle n'aurait jamais le temps d'aménager un autre système de fixation.

Avec le bas de sa robe, elle entreprit de fabriquer des bandelettes. Sa plus belle robe! achetée spécialement pour la soirée avec Harlee. Mais comment faire autrement? De toute manière, la robe était déjà fichue. Dès qu'elle eut en main une demi-douzaine de bandes solides, elle appela Martin.

— Viens ici, petit.

— Non!

— Viens ici et passe tes bras autour du cou de Lisa, assura-t-elle de sa voix la plus douce. Tu es un gentil garçon. Tu vas t'approcher et faire ce que je te demande.

Martin vint se placer avec méfiance derrière elle et, avant qu'il ait pu se dérober, elle lui lia ensemble les poignets avec une bandelette. Il bondit en arrière en la renversant presque. Tout en luttant, elle le fit passer devant elle et le ceintura à l'aide de deux autres bandelettes nouées ensemble, les fit passer autour de sa taille où elle les attacha solidement. Le procédé était peut-être un peu brutal mais, quand ce fût terminé, Martin était fermement accroché à son dos.

S'approchant de la rampe, elle fit courir ses doigts sur la surface rugueuse du tuyau. Ses paumes étaient moites de transpiration et elle les essuya sur le devant de sa robe. Martin se débattait toujours, hurlant de terreur. Enjambant précautionneusement la rambarde, elle consacra toute son attention sur le tuyau pour ne pas voir le gouffre béant à ses pieds. Elle pirouetta, et, saisissant fermement la lance, transféra le poids de leurs deux corps sur ce fragile pont suspendu. Le début de la descente, avec le gamin gigotant et luttant pour se dégager, fut un véritable calvaire.

— Je t'en supplie, Martin, reste tranquille! Lisa va s'occuper de toi.

Elle se laissait glisser peu à peu, serrant le tuyau rugueux entre ses genoux. Grâce à Dieu, elle avait déchiré une bonne partie du bas de sa robe, sans quoi, elle n'aurait jamais eu le libre usage de ses jambes. Elle était à mi-chemin quand elle entendit le grincement perçant au-dessus d'elle. Les barres d'acier qui maintenaient la plate-forme donnaient de la bande et commençaient à se plier. Le bord de la dalle chuta de plus de cinquante centimètres. Le cœur de Lisolette accéléra violemment et elle ferma les yeux un court instant. Puis le mouvement cessa et elle reprit la descente, tentant désespérément de maîtriser la panique qu'elle sentait grandir en elle. Les vieux réflexes lui revenaient peu à peu, et elle sentait des muscles longs, habituellement inutilisés, saillir à nouveau sous sa peau. Son cœur se gonfla de fierté. Elle pouvait encore faire cela. Elle allait le faire.

Martin s'était complètement calmé. La sensation de force et de compétence qu'elle ressentait semblait s'être transmise à l'enfant. Enfin, elle sentit des mains puissantes saisir ses hanches, la guider vers le bas. Une seconde plus tard, elle se tenait debout aux côtés de Jernigan et d'un pompier qui l'aidait à libérer un Martin redevenu paisible.

— Venez! vite!

Jernigan leur fit franchir la porte derrière laquelle attendaient Linda et Chris. Une fois à l'intérieur, Jernigan la contempla avec admiration dans la lumière d'une lanterne proche.

— Vous avez été fantastique, dit-il simplement.

Lisolette sourit.

— Merci. Merci beaucoup, Harry.

Avant qu'elle ait pu en dire plus, il y eut un nouveau craquement aigu. Elle jeta un rapide coup d'œil derrière elle : la plate-forme venait de rompre ses amarres ; dans un mouvement d'une lenteur proprement incroyable, elle tombait maintenant. Elle vint se briser sur celle qui supportait les rescapés quelques secondes auparavant, dans une explosion de pierrailles, et la seconde dalle se détacha à son tour. De leur refuge dans le couloir, Lisolette et Jernigan regardèrent les plates-formes ricocher tout au long du puits.

Quelques secondes plus tard, ils les entendirent heurter le fond, dix-neuf étages plus bas.

41

Au moment où les conduits de vapeur explosèrent, quatre pompiers étaient en train de redescendre du 20e étage par l'un des ascenseurs à commande manuelle. Les 17ᵉ et 18ᵉ étages n'étaient plus des zones dangereuses, et le feu, au 16ᵉ, avait été vaincu depuis au moins une heure. Les hommes étaient sales et fatigués et s'appuyaient aux parois de la cabine, sans parler. Ron Gilman, qui avait été porte-lance en début de soirée, avait un nez méchamment écorché qui virait au rouge et pelait déjà. Les yeux de Nick Pappas étaient rouges et pleuraient, et il était pris de quintes de toux toutes les dix secondes. Sam Waters et Jack Lapides étaient légèrement en meilleure condition ; ils n'avaient servi que dans les équipes d'appui.

Après un moment de silence, quand les portes se furent fermées, Lapides dit :

— J'espère au moins que tous les locataires s'en sont sortis.

— Non, et certains ne s'en sortiront jamais, dit Gilman, avec aigreur. La fumée était trop épaisse, même avec le système de ventilation inversé. Nous ne pourrons les trouver que quand nous aurons atteint les appartements situés côté sud.

— Je ne crois pas que j'aimerais faire partie de l'équipe de déblaiement, avoua lentement Waters.

— Tu as l'estomac fragile? ironisa Pappas.

— Parfaitement, grinça Waters. Je fais ce boulot depuis dix ans et j'ai toujours l'estomac fragile. Le jour où il ne le sera plus, je...

L'explosion de la vapeur survint à ce moment-là. Elle devait être très proche, car la cabine fut violemment secouée et plongea vers le bas. Les lumières s'éteignirent brusquement. Lapides hurla. Quelques mètres en dessous, les freins latéraux s'empêtrèrent dans les rails de côté ; la cabine et tout l'ascenseur s'arrêtèrent avec un grincement strident. Dans le silence qui suivit, ils purent entendre le choc des débris atterrissant dans le fond de la cage, loin en dessous. Au-dessus, quelque chose qui ressemblait à des gravats tambourina sur le toit et les parois de la cabine.

— Pour l'amour du Ciel, personne n'a une lanterne?

Il y eut des tâtonnements dans le fond de leur espace réduit, puis la lumière jaillit d'une lampe brandie par Pappas.

— Qu'est-ce qui est arrivé, bon Dieu? demanda-t-il d'une voix tremblante.

— Une explosion, dit doucement Gilman. Je crois qu'elle a fait se rompre l'un des câbles de traction. Vous avez entendu ces coups? On dirait que le contrepoids a heurté le fond. Le fracas a dû être causé par les cordes d'acier griffant la cabine dans leur chute.

Waters cognait frénétiquement sur le tableau de commande. Sans résultat.

— Nous ne pouvons pas rester ici, observa-t-il enfin. Si les câbles ont rompu, nous ne pouvons espérer tenir éternellement grâce aux freins. Qui veut venir faire un tour?

— J'aurai besoin d'aide, dit Gilman.

Pappas confia sa lampe à Lapides, et vint se placer sous la trappe de secours située dans le toit de la cabine. Il plia un genou et mit ses mains en arceau. Gilman y posa sa botte droite et s'appuya sur les épaules de Pappas. Celui-ci se souleva en grognant, pendant que Gilman se débattait avec le panneau de sortie qu'il finit par réussir à pousser sur le côté. Il se hissa sur le bord.

— Force un peu, Nick.

Pappas souleva plus haut et Gilman se hissa à l'extérieur à la force des bras.

Il y eut un long silence là-haut; finalement, Waters hurla :

— Mais, bon Dieu, qu'est-ce qui ne va pas?

— C'est un vrai bordel! hurla Gilman en retour. — Son visage réapparut dans l'ouverture. — Quatre des câbles tracteurs ont cassé net et le contrepoids a emporté les autres. Il doit y avoir eu deux explosions. Il y a cinq ou six étages en feu et, trente mètres plus haut, on dirait que la moitié du mur extérieur a disparu.

— Qu'est-ce qu'on va pouvoir faire? demanda Lapides.

Il était le plus jeune des quatre et semblait bien proche de la panique.

Gilman hésita puis cria vers le bas :

— Montez tous.

— Tu es dingue, dit Pappas.

— Vous l'avez entendu, grogna Waters. Vous tenez à rester ici et à rôtir?

La température dans la cabine avait déjà augmenté de manière sensible.

Lapides mit donc le pied dans les mains jointes de Pappas. Il sauta au moment même où Pappas le hissait vers le haut. Gilman l'attrapa et, un instant plus tard, il était sur le toit de la cabine. Waters le suivit presque immédiatement. Puis ils se penchèrent tous les deux, attrapèrent les poignets de Pappas et le tirèrent au moment où il sautait. Ils le hissèrent jusqu'à eux. Il regarda autour de lui et jura : « Bonté divine! »

Deux des câbles tracteurs étaient enroulés comme de noirs serpents sur le toit de la cabine ; plusieurs autres pendaient mollement sur le côté. Deux étages au-dessus d'eux, les flammes rugissaient dans une brèche du mur du puits de service, tandis que des morceaux de mortier émietté et des blocs de maçonnerie dégringolaient le long du mur déchiqueté. Des flammes s'étalaient directement depuis le sol de la cabine et montaient en chandelles par-dessus le bord du toit de l'ascenseur : et de l'autre côté, à environ trente mètres au-dessus d'eux, un trou gigantesque dans le mur extérieur ouvrait le puits de service sur l'air froid et la neige. Des débris enflammés tombaient à côté de leur refuge, quelques morceaux s'écrasant sur le toit de la cabine elle-même.

— Nous devons ficher le camp d'ici, déclara Gilman avec calme.

Waters sourit ironiquement dans la lueur des flammes.

— Sans blague? Tu as une idée?

— Oui. Mais ça ne va pas être de la tarte.

— De quoi êtes-vous en train de parler, les gars? demanda Pappas.

— Deux mecs de l'Est ont fait ça une fois, expliqua Gilman. Nous allons descendre le long de l'un des câbles.

Lapides commença à bredouiller :

— Une main après l'autre? Mais ces câbles sont couverts de graisse!

— Nous allons y installer des attaches avec nos ceintures, dit Gilman. Et nous pouvons enrouler nos jambes autour du câble. Mais il va falloir que nous abandonnions nos tuniques, nos casques, et tout vêtement qui pourrait s'accrocher.

Il y eut un moment de silence. Puis Waters se débarrassa de sa lourde veste d'uniforme et la laissa choir par-dessus bord. Elle s'ouvrit en descendant et disparut dans le vide.

Lapides revint au centre de la plate-forme.

— Tu es cinglé, Gilman. Il y a au moins dix-huit étages...

— Pappas, dit Gilman, donne-moi ton crochet.

Il brandit l'instrument et agrippa l'un des filins d'acier qui avait perdu son contrepoids. Il était suffisamment lâche pour qu'on pût presque le coller à la paroi.

— Très bien. Qui commence?

— Je ne crois pas que j'y arriverai, frémit Lapides, la peur dans la voix.

— Alors tu dois passer le premier. Si tu descends le dernier et que tu glisses tu nous entraîneras tous dans ta chute. — Gilman secoua tristement la tête. — Désolé, mon garçon, tu ne t'es pas laissé de choix ; ça doit être toi.

Lapides se pencha par-dessus le bord de la cabine. La cage, en dessous d'eux, était pleine de fumée et éclairée par les flammes des étages en feu. Plus bas, c'était le noir complet ; il ne pouvait distinguer le fond. Waters dit :

— Bon. Saute ou dégage, Jake. On n'a pas toute la journée devant nous.

Lapides sentait la sueur perler sur sa lèvre supérieure.

— Ne me bousculez pas.

— Une seconde, coupa Gilman. Attache la lanterne autour de ta taille, comme ça, on te verra. Ne glisse pas, ajouta-t-il, nous dépendons tous de toi.

— Fais un double nœud avec ta ceinture autour du câble, dit Pappas. Je vais t'aider.

— Je peux me débrouiller, dit Lapides, soudain furieux.

Le devant de son pantalon était humide. Il essuya ses gants et tira sec sur la ceinture qu'il avait passée autour du filin ; puis il se laissa enfin glisser par-dessus le toit de la cabine et parcourut quelques dizaines de centimètres, puis coinça le câble entre ses pieds, ses pantalons d'uniforme servant de frein supplémentaire. Il commença alors à descendre.

— Ne regarde pas en bas, lui cria Gilman, avant de remarquer que Lapides avait fermé les yeux.

— Ça glisse tant que ça peut, lança Lapides d'une voix angoissée, mais je crois que je vais y arriver.

Dès qu'il eut dépassé le fond de la cabine, Pappas se lança à son tour, suivi de Waters, et, enfin, de Gilman. Au-dessus d'eux, les débris en flammes continuaient à tomber. Gilman hurla une nouvelle fois : « Surtout, ne regardez pas en bas! »

Il laissa aller le crochet et attrapa la corde au moment où elle s'éloignait en ondulant de la cabine. Il glissa un peu avant de pouvoir la bloquer entre ses genoux.

— C'est du gâteau! hurla Lapides.

Sa lanterne s'agitait dix mètres plus bas.

— Disons un certain gâteau! grogna Gilman.

Des quatre hommes, il était celui qui souffrait le plus du vertige.

42

— Prends-moi une contre-plongée derrière le camion! hurla Quantrell.

Kimbrough, le cameraman, fila vers la rue. Quantrell retint son souffle. Si ce con-là glissait sur la glace couverte d'eau, les cinq mille dollars de caméra et de matériel contenus dans l'étui accroché à son épaule étaient foutus. Kimbrough se mit enfin en position et Quantrell se tourna vers Zimmerman, le jeune journaliste.

— Al, essaye d'obtenir une courte interview du flic qui était à côté du jeune couple, quand le gamin a été heurté par la chute d'une vitre. Mais pas de baratin chirurgical ; prends le point de vue « voyage d'un jeune à travers l'angoisse ».

— Bien, dit Zimmerman, déjà en route.

Brave type, pensa brièvement Quantrell. Au moins capable de comprendre qui est le chef. Il se retourna vers Kimbrough ; il était en plein milieu de la rue, derrière les voitures de pompiers, s'en servant pour cadrer l'immeuble sur son image. Il mit un genou en terre et leva la caméra pour accentuer l'aspect « tour » du bâtiment ; Quantrell suivit automatiquement des yeux l'angle de la caméra, essayant d'imaginer ce que ça donnerait sur un écran. C'est à ce moment-là qu'il repéra la mince langue de flamme traçant son chemin dans le ciel nocturne. Il la suivit jusqu'en bas, alors qu'elle se précisait en une femme partiellement vêtue, serrant un matelas dans ses bras. A mi-chemin, le matelas lui échappa des mains et il put distinguer les cheveux en feu et la chemise de nuit flottant derrière elle. Elle allait s'écraser sur l'esplanade, tout près de lui. Les pompiers présents la repérèrent également et se dispersèrent dans l'affolement.

Quantrell regardait, hypnotisé. Les secondes lui paraissaient être des heures. Puis ses yeux se posèrent au niveau de la sculpture légère d'aluminium et de plexiglass, tout enrobée de glace mais encore illuminée, située devant l'immeuble. Il eut à peine le temps de se dire : « Pas là, pas là ! » et de tourner la tête : il y eut un bruit semblable à celui d'un millier de verres de cristal se brisant en même temps.

Il hurla à Kimbrough : « Prends ça ! » Les hommes hurlaient aussi sur l'esplanade. Deux pompiers de l'un des camions se précipitèrent avec une toile goudronnée. Kimbrough faisait déjà ronronner sa caméra ailleurs, et Quantrell se demanda s'il y aurait quelque chose d'utilisable dans la prise de vues ; sans doute rien de plus qu'un rapide balayage de la sculpture brisée et des deux pompiers accourant avec la couverture.

Quantrell lui-même, d'ailleurs, s'était senti bien incapable d'aller voir de plus près. Il saurait bien assez tôt qui avait été cette femme ; il pourrait sonoriser plus tard ce « reportage sur le vif ».

— Jan, tu as une cassette vierge ?

La jeune femme blonde qui était avec lui fouilla dans son équipement et lui en tendit une. Il chargea son magnétophone et commença à enregistrer son commentaire, tandis que des pompiers affairés galopaient devant lui. Une courte description de l'épaisse couche de glace qui recouvrait l'esplanade et le trottoir, avec la mince pellicule d'eau par-dessus ; les flocons de neige laineuse qui transformaient la scène tout entière en une carte de Noël mâtinée de Grand Guignol ; le vent, et l'âcre odeur de fumée dans le vent glacial ; et le tiers inférieur de la Tour de Verre engoncé dans un épais manteau de glace — un palais tout droit sorti d'un conte de fées. Et, bien sûr, les flammes et la fumée jaillissant des étages supérieurs...

Tout en dictant, il jetait de temps à autre un coup d'œil à Jan qui prenait ses propres notes. Calme, efficace, à peine plus de vingt ans, et une assistante hors pair. Si Sandy l'abandonnait, pensa-t-il, il aurait certainement moins de regrets qu'il ne l'avait cru. Comme journaliste, Jan pourrait faire des choses que Sandy ne pouvait pas faire. Sans doute un tas de choses que Sandy ne pouvait pas, ou ne voulait pas faire.

Kimbrough revint et Quantrell agrippa un jeune pompier qui passait devant lui en courant :

— Eh ! vieux, tu as une seconde ?

Le pompier marmonna :

— Vous vous croyez où ?

Il essaya d'esquiver, mais Quantrell lui barra la route.

— Pouvez-vous au moins nous dire votre nom ?

L'autre hésita, s'arrêta, puis dit avec répugnance :

— Jim Artaud.

Kimbrough se mit à filmer la scène à l'instant où Quantrell dictait rapidement au micro :

— Nous avons auprès de nous en ce moment le pompier Jim Artaud, sur l'esplanade du National Curtainwall Building embrasé. Jim, dites-moi, combien d'étages sont atteints par le feu maintenant?

Artaud paraissait mal à l'aise. Il réalisait trop tard qu'on l'avait piégé.

— J'ai affaire, protesta-t-il.

— Encore une minute, Jim, ajouta doucement Quantrell. Vous avez bien une petite minute?

— Bon. En ce moment, du 16e au 25e, les étages sont gravement touchés. Au 16e et au 17e, le feu a été pratiquement maîtrisé; il était circonscrit au 18e et au 21e, quand les explosions ont eu lieu. Après, ça a été l'enfer.

— Et le sommet, Jim?

— C'est du gaz qui brûle — du moins, ça l'était au départ. Les canalisations de gaz desservant les étages supérieurs se sont rompues après les explosions, et ça a tout relancé. Mais j'ignore la gravité de la situation maintenant.

— Quel est le plan du commandant Infantino pour combattre l'incendie du 64e étage?

Artaud regarda le journaliste comme s'il s'était agi d'un idiot.

— Écoutez, vieux, le système électrique est complètement bousillé, ce qui veut dire que les pompes de secours de l'immeuble ne fonctionnent plus. Il n'y a aucun moyen de combattre le feu. Absolument aucun. On ne peut pas faire monter de l'eau jusque là-haut.

Quantrell resta un moment bouche bée. Il n'avait pas pensé à cela. Il avait bien imaginé un travail difficile, qui aurait rendu son reportage encore plus passionnant. Mais il n'avait pas songé à cette impossibilité. Il prit soudain conscience de son silence, et interrogea vivement :

— Vous voulez dire que les feux, là-haut, ne seront pas contenus? interrogea-t-il vivement.

Artaud acquiesça.

— C'est ça. Jusqu'à ce qu'on invente une installation de fortune qui redonne du jus aux pompes. Écoutez, maintenant, j'ai vraiment affaire.

Il se détourna et partit en courant vers l'immeuble. Quantrell fit face à la caméra.

— Nous en sommes là pour le moment, Mesdames et Messieurs. Alors que la plus grande partie du corps des sapeurs-pompiers de la ville est engagée dans la bataille qui s'étend du 18e au 25e étage, le feu fait maintenant rage au sommet de la Tour de Verre, sans qu'il soit question de le combattre ou de le contenir. Je...

Il s'interrompit. Zimmerman, arrivé en courant, lui tendait un billet. Quantrell le lut et releva de nouveau la tête vers la caméra. Son visage était devenu grave.

— Chers téléspectateurs, comme nous vous l'avons appris dans notre bulletin d'il y a dix minutes, une explosion de vapeur sous pression a ranimé le feu des étages inférieurs, et allumé un nouvel incendie au sommet de la Tour. On vient de m'apprendre qu'elle a fait beaucoup plus. Elle a détruit la plus grande partie du mur sud du puits de service. Ce faisant, elle a touché les rails de guidage de la Cage de Verre par laquelle on procédait à l'évacuation du restaurant de l'étage panoramique. L'ascenseur, chargé de son dernier convoi de passagers, était en train de descendre, lorsque l'explosion se produisit. Il est actuellement bloqué, à peu près à la hauteur du 25e étage, et l'on ignore combien de personnes se trouvent à l'intérieur. On ignore également si elles ont été blessées par la déflagration. Nous poursuivrons toute la nuit ce reportage en direct du plus grand incendie de l'histoire de notre ville. Ici Jeffrey Quantrell, de la KYS. Veuillez rester à l'écoute.

Il se tourna vers Kimbrough et héla Zimmerman.

— Ça me suffit comme ça pour le moment. Kimbrough, prends quelques vues de l'ascenseur. Nous ferons le commentaire en voix off. Al, trouve un flic ou un pompier qui ait vu l'explosion depuis l'esplanade.

Et, comme Kimbrough s'éloignait :

— Et essaie aussi de prendre la face ouest ; ça fait ressembler l'immeuble à un sorbet.

Il observa un moment la Tour de Verre. Il fut tiré de sa rêverie par Jan.

— C'est un magnifique immeuble, n'est-ce pas ?

— C'était, corrigea-t-il.

— J'ai vu des images de l'énorme incendie de Sao Paulo au Brésil. Quarante étages en flammes. Une seule torche. Même les immeubles qui étaient de l'autre côté de la rue ne résistaient pas à la chaleur.

Il acquiesça :

— Je les ai vues aussi.

— Vous vous rendez compte, si la Tour... ?

Elle frissonna. Il fut soudain très circonspect :

— Je ne crois pas y avoir jamais songé.

Elle rit.

— Allons donc ! Ne me racontez pas d'histoires. C'est impossible de ne pas y penser.

Elle a raison, se dit-il. En imagination, il pouvait voir les soixante-dix étages de la Tour en flammes. Ce serait un spectacle effrayant, excitant, et, à sa manière, terriblement beau. Une partie de lui-même tiquait devant l'horreur, tandis que l'autre contemplait cela avec une fascination macabre.

— Qu'essayez-vous de me dire ?

Elle sortit sans beaucoup de chaleur :

— Que vous prenez cela trop à cœur.

— Et c'est mal ?

— Dans l'immédiat, non. Dans une semaine, oui.

— Il y a toujours des histoires à raconter, dit-il calmement. Il faut parfois creuser pour ça, mais il y en a toujours.

Elle le regarda avec curiosité, et il eut l'impression qu'elle l'étudiait comme on étudie une espèce en voie de disparition.

— Pas comme celle-ci. Y a-t-il quelque chose que vous désiriez que je fasse ?

— Allez parler à quelques-uns des locataires, dit-il sèchement. Réalisez quelques interviews au pied levé.

Il la regarda s'éloigner, l'œil attiré par le léger balancement de ses hanches. Il l'avait sous-estimée, pensa-t-il. Après tout, elle était une future concurrente. Et elle utiliserait ses atouts — tous — aussi froidement et impersonnellement que lui. Il songeait au futur et, pour autant qu'elle fût concernée, l'issue en était déjà décidée.

Il s'en alla en vérifiant son magnétophone. Infantino n'aurait certainement aucune envie de parler, mais il devait exister des moyens de l'y contraindre. Quelques attaques judicieuses, et Infantino exploserait. Un petit peu de rédaction — bon... c'est bien intéressant ce que vous pouvez arriver à faire avec une bande magnétique et un collage... Il n'avait aucunement l'intention de déformer les idées d'Infantino ; seulement de les rehausser dramatiquement en enlevant les redondances et les détails techniques. C'était une ligne de conduite un peu brutale, mais l'information est avant tout dramatique, un fait que Quantrell avait appris depuis longtemps déjà. Il trouva Infantino près du camion radio, en conversation avec un autre homme. Parvenu plus près, il reconnut Will Shevelson. Que diable pouvait-il bien faire là ? Encore qu'il aurait difficilement pu ne pas y être... Quantrell releva le col de fourrure de son manteau sur ses oreilles et frissonna sous le coup d'une rafale d'air glacial très brusque, s'engouffrant dans la rue. Il n'avait guère envie d'affronter les deux hommes en même temps ; ils avaient déjà dû échanger leurs informations et l'élire Salopard de l'Année. Il chercha à la hâte Kimbrough du regard et l'aperçut enfin à l'abri des camions de pompiers, en train de recharger son appareil avant de filmer l'ascenseur. L'ascenseur pouvait attendre ; il ne risquait pas de s'en aller. Il attira l'attention de Kimbrough et lui montra le camion radio. Kimbrough fit signe qu'il avait compris.

Les politesses n'auraient servi à rien ; chacun d'eux s'en fichait pas mal. Il devait s'imposer, poser ses questions, obtenir des réponses, et partir aussitôt.

— J'ai cru comprendre qu'il était impossible de combattre l'incendie des étages supérieurs, lança-t-il à Infantino.

— Ce n'est pas moi qui vous l'ai dit, répondit abruptement celui-ci.

— Mais vous le confirmez, ou pas ?

— Je n'ai pas à faire ce genre de choix. Notre service rédige des communiqués de presse après les incendies, pas pendant.

— A votre avis, est-ce l'œuvre d'un incendiaire ?

— Je n'ai pas d'opinion à donner. Je n'ai strictement rien à dire.

Il désigna le cameraman :

— Dites à votre type de filer ou je lui fais débarrasser le plancher. Il est en plein sur le chemin des équipes qui vont au feu.

Quantrell jeta rapidement un coup d'œil alentour :

— Je ne vois personne.

— Je croyais qu'un reporter devait savoir se servir de ses yeux. Moi, je les vois venir dans moins d'une minute. Bon, maintenant, ça suffit.

Kimbrough tournait autour sur la gauche d'Infantino, cadrant mieux Quantrell et moins bien le commandant.

— La station-service qui se trouve dans le garage enfreignait-elle les règles de sécurité ?

Quantrell s'obstinait. Qu'Infantino le vire, ce serait du grandiose. Et il savait qu'Infantino le savait aussi. Il continua :

— Ou bien votre service l'avait-il approuvée ?

— Je n'ai rien à dire là-dessus. Ce que je pourrais raconter influerait sur les négociations futures entre le propriétaire et la compagnie d'assurances.

— Et les blessés, jusqu'à présent ?

— Rien à dire avant que les familles soient averties.

— Je crois pourtant que le public serait intéressé de savoir combien de personnes ont été blessées ou sont mortes, à l'heure qu'il est.

Quantrell ne cherchait pas à cacher son irritation. Infantino eut un sourire froid :

— Je crois que le public prendrait très mal le fait que je donne des interviews maintenant, dit-il en tournant le dos.

« Ce salopard apprend vite », pensa Quantrell. Il se rabattit sur Shevelson.

— Comment ressentez-vous le fait que vos prédictions sur la Tour de Verre se voient aujourd'hui confirmées, Mr Shevelson ?

— Bouclez-la, voulez-vous, Quantrell ?

Il lui fallut faire un gros effort, mais la voix de Quantrell resta parfaitement calme :

— J'aurais pourtant cru que vous seriez heureux d'assister à une démonstration aussi parfaite de vos accusations contre la non-observation par Leroux des règles élémentaires de la construction. Je ne sous-entends pas, bien sûr — ajouta-t-il hâtivement — que vous ressentiez actuellement autre chose que de la consternation devant les blessés et les morts.

— Il y a un autre blessé, dit Shevelson brutalement.

C'est la Tour elle-même. J'ai aidé à la construire ; elle est aussi à moi, avec tous ses défauts. Je suis désolé, mais ça ne me fait pas particulièrement plaisir de la voir partir en fumée.

Quantrell fit signe à Kimbrough et tourna le micro vers Shevelson.

— Avez-vous d'autres commentaires à faire?

Shevelson ôta le cigare de sa bouche et regarda pensivement Quantrell :

— Oui, dit-il d'une voix douce. Je vous pisse au cul.

Il jeta son cigare qui grésilla un instant sur la glace.

— Le commandant vous a dit de dégager, je crois. Si vous avez besoin d'aide pour cela, je serais heureux d'y mettre la main.

Quantrell rejoignit Kimbrough et, s'éloignant :

— C'est vous qui m'avez appelé, Shevelson, et pas moi. C'était vous qui désiriez vider votre sac. Vous vouliez une revanche et je vous l'ai offerte, parce que c'était dans l'intérêt du public. Je sais que vous avez plus à dire, mais vous le direz devant les tribunaux. Leroux sera l'accusé numéro un et vous êtes tout désigné pour être le témoin numéro un de l'accusation. Ou vous le deviendrez, quand j'aurai dit aux autorités que vous étiez ma source de renseignements.

Shevelson cracha sur le sol, à moitié sur les chaussures de Quantrell.

— Foutez-moi le camp d'ici, mec. Et je me fous éperdument que vous passiez ça à la télé ou pas.

Il fit un pas menaçant en avant. Quantrell s'éloigna, Kimbrough sur ses talons. Il n'était pas question d'utiliser l'atmosphère électrique dont l'air était chargé ; cela ne ferait que corroborer les accusations de vendetta portées par Clairmont.

Il alluma négligemment une cigarette et contempla le ciel enneigé. Son regard fit le tour de l'esplanade illuminée et s'arrêta un moment sur la sculpture d'aluminium et de plexiglas effondrée. Une bâche avait été jetée sur son pied éclaté et la neige, à ses extrémités, était légèrement teintée de rose. « Au-dessus de ton sommeil profond et sans rêve, les étoiles silencieuses passent... »

Pauvre femme, pensa-t-il soudain. Pauvre créature désespérée. Il se demanda qui elle avait bien pu être.

43

Douglas ne s'attendait absolument pas à ce qui se produisit. Les lumières dans les escaliers s'éteignirent immédiatement après le premier choc. Il y avait eu deux explosions quelques étages plus bas, puis une autre plus sourde un peu au-dessus d'eux. C'est la dernière qui l'inquiéta le plus. Il avait espéré pouvoir atteindre l'étage panoramique et, de là, prendre un ascenseur pour redescendre ; ou bien alors attendre simplement que les pompiers aient circonscrit le feu des étages inférieurs.

Les explosions mirent fin à ses espoirs et, avec l'obscurité soudaine, la peur revint à nouveau. D'abord, Albina avair été terrifiée ; maintenant, elle avait renoncé. De toute évidence, elle n'espérait plus survivre à la nuit et s'y était résignée. Jésus, lui, avait immédiatement perdu tout contrôle de lui-même, et Douglas avait dû le gifler pour lui faire reprendre conscience. Après cela, la mère et le fils l'avaient suivi en silence dans sa remontée des sombres escaliers. L'unique lumière provenait des fenêtres de paliers. Albina avait de plus en plus besoin d'aide, et des pauses devinrent plus fréquentes. Il n'y avait que très peu de fumée à cette hauteur.

Douglas se trouvait maintenant à mi-chemin du palier du 60e étage. Il se retourna pour attendre Albina, qui se hissait péniblement d'une marche à l'autre, une main sur la rampe et l'autre sur l'épaule de Jésus. Elle s'arrêta pour se reposer ; elle et Jésus respiraient lourdement.

— Allez, allez, appela Douglas avec impatience. Vous avez besoin d'aide?

— Va au diable, mec! On y arrivera.

Jésus semblait exténué et Douglas se sentit désolé pour lui. Par orgueil, il avait endossé la responsabilité d'aider sa mère à monter. Il s'était ensuite obstiné à le faire, avec courage et acharnement ; Douglas pensait cependant qu'une bonne part de cet effort venait de sa manière de le houspiller et de lui faire honte. Maintenant, le pauvre gosse tremblait de fatigue.

Douglas redescendit quelques marches et tendit la main.

— Là, Albina, accrochez-vous.

Jésus fit mine d'écarter la main tendue et haussa les épaules, tandis qu'Albina agrippait les doigts de Douglas. Elle monta les dernières marches, soutenue par les deux hommes.

— C'est encore loin? demanda Jésus, presque vert sous la lumière diffuse.

— Encore un étage et nous atteindrons la galerie du Panoramic. Nous devrions pouvoir y pénétrer.

L'escalier était ouvert au départ et à l'arrivée, et pour autant qu'il s'en souvienne, il devait déboucher sur ladite galerie. Ils atteindraient l'étage panoramique par quelques nouvelles marches reliant exclusivement la galerie au restaurant.

Jésus hocha la tête, puis la leva soudain vers Douglas, les traits crispés de colère :

— Espèce de fils de pute!

Douglas devint écarlate :

— Qu'est-ce qui te prend?

— L'électricité, mec. Toutes les lumières se sont éteintes quand nous avons entendu les explosions, c'est bien ça, non? Nous aurions dû essayer de passer les portes à ce moment-là, parce que maintenant les verrouillages aussi doivent être débranchés!

Douglas accusa le coup et se tourna vers la porte derrière lui. Soixante-quatre. La salle des machines juste au-dessous de la galerie du Panoramic. Il toucha la poignée et fit un bond en arrière.

— Pas celle-ci en tout cas, dit-il sardoniquement. On repart vers la galerie du Panoramic.

Jésus renâcla.

— Pas moi, mec. Je me tire maintenant. Je ne vais pas monter une putain de marche de plus si cela doit me tuer.

— Allez, avance, dit Douglas sèchement. Nous sommes en danger ici.

Comme Jésus s'approchait de la porte, Douglas lui attrapa le bras et le tira en arrière.

— Vas-y. Touche-la. Mais sans essayer d'ouvrir. Okay?

Jésus parut contrarié, tendit la main pour toucher la poignée, puis la retira précipitamment.

— Très bien, dit Douglas. On monte. Et vite.

Ils attrapèrent Albina et moitié tirant, moitié portant, entreprirent de lui faire monter les marches. Comme ils atteignaient le palier suivant, une explosion feutrée retentit derrière eux. La porte qu'ils avaient essayé d'ouvrir fut projetée dans l'escalier, suivie d'une tornade de flammes et d'air chaud. Douglas s'y était attendu à cause de la chaleur de la poignée et d'une légère odeur de gaz. Il y avait sans doute eu, très près, une explosion de gaz, celle qu'ils avaient entendue au-dessus d'eux. Une autre poche de gaz s'était probablement concentrée près de la porte.

Ce qui signifiait qu'ils avaient mis quarante étages entre le feu et eux... pour le retrouver les attendant ici.

— Allez, dit-il, luttant pour rester calme, plus qu'un étage.

Il se rendit compte que sa voix tremblait et souhaita vivement que Jésus ne s'en aperçoive pas.

Celui-ci secouait la tête, l'air accablé :

— A quoi ça servira, mec? Je suis crevé. Avoir grimpé tout ça pour retrouver ce foutu feu au-dessus de nous...

Il semblait proche des larmes. Douglas examina son visage à la lumière d'une des fenêtres du palier. Auparavant, il paraissait avoir dix-huit ans. Maintenant, on voyait bien qu'il n'avait pas plus de quinze, seize ans. Sa dureté s'était envolée avec sa fatigue et sa défaite. « Ce n'est qu'un enfant, se dit Douglas. On vieillit vite dans la rue... »

— Et que vas-tu faire? demanda-t-il. T'asseoir ici et attendre d'être cerné par le feu? Sans issue, ni vers le haut ni vers le bas? Tu bougeras vite à ce moment-là, mais ça ne te servira plus à grand-chose. Alors, viens aider ta mère. On y est presque.

— Très bien, mec. Très bien. On y est presque. Mais presque où?

Jésus se releva et agrippa Albina par le bras.

— Viens, maman, encore un étage.

Ils montèrent en chancelant jusqu'à la porte peinte en rouge. Douglas tourna la poignée et ouvrit la porte sans difficulté. Un instant plus tard, ils étaient dans la galerie du Panoramic. Elle était en forme de U, entourant les deux côtés du puits de service ainsi qu'une pièce large et totalement vitrée, en son milieu. Douglas n'y avait jamais pénétré, mais il savait qu'il devait exister quelque part une porte donnant sur l'escalier intérieur qui menait à l'étage panoramique.

Il était déjà venu, par contre, dans la galerie, quand elle était toute bruyante de parents et de leurs gosses, scrutant la ville par les télescopes à sous ou achetant des cartes postales au petit kiosque à souvenirs. Maintenant, ils y étaient seuls, perdus dans l'obscurité et le silence, avec la neige tourbillonnant derrière les gigantesques baies vitrées qui partaient du sol.

Jésus repéra la porte donnant sur la grande pièce centrale et ils s'y engouffrèrent. A l'intérieur se trouvaient les énormes réservoirs d'eau qui desservaient le système d'arrosage de l'aire commerciale du dessous, avec sa colonne d'alimentation toute humide ; il y avait également les réservoirs de Fréon pour le reconditionnement d'air. Ces derniers étaient situés directement sous l'auvent qui occupait une partie du toit, séparés de l'étage panoramique par de petits jardins.

L'escalier métallique qui y menait était à l'autre bout. Douglas se dirigeait vers lui, quand il dut soudain s'appuyer à la paroi du réservoir d'eau. Il se sentit à la fois nauséeux et pris de vertige et l'escalier lui parut soudain s'éloigner à des kilomètres. Il n'avait pas réalisé à quel point il était éreinté, ni ce qu'il avait exigé de son corps. La montée elle-même et l'énergie qu'il lui avait fallu déployer pour maintenir Albina et Jésus à flot l'avaient complètement vidé. Maintenant qu'ils étaient quasiment arrivés, il se sentait au bord de l'évanouissement. « Je me fais vieux, pensa-t-il, et je deviens trop gros. » Ses genoux se mirent à trembler et, pour la première fois, il douta sérieusement de pouvoir continuer.

— Fatigué, mec?

Jésus le contemplait, et il y avait une légère trace de moquerie dans sa voix. C'était un jeune, se dit-il, et les jeunes trouvent toujours un second souffle. A son tour, maintenant, de l'asticoter. Il s'efforça d'arrêter le tremblement de ses genoux et se redressa.

— Oui. Mais je peux aller jusqu'à l'escalier. Tu vas devoir aider ta mère, je ne crois pas pouvoir y arriver.

C'était au tour de Jésus maintenant. Lui était désormais hors de course. Il se traîna vers les marches, rassemblant ses dernières forces. La galerie prenait un étage et demi en hauteur et l'escalier était coupé par un palier. Douglas souhaitait y faire une pause, mais Jésus secoua la tête.

— Ça suffit, mec, ou vous n'y arriverez pas. Vous êtes trop lourd pour que je vous porte. — Il tendit le cou. — En plus, la porte, là-haut, est ouverte. Encore une minute et vous pourrez vous asseoir. Ça sera bien, non?

Et comment! se dit Douglas ; c'était justement ça qu'il lui fallait. Il s'accrocha à la rampe et se traîna marche après marche. Ses genoux le lâchèrent à nouveau et les muscles de ses cuisses passèrent de la contraction pénible à la douleur ouverte. Enfin, la porte passée, ils se retrouvèrent dans une pièce couverte de moquette. A droite, à travers les rideaux, il pouvait voir des gens. Il serra les dents et suivit Jésus et Albina.

La salle à manger, autrefois si élégante avec ses lumières tamisées et le murmure des clients, était presque déserte. Des mets à demi consommés couvraient encore les tables et le passage conduisant à la cuisine étaient encombré de plats sales. Des serviettes froissées, des bouteilles de vin à moitié vides, de l'argenterie dispersée et des roses fanées étaient éparpillées sur les tables. L'unique éclairage de la pièce provenait des bougies encore allumées sur chacune d'elles.

Un groupe d'individus, pour la plupart en habits de soirée, s'entassait tout au bout de la pièce. Des locataires, se dit Douglas. Ils avaient dû monter ici par les ascenseurs résidentiels ou par les escaliers, comme il l'avait fait lui-même avec les Obligado. Il reconnut certains d'entre eux. Un vieil homme, Harlee Claiborne. Il avait fait décorer son appartement par Décoration d'Intérieurs. Un homme aimable, mais ça avait été sa seule qualité : son premier chèque était « en bois ».

Douglas chercha des yeux, trouva une chaise à proximité et s'y écroula. Jésus et Albina en avaient déjà fait autant. Douglas étira ses jambes et les massa légèrement un instant, puis reporta son attention sur le groupe de gens. Leur chef était Quinn Reynolds, l'hôtesse, de toute évidence. Il l'avait connue au cours de nombreux dîners d'affaires qu'il avait faits à l'étage panoramique. Elle le reconnut et courut vers lui, se préoccupant en premier lieu d'Albina, qui avait fermé les yeux et qui semblait avoir des difficultés à respirer.

— Comment va-t-elle ?

— Elle est surtout à bout de forces, répondit Douglas. Peut-être aussi s'est-elle foulé la cheville.

Il lui raconta ce qui leur était arrivé.

— Vous avez grimpé tous ces escaliers ?

Quinn le regardait avec stupéfaction. Il opina. Elle se tourna vivement vers la table derrière elle, emplit plusieurs verres de vin et en tendit un à chacun d'entre eux. Albina but goulûment le sien, s'étranglant au passage, mais repoussa Quinn quand celle-ci voulut lui reprendre le verre des mains.

— Merci. Merci beaucoup.

— Mademoiselle Reynolds ! appela quelqu'un.

Douglas et Quinn se retournèrent. Près d'eux, un vieil homme tenait une petite fille dans les bras. Elle pleurait et toussait, d'une toux profonde et rauque.

— Excusez-moi.

Quinn disparut avec eux dans la cuisine et revint un instant plus tard.

— Nous avons une armoire à pharmacie de premier secours dans la cuisine, pour les convives qui ont un malaise...

Son visage était tendu. Elle semblait inquiète.

— ... Malheureusement, nous n'avons pas grand-chose contre les intoxications dues à la fumée.

Douglas avait inspecté la pièce des yeux, et une idée terrifiante se frayait peu à peu un chemin dans sa tête.

— Mademoiselle Reynolds, comment se fait-il que vous soyez tous ici ? Pourquoi n'êtes-vous pas partis ?

Quinn parut surprise, puis dit :

— C'est vrai que vous n'aviez aucun moyen de savoir. Les explosions ont bousillé la Cage de Verre et le système électrique qui commandait les ascenseurs résidentiels. La meilleure chose à faire, probablement, c'est d'attendre ici que les pompiers aient vaincu le feu en bas.

Elle hésita.

— Je suppose que nous pourrions reprendre le chemin par lequel vous êtes parvenus ici. Les escaliers. Ce sera beaucoup plus facile de les descendre.

— Mais c'est impossible, dit lentement Douglas. Pas possible non plus...

Quinn avait relevé l'intonation de sa voix et elle pâlit.

— J'ai peur de ne pas comprendre...

Douglas répéta :

— Vous ne pouvez plus. Ni l'un ni l'autre. Même si les escaliers n'étaient pas noyés de fumée, je doute que vous puissiez y accéder maintenant. Et vous ne pouvez pas rester ici, non plus.

— Je ne comprends toujours pas. Pourquoi pas ?

— Le feu..., répondit Douglas, sentant la fatigue le submerger à nouveau. Il est à l'étage des machines, deux étages au-dessous de nous. Et il s'étend.

44

La montée au 16e étage était plus dure et plus longue que Fuchs ne l'avait imaginé. Une odeur de métal surchauffé et de bois brûlé emplissait l'air et les marches de béton étaient rendues glissantes par l'eau. La plus grande confusion régnait dans la cage d'escalier. Les hommes, chargés de leurs lourdes manches à eau, le bousculaient dans l'étroit passage à peine éclairé. Dans la pénombre, personne ne faisait attention à son grade. Il dut à un moment s'écarter pour laisser la place à deux hommes, soutenant un de leurs camarades. Le visage de celui du milieu avait une rougeur de betterave qui apprit à Fuchs ce qu'il voulait savoir. L'homme avait dû être atteint par l'explosion de la vapeur et Fuchs se demanda quelle devait être la gravité de ses blessures. Une seule chose était sûre : il lui faudrait des années de visites chez le chirurgien esthétique avant de retrouver un visage.

Il refusa de se laisser aller à de sombres pensées, mais dans un recoin de son esprit se cachait l'idée que Mark était peut-être dans le même état. Ou pire.

Il parvint enfin au palier du 16e étage et regarda fébrilement autour de lui. Juste à l'entrée du couloir rempli de fumée, le capitaine Miller distribuait ses instructions à une équipe de porte-lance prête à intervenir. Fuchs attendit qu'il ait terminé, puis s'approcha. Miller le reconnut.

— Désolé pour Mark, mon colonel. Nous avons envoyé une équipe de secours à sa recherche, mais c'est très dur de passer.

— Où a eu lieu l'accident?

— Le dernier couloir latéral, près du puits de service. Nous pensons que l'explosion l'a projeté quelque part en dessous.

— Je crois que je vais aller jeter un coup d'œil, dit calmement Fuchs.

Miller se jeta brutalement en travers de sa route.

— C'est de la folie, mon colonel! et vous le savez. Vous êtes le chef de service, et plus que tout autre, vous ne devez pas laisser vos émotions prendre le dessus. Vous ne pouvez rien de plus que ce qui est tenté actuellement. Si vous ne valiez pas plus qu'un servant, vous en seriez un. Votre place n'est pas ici.

— Beau discours, répliqua Fuchs, merci! Tant que dure ce feu, c'est le commandant Infantino qui tient les rênes, vous le savez parfaitement. Je ne suis d'aucune utilité à regarder par-dessus son épaule.

Miller hésita.

— S'il s'agissait de mon fils, surtout sans personne pour m'accompagner, vous me laisseriez passer?

Fuchs secoua la tête.

— Non, mais si vous étiez à ma place et que ce soit votre fils vous passeriez quand même.

Malgré les protestations de Miller, il s'enfonça à grands pas dans le couloir enfumé. Il alluma presque aussitôt sa lampe, mais elle n'arrivait pratiquement pas à percer le lourd rideau de fumée. Il avait emporté un masque respiratoire, un de ces nouveaux modèles à commande réglable, qui fournit tout l'air nécessaire même dans les pires conditions. Il mit le masque, ajusta le réservoir sur son dos et reprit sa progression dans le couloir noirci, en direction du feu. Il ne s'arrêta qu'une seule fois, quand le double plafond s'écrasa au sol, devant lui, dans une gerbe d'étincelles. La fumée s'épaississait et il y voyait de moins en moins. Au détour d'un couloir, il aperçut les flammes à quelque dix mètres devant lui. Une équipe de renforts arrosait le groupe de tête qui, lance en main, combattait l'incendie. La fumée ondoyait dans le couloir et s'engouffrait dans la cheminée naturelle de la cage d'ascenseur à sa gauche.

Le corridor se terminait en cul-de-sac et il se vit contraint de revenir sur ses pas. Qu'avait dit Miller? Le dernier couloir latéral. Il parcourut plusieurs mètres, découvrit ce qu'il cherchait et s'enfonça dans l'obscurité, essayant de ne pas trébucher sur les débris qui jonchaient le sol. Ici, la fumée était encore plus épaisse que dans le couloir principal et la visibilité quasi nulle. L'endroit semblait désert et il sentait presque la fumée se refermer derrière lui, le cachant à qui se serait trouvé dans l'artère principale.

Le masque se faisait brûlant sur son visage. Cette curieuse sensation de manquer d'air... La fumée pénétrait par la valve de sortie! Il chercha la valve principale. Commande réglable, mon cul! pensa-t-il. Il toucha alors le masque lui-même — la valve de sortie ne fonctionnait pas correctement. Il entendit claquer le caoutchouc ; la valve se tendait sous la pression de l'air exhalé, mais elle ne s'ouvrait pas. Au contraire, la pression montait sous le masque et l'air s'échappait par la fermeture « étanche » sur les côtés : il lutta un moment, mais en vain.

« Pas de panique! pensa-t-il froidement. Tu as déjà vécu des situations similaires auparavant. Retiens ton souffle et enlève cette saloperie! Tout de suite. Tu as entre 30 et 60 secondes pour ouvrir la valve. » Il força par à-coups sur le dispositif, son souffle retenu gonflant ses poumons. Autrefois, il pouvait retenir sa respiration pendant plusieurs minutes. Mais c'était autrefois. Il se sentit pris de panique ; il commençait à entendre des carillons sonner dans ses oreilles. Le masque était foutu. Il fallait revenir au couloir principal, à toute allure. Il fit demi-tour, mais trébucha sur un morceau de maçonnerie et tomba en avant. Il amortit la chute avec les bras, mais l'effort chassa l'air de ses poumons. Inconsciemment, il inspira...

Un instant plus tard, ses poumons étaient remplis d'une épaisse fumée huileuse. Il toussa et en avala encore plus, tentant désespérément de retenir son souffle. Trop tard : une toux convulsive s'était emparée de lui et il avala une nouvelle bolée de l'air épais et résineux ; cet air contenait trop peu d'oxygène et beaucoup trop d'oxyde de carbone. Il se remit sur ses pieds, toussant toujours, fit un pas... et se sentit soudain trop faible pour continuer..

C'était trop pour lui ; il était vieux et fatigué. Il aurait dû écouter Miller. Juste avant de sombrer dans l'inconscience, il eut encore le temps de penser que c'était une stupide façon de mourir.

45

Une douzaine de lampes de secours avaient été installées aux quatre coins du hall et Barton pouvait maintenant s'y frayer un chemin sans se prendre les pieds dans des toiles de bâches ou se cogner dans des meubles. Donaldson était en train de mettre en place un générateur de fortune. S'il y réussissait, ils pourraient commencer à envoyer de la lumière aux pompiers dans les escaliers. Depuis l'explosion, la plupart des locataires avaient émigré dans les hôtels voisins, et le hall prenait de plus en plus l'allure d'un bateau dégréé.

— Mr Barton?

Garfunkel revenait d'une inspection du garage.

— Comment ça va en bas, Dan?

— C'est vide, maintenant. Les réservoirs ont été vidangés et toutes les voitures enlevées. Par ailleurs, Joe aimerait bien pouvoir rentrer. Il dit qu'il se les gèle.

Barton acquiesça.

— Dites-lui qu'il peut partir. Et remerciez-le. Je veillerai à ce que Leroux le fasse de façon plus substantielle.

— Ça lui sera certainement bien utile, mais je crois qu'il sera beaucoup plus touché par des remerciements venant de vous.

— Allez voir ce que Donaldson fabrique avec son générateur, s'il vous plaît, Dan. Et s'il reste encore un peu de café au restaurant, apportez-m'en une tasse. Je me fous qu'il soit chaud ou pas.

Garfunkel disparu, Barton retourna à ses plans. Ses yeux les regardaient, mais il ne les voyait pas. Shevelson était redescendu et Barton se tenait près de lui quand Infantino réapparut.

Barton leva la tête.

— Mauvais?

— Du 16e au 18e, tout est calciné, du 19e au 25e, ça brûle ; et l'on aura du mal à y monter. J'ai demandé au poste de Southport de nous expédier tous les hommes et le matériel possible, y compris des explosifs.

— Une idée sur la manière de les utiliser?

Infantino haussa les épaules.

— Pas vraiment ; mais si nous en avons besoin, nous les aurons au moins sous la main.

— Et le feu à l'étage des machines du 64ᵉ? demanda Barton. Il n'y a pas moyen de l'atteindre, hein? Il faut attendre ici et laisser brûler, non?

Infantino sembla tout à coup complètement épuisé.

— Faux, Craig! Southport nous envoie une pompe Seagrave, un véritable monstre. Ce nouveau modèle lâche plus de 5 600 litres à la minute à plus de 30 kilos de pression au cm^2.

Il jeta un coup d'œil sur le hall et aperçut un groupe de pompiers s'engageant dans la cage d'escalier.

— J'ai déjà commencé à envoyer des porte-lance là-haut, de façon que les raccordements se fassent dès que la pompe arrivera. En attendant...

Il haussa les épaules.

— On a découvert de nouvelles victimes.

Infantino se raidit.

— Lencho, un stagiaire. Le gars à l'air de chien battu à qui vous vous en êtes pris très souvent. Je le connaissais assez bien. La première explosion l'a tué sur le coup.

— Et le fils Fuchs?

— On n'a pas retrouvé son corps. Tout espoir n'est pas encore perdu. Je me fais plus de souci pour Fuchs lui-même. Miller m'a dit qu'il est monté au 16ᵉ à la recherche de son fils, et que personne ne l'a revu, depuis. D'ici cinq à dix minutes, il n'aura plus assez d'air pour survivre.

Barton était sur le point de poser une autre question quand retentit le tonnerre lointain d'une sourde explosion. Infantino poussa un juron et se précipita au P.C. des communications du bureau de tabac. Il revint quelques minutes plus tard.

— Une autre explosion de gaz au 64ᵉ. Le feu monte réellement, maintenant. — Un des porte-lance était presque parvenu à cette hauteur. Et nous a communiqué par talkie-walkie que l'escalier est quasiment bloqué par les débris de l'explosion. Ça ne va pas être facile d'y envoyer des hommes...

Il hésita.

« Le Panoramic n'est qu'à deux étages au-dessus, calcula Barton, et il faudra pas mal de temps encore pour que la « Seagrave » soit en état de fonctionner. Les gens du Panoramic sont directement menacés. Et si Jenny n'est pas dans l'ascenseur, elle se trouve forcément là-haut. »

Shevelson remontait, une tasse de café à la main pour Barton.

— Avec les compliments du chef de la sécurité. Il l'a réchauffé avec son briquet.

Et s'adressant à Infantino :

— Je ne savais pas que vous étiez là, Commandant, sinon je vous en aurais apporté une.

Infantino hocha la tête.

— Merci quand même.

Il se tourna vers Barton.

— Pouvons-nous récupérer Donaldson ? Il doit savoir ce qui peut alimenter le feu dans les étages situés juste au-dessous de la salle des machines, non ?

Shevelson le coupa.

— Moi, je le sais.

Il haussa les épaules en réponse au coup d'œil interrogateur de Barton.

— J'ai toujours gardé le contact, Barton. J'étais curieux de voir comment ils s'en tireraient, et j'ai des tas d'amis dans le métier ; ils m'ont tenu au courant. — Il farfouilla dans les plans jusqu'à ce qu'il ait trouvé celui des étages supérieurs. — Il y a cinq étages d'appartements non terminés...

— Infantino ?

Quantrell se tenait derrière eux, sans son cameraman.

— Je vous ai dit de ne pas vous foutre dans les pattes des équipes de travail, répondit sèchement Infantino. Et veuillez considérer que nous en faisons partie.

Quantrell ignora l'agressivité. Toute trace d'ironie avait disparu de son visage.

— Notre hélicoptère de reportage s'est approché à plusieurs reprises du Panoramic. Le pilote dit qu'il s'y trouve au moins une vingtaine de personnes, mais il ne peut pas être plus précis à cause du très faible éclairage : ils n'ont que des bougies.

Il jeta un coup d'œil à Barton, marqua une pause et reprit :

— Il a pu aussi s'approcher de l'ascenseur extérieur. Il jure ses grands dieux l'avoir vu descendre de plusieurs mètres pendant le court laps de temps de son passage. Il pense que les freins de secours sont en train de lâcher.

Ce fut Barton qui dit « Merci », d'une voix molle, au moment où Quantrell s'éloignait. Infantino lui toucha l'épaule, puis se tourna vers Shevelson.

— Cinq étages d'appartements non terminés, reprit-il. Ça signifie ?

Shevelson entreprit de dresser le tableau de l'état des lieux : tuiles, bois de charpente, feuilles de contreplaqué, pots de peinture et de vernis, pots de cire, de colle, planches, rouleaux de moquette et de papier peint, cartons d'accessoires de cuisine, protégés par des copeaux, et ainsi de suite. Barton saisit le regard d'Infantino : les étages étaient une vraie boîte d'amadou.

— Une fois que l'incendie aura pris, termina calmement Shevelson, je ne crois pas que vous pourrez l'arrêter.

Le silence accueillant cette nouvelle se prolongea un long moment. Infantino, l'air de tendre l'oreille à quelque bruit lointain, imposa de la main de le poursuivre, au moment même où Barton allait prendre la parole. Et ils entendirent effectivement : un faible martèlement en provenance des portes d'ascenseur, beaucoup trop régulier pour être causé par des chutes de débris.

Infantino hurla, à l'intention des hommes de la station de communications.

— Envoyez-moi deux hommes avec des leviers!

Dès qu'ils l'eurent rejoint, il entraîna les deux pompiers vers les portes, s'arrêtant devant chacune d'elles jusqu'à ce qu'ils aient localisé l'origine du bruit. Barton et Shevelson le rejoignirent au moment où ils introduisaient les leviers et commençaient à peser dessus. Pendant un court instant, ils ne purent distinguer que les faibles lueurs des débris enflammés flambant dans le puits. Puis Barton dénicha une lampe et l'approcha. Trois hommes étaient suspendus à un câble dans le vide, à 1,50 m de la porte. L'un d'eux tenait encore en main le crochet de démolition avec lequel il avait donné l'alerte. Infantino attrapa le bout du filin et le tira doucement à lui. Les pompiers saisirent les mains des rescapés et les malheureux purent enfin prendre pied dans le hall.

Les trois hommes s'effondrèrent sur les bâches et l'un d'eux se mit à vomir. Les deux autres se pelotonnèrent sur le sol, le visage livide et marqué par l'épreuve. Barton jeta un coup d'œil à leurs mains, et faillit quitter la place : leurs paumes étaient complètement brûlées et sanguinolentes.

— Qu'est-ce qui est arrivé?

La question venait d'Infantino.

Le plus jeune fut le premier à pouvoir parler. Il était hagard.

— On était quatre, bloqués dans un ascenseur à la hauteur du 18e. Les câbles étaient notre seule issue.

— Vous étiez quatre. Qu'est-il arrivé au quatrième?

— C'était Ron Gilman, dit le jeune homme. — Sa voix se brisa. — Il n'a pas pu s'assurer une bonne prise et il n'a pas tenu. Il avait voulu absolument descendre le dernier. Quand il s'est senti glisser, il a sauté de côté pour ne pas nous entraîner au passage...

Les larmes coulaient maintenant sur son visage, mêlées à la graisse, à la suie et à la morve de son nez.

— ... Il m'a fait descendre le premier, en prétendant que c'était parce qu'il avait peur que *je* glisse, Seigneur!

Il craqua alors complètement et fut pris de sanglots convulsifs.

46

La Cage de Verre était parvenue à mi-course quand la déflagration arracha le mur au-dessous d'elle. Pendant une terrible seconde, la cabine se cabra, puis plongea. Le grincement du métal contre le métal retentit lugubrement, et soudain, l'arrêt brutal secoua les occupants. Les lumières du toit s'éteignirent et Jenny Barton se retrouva dans une demi-obscurité, cernée par les passagers hystériques de la cabine.

— Qu'est-ce qui se passe? Qu'est-ce qui se passe? hurlait quelqu'un.

Les cris et les hurlements se répondaient, avec, très proche, un bruit de sanglots. Dominant cette ambiance de folie, le mugissement de Wyndom Leroux prodiguait des apaisements incompréhensibles.

« Mon Dieu, pensa Jenny, nous allons nous écraser! » Elle tomba à genoux, l'estomac noué par la peur, incapable de respirer. Sous elle, le plancher trembla ; la cage sembla glisser sur quelques dizaines de centimètres avant de s'immobiliser. Le plancher était-il réellement incliné, ou n'était-ce qu'un effet de son imagination ? Non, il était vraiment légèrement en pente.

Leroux tenta de nouveau de couvrir le brouhaha des cris et des pleurs.

— Écoutez-moi, écoutez-moi, tous ! pas de panique ! nous sommes sains et saufs !

— Qu'est-ce qui est arrivé ? demanda de nouveau une voix d'homme.

— Une explosion, en dessous de nous. Elle a plié les rails vers l'extérieur. Que nous soyons bloqués par eux ou par les freins de secours, nous sommes hors de danger.

— Hors de danger ?

La voix de l'homme reflétait l'incrédulité. En levant la tête, Jenny pouvait voir sa silhouette se découper sur le mur de verre de la cabine. Elle se souvint de lui. Dans le restaurant, c'était le gros qui buvait trop et dont le timbre sonore avait attiré l'attention de tout le monde.

— Hors de danger ! et que se passera-t-il quand les freins lâcheront, Monsieur ?

Le dialogue avait au moins l'avantage de ramener le calme dans la cabine, en captant l'attention des occupants.

— Si les freins lâchent, rien ne se produira ; parce que les câbles nous soutiendront. Il y en a six, et chacun d'eux est largement assez solide. Le moteur a freiné automatiquement : c'est prévu en cas de panne d'électricité.

— Voilà qui est fantastique ! dit l'homme ironiquement. Et comment diable allons-nous descendre ?

— Nous ne descendrons pas. Nous allons attendre la fin de l'incendie, et, à ce moment-là, on nous fera remonter à nouveau.

Jenny reconnut la voix de Thelma.

— Nous ne pouvons pas descendre, Wyn ?

Leroux s'adressa directement à elle.

— Je crains que non, Thelma. Il n'y a plus de rails en dessous. Nous devrons attendre qu'on remette le moteur en marche. Mais c'est impossible, en ce moment. L'explosion doit avoir coupé les lignes électriques.

— Tout bonnement grandiose! marmonna le râleur. Rester pendu ici, à se geler.

— Ça va?

Jenny tenta de se relever, mais Thelma, qui venait de s'agenouiller à côté d'elle la força à s'asseoir, puis, ramenant sa jupe sous elle :

— Il y a suffisamment de place dans ce coin ; vu le temps que nous allons y rester, il vaut mieux nous installer confortablement.

Jenny sentit la nervosité dans sa voix, mais admira l'effort que la femme faisait pour demeurer égale à elle-même. Les passagers, autour d'elles, faisaient une sorte de mur qui les enfermait dans un petit monde intime.

— C'est une question de patience, continua Thelma, montrer notre peur ne servirait à rien.

Jenny tenta de maîtriser sa propre panique, mais elle ne pouvait s'empêcher de trembler et ne parvenait pas à contrôler sa voix.

— Je suis glacée de peur, dit-elle, serrant les lèvres pour réprimer les sanglots qu'elle sentait monter en elle.

Elle les combattit une minute, ultra-sensible à l'atmosphère environnante. Maintenant, elle savait qu'un chien pouvait vraiment « flairer » la peur autour de lui. La cabine puait la trouille.

— Je crains de ne pas avoir votre force de caractère.

Un silence, suivi d'un léger rire, accueillit la remarque, Jenny se contrôlait parfaitement maintenant.

— Je ne suis pas tout à fait franche avec vous, dit Thelma. Peut-être ai-je seulement moins peur parce que j'ai la sensation d'avoir ma vie derrière moi alors que la vôtre n'a pas encore commencé.

Cela n'avait rien de philosophique, pensa Jenny. C'était une affaire personnelle. Elle se berça un instant de cette idée et les gens autour d'elle perdirent un peu de leur importance.

— Vous voulez dire que Craig et moi... dit-elle fermement, hésitant entre la chance qui s'offrait de parler et le ressentiment face à cette intrusion dans sa vie privée — nous sommes mariés depuis deux ans...

— Vraiment?

Un court instant, ce fut comme si la cabine plongeait à nouveau. Jenny retint son souffle, puis se força à parler. Il lui fallait dire quelque chose, n'importe quoi pour s'empêcher de penser à la situation présente. Si elle se laissait aller elle allait perdre complètement les pédales et se mettre à hurler.

— Non. Pas vraiment, je suppose. J'ai un concurrent sérieux : le travail de Craig.

Elle réalisa ce qu'elle venait d'avouer, au moment même où les mots franchissaient ses lèvres ; et elle réalisa surtout à qui elle l'avait dit. Mais c'était vrai, et elle le gardait pour elle depuis deux ans.

— Je sais, répondit calmement Thelma. Certains métiers peuvent être plus exigeants que des maîtresses. Je crois que, si elles avaient à choisir, certaines femmes préféreraient que leurs maris découchent. Au moins, on peut prévoir le temps que cela nécessite.

Jenny rougit jusqu'aux oreilles. L'histoire avait couru partout et alimenté tant de cancans!... Thelma rit, tranquillement, dans le noir, en contraste avec les sanglots étouffés de l'entourage.

— Bien sûr, que je suis au courant. Je ne suis pas aveugle à ce point-là. Et c'est le genre de choses qu'un homme peut difficilement cacher à sa femme.

— Je ne pourrais jamais le supporter, dit Jenny sèchement.

— Pas plus que vous n'acceptez la maîtresse actuelle de Craig, son travail.

Quelqu'un, dans l'obscurité au-dessus d'elles, s'était mis à prier. La réalité cherchait à s'infiltrer dans l'esprit de Jenny ; elle se força à la garder à distance, et à reprendre la conversation. Une chose était certaine, Thelma incitait aux confidences.

— Très bien. Il est vrai que ça ne va pas bien entre vous. C'est assez facile à deviner.

Thelma posa une main légère sur l'épaule de Jenny.

— Ce n'est pas ce que vous attendiez du mariage, n'est-ce pas ? Mais, vous savez, beaucoup de femmes ont des idées scandaleusement romantiques sur ce qu'une union doit leur apporter. Ça a été le cas de ma génération, du moins. On ne nous a jamais dit que les hommes étaient des êtres humains dotés des mêmes faiblesses que les femmes. Peut-être même plus.

Thelma avait sans doute aussi peur qu'elle, pensa Jenny ; et parler devait également calmer sa peur. Elle se sentit soudain sur un pied d'égalité avec son aînée.

— Je ne sais pas si vous appelleriez faiblesse le fait de vivre deux vies distinctes, l'une professionnelle et l'autre familiale. Je ne suis pas invitée à participer à la première et on me laisse bien peu de la seconde.

— Vous parlez comme quelqu'un d'outragé, accusa Thelma. Comme si vous preniez subitement conscience que vous n'êtes pas le centre du monde, pour Craig. Les hommes ont besoin de se consacrer à quelque chose. Il y a longtemps que j'ai appris qu'une part seulement de la vie de Wyn m'appartenait. Le reste m'est fermé à tout jamais.

— C'est inhumain !

— Non, c'est très humain, au contraire. Au nom de quoi Craig vous dédierait-il chaque instant de sa vie consciente ? C'est un être libre, et il a ses propres droits.

— Moi aussi, j'ai mes droits, protesta fièrement Jenny.

Un brouhaha de cris retentit au-dessus d'elles, suivi de près par le claquement sec d'une gifle.

— Contrôlez-vous, dit Leroux d'une voix sonore et glaciale ; il n'y a rien que vous puissiez faire.

— Bâtissez un monde que vous centrerez sur vous, reprit calmement Thelma. Il y a des milliers de choses que vous pouvez y intégrer. Choisissez ce qui peut coïncider avec votre histoire avec Craig. Il ne peut pas passer son temps à penser à vous et doit se garantir le privilège de pouvoir vous négliger de temps en temps.

— Il ne m'aime pas, alors ?

Après un court silence, Thelma reprit la parole.

— Vous êtes la seule qui puissiez répondre à cette question : mais, à votre place, j'essayerais d'abord de préciser ce que vous entendez par « amour ».

Jenny ouvrait la bouche pour répondre lorsqu'une nouvelle explosion étouffée retentit. Quelque chose de lourd s'écrasa sur le toit de la cabine qui vacilla et descendit de quelques centimètres.

— Une explosion ! hurla de nouveau le gros bonhomme Où est-ce que ça pouvait bien être ?

— Au-dessus, dit Leroux d'une voix tendue. Mais je ne sais pas où.

— Regardez !

A travers la paroi de verre, Jenny vit deux énormes serpents dépasser la cabine et disparaître dans la nuit, heurtant la paroi au passage.

— Les câbles ! beugla un homme. Deux de ces saloperies viennent de se rompre !

La vie était à nouveau terriblement réelle pour Jenny. Mon Dieu, je vous en supplie, faites que nous ne tombions pas. Je vous en supplie !

47

Quinn Reynolds écarta une boucle de cheveux qui lui tombait sur les yeux et réalisa que sa mise en plis en avait pris un coup. Sa robe, autrefois impeccable, était froissée et tachée en une douzaine d'endroits. Non qu'il y ait quelqu'un pour s'en préoccuper, ou qu'elle-même s'en souciât : il y avait des choses autrement plus importantes sur lesquelles se pencher. La fumée avait commencé à s'infiltrer dans le restaurant et plusieurs locataires échappés des étages inférieurs racontaient, comme l'avait fait Douglas, que la salle des machines sous la galerie était en flammes. Quinn ne parvenait pas à imaginer comment tous ces gens avaient réussi à passer le palier ouvert aux flammes de la salle des machines ; mais le fait était là : ils l'avaient fait. Probablement en retenant leur souffle et en courant, avec tous les risques que cela comportait. L'un des hommes parmi les plus âgés était sérieusement brûlé au bras droit, et deux femmes toussaient salement. L'armoire à pharmacie de la cuisine avait été fort utile pour les brûlures, mais s'était révélée inefficace contre l'asphyxie. Il y avait maintenant quelque cinquante personnes dans le restaurant, la plupart d'entre elles étant des locataires qui avaient fui les étages inférieurs. Plusieurs souffraient de légères brûlures ; d'autres avaient aspiré trop de fumée. Celle qui l'inquiétait le plus était la petite fille. Son père l'avait montée peu de temps après l'explosion à l'étage des machines. Elle avait énormément de mal à respirer et n'était plus qu'à demi consciente. Quinn avait fait ce qu'elle pouvait pour elle, puis le décorateur... Douglas... avait pris le relais, pratiquant sur elle la respiration artificielle selon la méthode la plus ancienne.

Bizarre, pensa Quinn, qu'elle ait connu Douglas pour les nombreuses fois où il était venu dîner ici, mais qu'elle n'ait jamais pu l'imaginer comme quelqu'un sur qui on pouvait compter dans les moments difficiles. C'était pourtant exactement ce qu'il semblait être. Il s'occupait de la fillette maintenant, ne relevant la tête que pour donner des ordres brefs au garçon à la peau olivâtre qui se dandinait près de lui. Elle regarda Jésus sortir de la cuisine avec des boîtes de bougies et commencer à remplacer celles fondues sur les tables.

Il n'y avait rien qu'elle puisse faire dans l'immédiat. Elle vint s'agenouiller près de Douglas.

— Comment va-t-elle ?

— Elle a ingurgité un bon paquet de fumée, lui répondit-il, inquiet. J'ai même eu peur qu'elle ait cessé de respirer il y a un instant...

— Je peux faire quelque chose ?

— Non. Jésus vous aidera pour les autres, si vous avez besoin de lui. Vous n'aurez qu'à lui dire ce qu'il y a à faire. — Il renifla. — Ça commence à devenir un peu étouffant ici ; il se peut que nous ayons à briser une fenêtre pour avoir de l'air.

Il baissa les yeux sur la petite fille et secoua la tête :

— Il faut absolument la sortir d'ici.

Le père, qui se tenait à côté, questionna :

— Vous êtes sûr qu'il n'y a aucun moyen de descendre ?

Quinn fit non de la tête :

— Tous les ascenseurs sont hors de service. Et la voie que les autres ont empruntée pour monter est impraticable.

Douglas recommença à secourir la fillette. Elle toussait plus faiblement maintenant. Il lui prit le pouls et se mordit la lèvre.

— Quinn, vous êtes sûre qu'il n'y a personne ici ayant quelque connaissance médicale ?

— J'ai déjà demandé. Je crains bien que non.

Il la dévisagea jusqu'à ce qu'elle revienne s'agenouiller près de lui.

— Elle va mourir, vous savez, murmura Douglas d'une voix altérée. Il faut impérativement la faire descendre.

— Il n'y a aucun moyen, dit Quinn très tristement.

Douglas se pencha de nouveau sur la petite fille :

— Non... Je suppose qu'il n'en existe aucun, en effet...

Puis il releva vivement la tête et lança :

— Écoutez !

Quinn tendit l'oreille. Par-delà le murmure des conversations dans la pièce, on percevait un bruit de battement. Le son devint plus intense, comme s'il se rapprochait, puis s'éloignait de l'immeuble, ou comme s'il était emporté par les coups de vent.

— Un hélicoptère ? interrogea Quinn. Qu'est-ce qu'il peut bien faire là ?

Douglas s'était relevé. Il ordonna :

— Jésus, occupe-toi de l'enfant.

Puis il empoigna le bras de Quinn et la tira pratiquement à travers le restaurant, manœuvrant entre les tables éparses, jusqu'à ce qu'ils aient atteint la baie vitrée du mur extérieur. Il lui fallut plusieurs secondes avant de repérer les lumières clignotantes de l'appareil. Il avait un cockpit de plastique ; c'était un hélicoptère pouvant transporter deux personnes. Comme il se balançait assez près de la paroi elle distingua les lettres peintes sur le côté : *KYS Television*. Dans le cockpit, elle pouvait voir un homme muni d'une lourde caméra à l'épaule, mais ne put en être sûre.

— Comment parvient-on sur le toit? demanda Douglas.

— Il y a une échelle de service dans la cuisine.

— Allons-y.

Quinn ouvrit la marche et Douglas la suivit. Au passage, il s'empara d'une des nappes blanches qui couvraient les tables, répandant plats et argenterie sur le sol. L'escalier était une échelle d'acier rivée au mur de la cuisine. Au-dessus, dans le plafond, se découpait une petite trappe.

— Il va faire froid et venteux dehors, l'avertit Quinn. Et puis il y a des risques pour que le toit soit complètement recouvert de glace.

— Nous n'avons pas le choix, dit Douglas, pressé.

Il grimpa rapidement sur l'échelle et releva les taquets fermant la trappe. Le dernier résista et il dut cogner dessus avec le poing. Puis il envoya la trappe s'aplatir à l'extérieur. Quinn l'avait suivi sur l'échelle et fut soudain gelée par la bouffée d'air glacial et de neige qui se ruait dans l'ouverture.

— N'essayez pas de me suivre! hurla Douglas.

Il se coula dans l'orifice. Quinn ignora l'avertissement pour venir scruter la nuit au moins depuis la trouée, le vent glacial dans le visage et les cheveux. Le toit de l'étage panoramique était blanc d'une mince couche de glace recouverte d'un tapis de neige. A gauche, elle pouvait voir l'auvent et les petits jardins qui l'entouraient, les conifères couverts de neige dans leur pot de bois rouge bizarrement riants, un rappel des vacances à venir. A l'extrême droite, se trouvait la masse sombre du hangar abritant les moteurs des ascenseurs. Le reste du toit était piqueté de trous d'aération.

Douglas avait rampé jusqu'à l'un des manchons de

ventilation et s'appuyait dessus pour se redresser. Une fois sur ses pieds, il entoura le tuyau du bras, déplia la nappe blanche et commença à l'agiter d'avant en arrière. Quinn pouvait entendre le flop-flop des pales de l'hélicoptère, mais, pendant un moment, elle fut incapable de le localiser. Elle leva la tête juste comme il passait au-dessus d'elle. Le cockpit de plastique renvoyait un terne reflet rouge, la lueur du feu deux étages plus bas, réalisa-t-elle avec une soudaine terreur.

L'hélicoptère était maintenant immobile au-dessus du toit, tanguant d'avant en arrière, comme giflé par les vents violents. Douglas redoublait d'ardeur. Finalement, l'engin se posa sur la plate-forme, ses remous balayant au loin la neige qui recouvrait la couche de glace. Glissant et patinant, Douglas se précipita vers lui. A son approche, le cockpit se souleva et Dougals se mit à hurler des mots que le vent emportait avant que Quinn puisse les entendre.

Bien qu'elle ne saisisse aucune parole, il lui apparaissait clairement cependant que Douglas était en train de perdre patience. Il grimpa soudain dans l'appareil et commença à se battre avec le cameraman, essayant visiblement de lui faire quitter son siège. Quinn se rendait compte que l'homme était attaché par une ceinture ; un court instant, il parut avoir réussi à se débarrasser de son agresseur. Mais la caméra et l'équipement passé en travers de ses épaules prirent du mou. Douglas s'y accrocha et sauta en arrière. Immédiatement, la ceinture se défit et l'homme jaillit du cockpit. Douglas le maintint un instant, puis lança le matériel de reportage vers le bord du toit. Il atterrit sur le rebord et resta là un instant, pendant que le cameraman se précipitait vers lui. Puis le vent accrocha l'étui et il bascula dans le vide au moment même où l'homme allait s'en saisir. Pendant ce temps, Douglas, avec frénésie, avait sorti plusieurs autres boîtes et s'en était délesté par-dessus le bord de l'immeuble.

Quinn retint son souffle. Le cameraman revenait vers Douglas. Le grand homme saisit les bras du reporter et les lui bloqua derrière le dos pendant qu'il lui parlait avec précipitation. Finalement, l'autre hocha la tête. Douglas le laissa remonter sur son siège, se tourna, et luttant contre le vent, revint vers la trappe.

— Quel foutu crétin! lança-t-il à Quinn. Il pense bien plus à sa caméra qu'à un enfant mourant! Bon, ça ne sert à rien de discuter maintenant. Mais vous allez avoir à m'aider.

— Ils s'en vont! hurla Quinn, comme l'hélicoptère commençait à s'élever.

— Il se rapproche seulement, expliqua Douglas. Allons chercher la fillette.

Ils redescendirent au plus vite jusqu'à la salle de restaurant.

— Jésus, aide-moi à la porter.

Quinn le regarda prendre l'enfant dans ses bras et Jésus, avec une surprenante douceur, l'enveloppa dans une lourde nappe.

— Elle ne semble pas aller très bien, Mr Douglas.

Elle avait toujours du mal à respirer et elle gémit une fois dans les bras qui la portaient. Ils coururent presque jusqu'à l'échelle de la cuisine. Douglas la réescalada à toute allure, puis se retourna et se pencha dans l'ouverture. Jésus l'avait suivi sur l'échelle jusqu'à mi-hauteur. Quinn le soutenait par-dessous, ses bras serrés autour des jambes du garçon pour l'empêcher de tomber, pendant qu'il faisait passer l'enfant à Douglas. Puis d'autres mains apparurent derrière Douglas pour l'aider. Celui-ci disparut. Quinn, tressaillant sous le vent glacial qui la mordait sous sa robe, suivit Jésus sur le toit.

L'hélicoptère n'était qu'à quelques mètres. Le cameraman était en train d'introduire la fillette dans le compartiment arrière qui avait autrefois abrité son équipement.

— Je ne reviendrai pas! hurla-t-il. C'est trop dangereux; l'hélicoptère est trop léger pour ce vent.

Douglas approuva.

— Emmenez-la seulement chez un docteur aussi vite que vous le pourrez!

— Allez! Allez! hurla le pilote. Ce putain de vent va réussir à nous jeter en bas du toit!

Le cameraman grimpa et referma le cockpit. L'appareil s'éleva, se balança un instant, puis il prit son essor dans la nuit.

— Ils ne reviendront pas? cria Quinn en direction de Douglas.

— Non, Quinn. Ce serait trop dangereux. Mais on a au moins sauvé une personne.

Jésus lui tapota soudain le dos en grimaçant :

— Pourquoi vous faire du souci, Madame. Nous nous en sortirons.

Il pointa un doigt sur Douglas :

— Il va s'en occuper!

Les dents de Quinn se mirent à claquer. Ils coururent vers la trappe. Elle souhaitait désespérément pouvoir croire Jésus.

Mon Dieu, comme elle voulait le croire...

48

Harry Jernigan referma la porte de l'ambulance et regarda le véhicule blanc aux énormes croix rouges disparaître dans la confusion des dizaines de voitures de secours encombrant la rue. De l'autre côté de la chaussée, Lisolette, perdue dans un pardessus d'homme trop grand pour elle, l'attendait entourée des trois enfants emmitouflés dans des couvertures.

— Je pense qu'ils s'en sortiront! — Le ton était volontairement rassurant. — J'ai parlé au chauffeur ; il m'a affirmé avoir eu affaire à des cas bien plus graves qui s'étaient très bien terminés.

— Je prie le seigneur qu'ils s'en tirent! dit doucement Lisolette.

Martin recommençait à pleurer et elle l'entoura tendrement de son bras.

— Bien, ne restons pas ici, poursuivit Jernigan. Donaldson a mis en route un générateur de secours. Il y a de la lumière et il fait chaud, dans le restaurant du bas. Un des pompiers m'a dit qu'ils avaient installé une « cuisine de campagne » pour les sauveteurs. Nous pourrons peut-être les convaincre de nous donner une tasse de café. On essaie?

Lisolette ne put s'empêcher de sourire.

— Je pense que j'aurai ce courage.

Poussant les deux petits devant elle, tandis que Jernigan prenait Linda par la main, ils entreprirent la traversée de l'esplanade.

Le restaurant était étonnamment calme. Une demidouzaine de pompiers avalaient des bols de café fumant et quelques locataires s'entassaient dans un coin.

— Asseyez-vous là, dit Jernigan, désignant une table contre le mur. Je vais dégoter du café pour nous et du chocolat pour les gosses.

Il partit en courant. Le temps que Lisolette découvre un mouchoir pour Martin, Jernigan était déjà revenu avec deux tasses de café et trois bols de chocolat. Il fit la distribution.

— Il faudra le prendre noir, dit-il à Lisolette. Ils

n'ont plus ni lait ni sucre. — Il sirota le sien un moment en silence, puis : — Je suppose que nous devrions envisager de coucher les enfants. Je peux trouver quelqu'un pour vous conduire jusqu'à un hôtel. A moins que vous n'ayez des parents ou des amis en ville. Vous voulez que j'essaie d'appeler ?

— Harry, — elle hésita — je n'ai aucun parent ici et je ne suis pas du genre à me faire beaucoup d'amis. Je n'ai aucun proche ; je n'en ai jamais eu depuis des années...

Elle leva les yeux sur lui.

— Mais n'en soyez pas désolé pour moi. Je n'ai pas dit ça pour me faire plaindre.

Il haussa les épaules.

— Je le sais parfaitement. Honnêtement, si vous pouvez supporter une flopée d'enfants et une belle famille, je serais heureux de vous conduire chez moi. J'ai tant parlé de vous à Marnie qu'elle meurt d'impatience de vous connaître...

Lisolette sourit. Sa joie était sincère.

— Merci, Harry. Je sais bien que nous devrions nous occuper des enfants, mais... — Elle hésita, puis continua d'un ton plus paisible. — ... Je crois que j'aimerais rester encore un moment ici. Au moins jusqu'à ce que tout le monde ait été redescendu du Panoramic.

Elle contempla tendrement les trois enfants, endormis sur leurs chaises.

— Il n'y a aucune urgence.

Jernigan venait de se souvenir.

— Vous étiez en train de souper là-haut, avec Mr Claiborne, n'est-ce pas ?

Elle acquiesça.

— Je l'ai cherché partout, en bas, sans le trouver. J'ai demandé aussi à Mr Garfunkel. Il pense que Harlee se trouve encore soit là-haut, soit dans l'ascenseur.

Elle secoua la tête, tristement.

— C'est vraiment un homme très bien. Je souhaite tellement qu'il s'en sorte !

— Le feu est plutôt vilain, là-haut, articula lentement Jernigan. L'incendie ravage l'étage en dessous du restaurant et les pompiers ont beaucoup de mal à l'atteindre.

— Ils y arriveront, dit fermement Lisolette. Il le faut. Et j'en suis sûre.

— Mademoiselle Mueller...

Jernigan jouait avec sa tasse, se haïssant lui-même pour ce qu'il allait dire, mais sachant parfaitement que, s'il ne le faisait pas, un jour viendrait où il se haïrait plus encore de ne pas l'avoir dit.

— Mr Claiborne avait des difficultés de crédit avec la direction de l'immeuble. Rosie a fait une enquête — d'accord, appelez ça de l'espionnage — et Harlee paraissait être un gars très chouette, mais il n'est pas... vous savez... très réglo.

— Il est ce qu'on appelle un escroc, acheva-t-elle calmement. Il y a au moins deux semaines que je le sais et ça ne fait aucune différence pour moi.

Elle rit de bon cœur.

— Je suppose que cela signifie que je suis une vieille femme un peu folle.

Jernigan lui prit la main.

— Je ne le pense pas, Mademoiselle. Cela signifie seulement que vous l'aimez beaucoup.

— Merci, dit Lisolette, lui serrant la main en retour. Merci, merci beaucoup.

49

Rongé par l'inquiétude sur ce qui était arrivé au colonel Fuchs, Infantino décida d'agir lui-même. Son premier arrêt fut pour le poste de premiers secours, installé près de la cage d'escalier du 18e étage. C'est là qu'il découvrit Mark Fuchs, les vêtements lacérés par l'explosion et son « enterrement » sous les débris. Fuchs était resté inconscient, hébété, pendant une bonne demi-heure et commençait seulement à retrouver quelque peu ses esprits. Exception faite de brûlures au second degré et de sérieuses entailles sur le visage et les épaules, il était surtout « choqué ». Infantino le trouva assis au bord d'un lit de camp, l'œil perdu dans le vague. Mario se tourna vers un des sauveteurs présents.

— Pourquoi diable cet homme n'a-t-il pas été évacué ?

— Nous n'avons pas assez de monde pour descendre tous les blessés, mon commandant. Et mises à part quelques brûlures, il est en meilleur état que beaucoup d'autres. De toute façon, il refuse de s'en aller.

Infantino se tourna vers Fuchs.

— Mark, vous êtes aussi insupportable que votre vieux — des obstinés comme on n'en fait plus. Écoutez : vous voulez descendre par vous-même, ou préférez-vous que je donne des ordres ?

Le visage de Fuchs ne reflétait aucune émotion.

— Qu'est-il arrivé à Dave ? On ne m'a rien dit.

— Dave ?

— Lencho. Il était juste devant moi au moment de

l'explosion. C'est probablement lui qui l'a provoquée en ouvrant la porte de l'entrepôt.

Infantino hésitait, essayant d'évaluer la gravité de l'état de Fuchs et le choc qu'allait provoquer la nouvelle.

— Comment vous en êtes-vous tiré?

— Une poutre du plafond m'est tombée dessus, et c'est elle qui a supporté le choc. Vous n'avez pas répondu à ma question.

Infantino se sentait mal à l'aise.

— Je suis désolé, Mark. Il a encaissé de front le souffle de l'explosion.

— Mauvais?

— Mort. Sur le coup.

Visiblement au bord des larmes, le jeune homme ne se contrôla qu'au prix d'un gros effort.

— C'est trop moche...

Puis, plus doucement, avec pitié :

— C'était un mauvais pompier.

— Nous ferions bien de vous envoyer à l'hôpital pour un examen général.

Fuchs ne réagit pas.

— On m'a dit que mon père était monté fouiner aux alentours du 16e après l'explosion.

« Que je lui dise pourquoi, pensa Infantino, et il ne voudra jamais redescendre. »

— C'est le privilège de son grade, dit-il doucement. En théorie, c'est moi qui commande, mais je n'ai quand même pas les moyens de mettre un mors à un vieux cheval de retour comme lui.

Il tenta de changer de sujet :

— Écoutez. Vous n'êtes pas en état de traîner ici. Descendez jusqu'au poste de secours le plus proche, et, s'ils décident de vous expédier à l'hôpital, allez-y. Ils ne vous garderont certainement pas longtemps. Et tout ça à l'œil, en plus.

Les yeux de Fuchs avaient maintenant l'éclat glacé de ceux d'un vieillard.

— Arrêtez de me raconter des conneries, mon commandant. Le Vieux est parti à ma recherche, non? Et personne ne l'a revu depuis, exact?

Sa voix s'éteignit quelque peu.

— C'était stupide de sa part.

— Et vous allez attendre ici qu'on le retrouve?

— Vous avez mis le doigt dessus.

Puis, sur la défensive :

— C'est mon père!

« Je suis en train de perdre un temps précieux », songea Infantino. Il avait voulu éviter cela au jeune homme, ou présenter les choses en douceur, s'il n'y avait pas moyen de faire autrement. Mais le temps pressait.

— Très bien, Mark, dit-il froidement. Le colonel est monté à votre recherche. Il s'est servi de son grade en face de Miller et s'est avancé seul au-devant du feu. Nous n'avons pas eu de nouvelles de lui, depuis. Et, en admettant qu'il soit parti avec ses réserves d'air remplies, elles sont épuisées, maintenant. On a envoyé une équipe de secours à sa recherche. Je suis venu les aider — je ne peux rien faire d'autre avant l'arrivée du matériel supplémentaire de Southport. D'une manière ou d'une autre, nous retrouverons votre père — nous avions des divergences, mais il était mon ami aussi bien que mon supérieur — et je m'engage à vous prévenir dès que nous l'aurons localisé. Si tout va bien, vous serez le premier à l'apprendre. Si ça va mal vous le saurez tout de suite aussi.

Il se leva de la caisse sur laquelle il était installé. Sa voix était maintenant glaciale.

— Vous encombrez ce poste de secours, Fuchs. Il s'y trouve des gens plus gravement atteints que vous. Descendez et laissez les médecins vous prendre en charge. C'est un ordre!

Il se retourna pour partir et Fuchs ajouta brusquement:

— Commandant Infantino!

— Oui?

— N'essayez pas d'être chic. Soyez seulement professionnel. Ce sera plus facile pour tout le monde.

— Vous marquez un point, Fuchs, répondit calmement Mario.

Infantino accompagna le jeune homme qui se laissait maintenant conduire vers les marches. Au 16e, il pénétra dans le couloir rendu glissant par l'eau et encombré d'un fouillis de lances raccordées à la bouche d'incendie de l'escalier. La fumée, légère au début du corridor, s'épaississait rapidement. Dans le coin le plus éloigné du couloir, les nuages tourbillonnant près des ascenseurs délimitaient le cœur de l'incendie. Par instants, on entrevoyait la lueur orangée des flammes. Infantino se mit à tousser, ajusta son masque et se fraya un chemin jusqu'à une équipe de porte-lance. Il s'agenouilla et tapa sur l'épaule du servant, criant à son oreille :

— Où est l'équipe qui recherche le colonel?

L'homme se retourna et hurla en réponse :

— Deuxième couloir latéral après celui-ci. Ils ont déjà cherché dans les autres et sont en train de s'ouvrir un passage.

Il y avait deux façons de procéder, et ils avaient choisi la mauvaise! Ils avaient certainement supposé que Fuchs aurait commencé par les couloirs les plus proches du palier, ce qui était plus facile et plus rapide, mais pas logique du tout. Il y avait au contraire de fortes chances pour que le vieil homme ait emprunté directement celui du fond, où s'était produite l'explosion. Il gisait sans doute assommé, ou bloqué sous les débris... ou...

Infantino revint en courant vers le palier.

— Qui a un masque disponible? Et des réserves d'oxygène pur? Donnez-les-moi.

Il repartit, dépassa l'équipe de choc, et, sous le jet de la lance que les hommes n'avaient pas eu le temps de détourner, obliqua dans le couloir latéral. Il se retrouva dans le champ de bataille dévasté où venaient de s'affronter les hommes et les flammes : un terrain jonché de débris calcinés, marécage désolé de cendres et d'eau. Plus loin, le feu avait ravagé tout ce qui pouvait l'être et le brasier s'était éteint. Infantino dépassa une autre équipe occupée à déblayer les bureaux calcinés : corbeilles à papier métalliques, déformées et à demi fondues, portemanteaux tordus, tout indiquait l'intensité qu'avait dû atteindre l'incendie. La fumée était considérablement plus lourde maintenant.

A un croisement, Infantino hésita sur la direction à prendre. Il entendait l'équipe de secours, derrière lui, inondant les dernières braises fumantes. Sur sa gauche, un pan entier de plafond s'était écroulé avec la chute des murs de soutènement. L'effondrement avait dû priver le feu de l'oxygène nécessaire, et les objets étaient étonnamment préservés. Infantino était sur le point de choisir le couloir de droite quand son œil repéra soudain l'éclat du caoutchouc et de la toile imperméable.

Il s'agenouilla et se mit à chercher. Ce qu'il avait aperçu, c'était le bas d'un uniforme de pompier. Faisant basculer un lourd panneau, il découvrit une botte. Il travaillait de plus en plus fébrilement, tirant sur les décombres fumants, et jetant au loin plâtras, carreaux et morceaux de bois à demi consumés. En quelques minutes, il avait dégagé la partie inférieure du corps de l'homme enseveli. Le tas de débris recommençait à glisser et il dut se servir d'un lourd tuyau pour le caler. Encore quelques efforts et il empoignait l'homme par la taille et le tirait doucement hors des lattis et des carreaux.

Il le retourna sur le dos. C'était bien Fuchs. Un instant, Infantino le crut mort. Il ôta prestement son propre masque et tenta le bouche à bouche. La poitrine du vieil homme se souleva spasmodiquement puis sembla retrouver un cycle respiratoire à peu près normal. Infantino réescalada les décombres et remonta le couloir pour récupérer l'autre masque et le réservoir d'oxygène pur. Il avait oublié de remettre le sien. Ça pouvait attendre. Il aspira involontairement une bouffée de fumée âcre et se mit à tousser. Il se força à se calmer, et ajusta le masque sur le visage de Fuchs puis ouvrit le réservoir d'oxygène. Il remit ensuite précipitamment son masque et entreprit de hisser Fuchs sur ses épaules. Bon Dieu! un peu de fumée, un effort et il était pris de vertige!

Moitié tirant, moitié portant le vieil homme, il progressait dans le couloir...

Soudain, il sentit d'autres mains le soulager du corps évanoui. L'équipe de secours avait abandonné ses lances et arrivait à la rescousse. Deux hommes portèrent le colonel, un troisième aidant Infantino à regagner le palier. Une fois en sécurité, Mario ôta son masque et se laissa aller sur les marches ; il toussait de nouveau mais ce n'était pas grave, pas assez en tout cas pour être signalé. Un peu de repos et d'air frais...

Il regarda les deux hommes emporter Fuchs dans l'escalier. Pourvu qu'il ait trouvé à temps cette vieille tête de mule! Ses lèvres se mirent inconsciemment à former les vieux mots familiers : « Sainte Marie, mère de Dieu... »

50

Thelma, en entendant l'explosion, s'était instinctivement raccrochée à Jenny, au moment où les câbles avaient heurté le toit de la cabine. Elle relâcha aussi rapidement son étreinte, craignant que Jenny puisse sentir son propre tremblement. Elle se força à ne pas penser à ce qu'elle ressentirait si... La voix de son mari rugissait à nouveau par-dessus le brouhaha régnant dans la cabine :

— Nous sommes saufs! Aussi longtemps qu'un seul câble tiendra, nous serons en sécurité!

Jenny était au bord de la crise de nerfs et s'était mise à pleurer. Thelma lui toucha légèrement l'épaule, comme pour rassurer un enfant.

— N'ayez pas peur. Wyn sait de quoi il parle.

Elle croyait ce que disait Wyn, sans chercher plus, et, à ce moment précis, elle se sentait même fière de lui. «Marrant, pensa-t-elle, que, dans une telle situation, il puisse se révéler si courageux.» Ce qu'elle craignait, c'était ce que serait sa réaction au cours des mois qui suivraient, quand les enjeux seraient d'une nature différente.

Jenny s'était rapprochée d'elle dans la pénombre, aussi bien pour chercher un minimum de chaleur que pour trouver un peu de cette sensation de sécurité que Thelma se savait capable de communiquer. Une sensation fausse, pensa-t-elle, mais l'effort même d'essayer de demeurer calme pour le bien de Jenny l'aidait considérablement à ne pas craquer à son tour.

— Vous êtes très proche de lui, n'est-ce pas, Thelma ?

— Proche ? — Elle y réfléchit un moment, puis : — Je suppose que oui. On peut dire que Wyn et moi dépendons l'un de l'autre.

— Il aura plus que jamais besoin de vous quand tout ceci sera terminé, remarqua Jenny.

Thelma réalisa soudain à quel point cela était vrai. Il allait y avoir des enquêtes à propos de ce feu, des attaques dans la presse, et toutes sortes d'insinuations. Cette fois-ci, plus que jamais dans le cours de sa vie, Wyn aurait besoin d'elle.

A ce moment-là, la cabine fut à nouveau secouée, et on entendit le hurlement des freins de secours sur les rails extérieurs. Des gens se mirent à crier et une fois de plus Thelma passa ses bras autour de Jenny, pour réconforter la jeune femme et se rassurer elle-même.

La cabine se mit à balancer comme un pendule, tout en continuant à descendre. Plusieurs passagers furent envoyés au sol et Thelma sursauta violemment quand quelqu'un chut lourdement sur le bas de ses jambes. Mais ce n'était pas le moment de crier sa douleur. Les freins, pensa-t-elle. La cabine avait dû progressivement glisser jusqu'à l'endroit où les rails de guidage avaient été déviés, et les freins de secours avaient donc relâché leur étreinte salvatrice. Elle réalisa avec horreur qu'ils venaient d'entamer la longue descente vers la rue en dessous.

Puis soudainement, la cabine eut un dernier soubresaut. Elle demeura un moment immobile, à l'exception d'un très léger, presque imperceptible balancement.

« Les câbles ont tenu », pensa-t-elle, en relâchant lentement son souffle. Mais l'ascenseur n'était désormais plus assujetti aux rails latéraux. Elle et ses compagnons se balançaient dorénavant dans le vide, seulement retenus par les quatre derniers filins.

51

Barton et Infantino se trouvaient sur l'esplanade, les yeux levés sur la paroi nue, quand la Cage de Verre sortit de ses rails. Elle glissa d'abord sur quelques mètres, puis plongea soudain hors de son assise sur les guides d'acier ; elle ne s'arrêta brutalement que lorsque les derniers câbles maintenus en place eurent brisé son élan. La cabine rebondit plusieurs fois, puis un équilibre instable s'établit : l'ascenseur se balançait doucement dans le vent, frottant par instants contre la paroi de l'immeuble. Barton relâcha lentement son souffle. Il pouvait imaginer ce que devait être la panique à l'intérieur de la cabine, sans éclairage. Il se demanda de nouveau si Jenny s'y trouvait, ou si elle était restée à l'étage panoramique.

L'air tranchant de la nuit était de plus en plus haché par des hurlements de sirènes. Leur bruit parvenait d'ailleurs de manière étrange aux oreilles de Barton : d'une part, leur nombre, et d'autre part, les tonalités différentes... L'un des pompiers s'élança alors à travers l'esplanade dans la direction d'Infantino :

— Commandant! Les équipes de Southport viennent de passer les barricades!

Infantino hurla : « Allons-y! » à l'intention de Barton, et les deux hommes coupèrent à travers l'aire dégagée en direction de la rue. Les lumières clignotantes et rouges de la petite caravane de pompes et de camions-citernes étaient maintenant parfaitement visibles, tandis qu'elle avançait lentement au milieu de la foule.

Un command-car rouge fut le premier à se frayer un chemin. L'homme qui en jaillit était petit et nerveux, avec un visage jeune de loup de mer, ce genre de peau qu'un surfeur professionnel n'acquiert qu'après avoir chevauché pendant plusieurs années les vagues de l'océan. Une version jeune de Fuchs, pensa Barton.

— Commandant Infantino?

L'autre acquiesça.

— Chef de bataillon Jorgenson, du dépôt de Southport.

Ils se serrèrent la main et le commandant demanda :

— Vous avez combien de compagnies avec vous?

— Plus que vous n'en aviez demandé. Nous avons aussi pas mal de masques de longue durée, des contre-platines de refroidissement et plusieurs douzaines de combinaisons d'amiante.

— Et les explosifs?

— Cinquante charges d'une livre et à peu près une douzaine de charges de dix livres. Environ trois cents mètres de Primacord pour aller avec. Vous n'aurez jamais d'explosions simultanées sans relier les charges avec des cordeaux.

Il regarda Infantino avec curiosité :

— Vous avez l'intention de forer des trous dans les planchers pour les charges?

— Oui, c'est ce que nous étions en train de calculer.

Jorgenson secoua la tête.

— J'y réfléchirais à deux fois, si j'étais vous. Surtout si l'immeuble a été ébranlé dans sa structure même.

Le vent obligeait Infantino à hurler :

— Nous avons eu des difficultés du 19e au 25e étage, mais je crois que nous les surmonterons sans l'aide des explosifs. La plupart des fenêtres ont éclaté et sacrément aéré l'incendie. C'est le feu au sommet qui m'inquiète vraiment maintenant.

Il décrivit la situation à Jorgenson. Le chef du dépôt de Southport siffla.

— Quand vous, les gens des grandes villes, avez le feu, vous n'y allez pas de main morte, hein?

— Nous avons une chance de nous en sortir maintenant que vous êtes là, dit Infantino.

Il se retourna brusquement vers la rue et examina les véhicules de Southport alignés le long de la courbe la plus lointaine. Déjà les hommes en revêtements métallisés sortaient des camions.

— Où est la pompe Seagrave, capitaine? Aucune de celles qui sont ici n'a la puissance nécessaire.

Jorgenson avait l'air grave.

— Elle sera un peu en retard. Elle a quitté la route en venant ici ; deux camions tentent actuellement de la sortir du fossé.

— Bordel! hurla Infantino. Combien de temps leur faudra-t-il? On n'a pas de temps devant nous, vieux. On ne peut pas se tourner les pouces en attendant!

— Je suis aussi désolé que vous, dit Jorgenson. Mais c'est impossible à dire. Peut-être dans une demi-heure, peut-être pas avant le matin. Je ne me suis pas attardé pour vérifier à quel point elle était embourbée.

Infantino se détourna, dégoûté, et Barton lui demanda :

— Quelles seront les conséquences, Mario?

— Ça veut dire qu'on ne peut pas compter sur cette pompe, fit Infantino, amer. Ça signifie que tu avais peut-être raison : nous allons rester plantés là à regarder la Tour brûler. Il n'y a aucun autre engin de cette puissance à des centaines de kilomètres à la ronde.

— Commandant, comment voulez-vous que j'organise mes hommes?

Infantino se retourna pour discuter avec Jorgenson. Barton resta immobile, à regarder sans expression le haut de l'immeuble. Aucun moyen d'y stopper le feu, pensa-t-il atterré. Tout va continuer à brûler jusqu'à ce que l'étage panoramique y passe aussi, que le toit s'effondre en entraînant la machinerie centrale des ascenseurs, et que la Cage de Verre fasse le plongeon final sur l'esplanade. Le scénario était déjà tout écrit ; il ne lui manquait plus que le temps de se réaliser.

Shevelson, qui venait d'arriver, lut cela sur son visage :

— Mauvair à ce point?

Barton acquiesça.

— La pompe de Southport est dans un fossé ; et personne ne sait quand elle en sortira.

Il se retournait pour regagner le hall, quand Quantrell se dressa en face de lui, son cameraman à quelques mètres derrière.

— On dirait que l'immeuble entier va y passer, Barton. Pas de commentaires là-dessus?

Barton virevolta. En dehors de toute autre chose, et à la différence des autres gens, Quantrell était au moins un objectif sur lequel il pouvait se défouler :

— Si votre fil-à-la-patte pointe sa caméra sur moi ne serait-ce qu'une seule seconde, vous irez tous les deux ramasser vos dents dans le caniveau!

Derrière lui, Shevelson dit calmement :

— Si vous avez besoin d'aide, n'hésitez pas. Ça fait toujours plaisir d'appuyer un ami. Surtout dans ce cas.

Quantrell montra les dents et Barton eut, une seconde, la vision d'une belette acculée.

— On appelle ça la liberté de la presse, messieurs, au cas où vous ne le sauriez pas. C'est garanti par la Constitution. Barton, j'ai entendu dire que votre femme se trouvait soit là-haut, soit dans l'ascenseur... C'est vrai?

— Qu'est-ce que vous voulez que je fasse? grinça Barton. Que je répande mes entrailles pour que vos spectateurs se vautrent pendant dix secondes dans mes problèmes pour oublier les leurs? Prenez le...

Au-dessus d'eux, il y eut soudain un battement de pales d'hélicoptère et les quatre hommes levèrent la tête pour voir l'appareil descendre vers l'esplanade. Infantino lui-même abandonna Jorgenson et courut vers Quantrell.

— C'est un hélico de chez vous! Quel est le crétin qui vous a autorisé à utiliser cet endroit comme piste personnelle? Nous attendons du matériel ici!

Quantrell paraissait stupéfait.

— Je ne leur ai jamais ordonné de descendre!

Barton et Infantino se ruèrent vers l'appareil, laissant Shevelson et Quantrell derrière eux. La porte du cockpit s'ouvrit et un homme en jaillit qui portait une petite fille dans ses bras.

— Que quelqu'un m'aide!

Barton prit la fillette et Infantino souleva le bord de la nappe dont on lui avait entouré la poitrine et le visage.

— Fumée... Vraiment moche.

Quantrell se tourna vers le cameraman.

— Emmenez-la dans l'un des hôpitaux de la ville. J'envoie un photographe pour les photos et peut-être un journaliste pour interviewer les médecins.

Infantino arrêta l'homme qui remontait dans l'appareil.

— Désolé pour votre machin à sensation, Quantrell. Mais elle ne s'en tirera pas sans matériel de réanimation de première urgence.

Il fit signe aux infirmiers, dans une des ambulances. Ils arrivèrent en courant.

— Mettez-la en respiration artificielle.

Il jeta un dernier regard à l'épiderme marbré de l'enfant et au faible mouvement de sa poitrine.

— Peut-être qu'il n'est pas trop tard.

Les infirmiers enlevèrent la forme immobile des bras de Barton et coururent vers l'ambulance.

— On l'a prise sur le toit, dit le pilote, penché par-dessus le siège du passager. Plutôt risqué avec le vent. Cet engin est trop léger pour ce genre d'acrobaties.

Le cameraman hocha la tête :

— Les choses ne sont pas brillantes là-haut. Le feu est juste en dessous de l'étage panoramique maintenant. Et il s'y trouve encore pas mal de gens.

— Et l'ascenseur? demanda Barton. Vous l'avez remarqué en descendant?

— Il est sorti de ses rails. Vous pouvez vous en rendre compte d'ici même. Le vent est foutrement fort, et il le balance pas mal. Deux autres câbles ont cassé et, pour autant que j'aie pu en juger, il n'y en a plus que deux qui tiennent. Si vous avez l'intention de récupérer les passagers, vous aurez intérêt à le faire vite. Même chose pour le toit, d'ailleurs.

— Pouvez-vous nous aider? demanda Barton au pilote.

— Les tirer de là un par un? Vous êtes timbré! On a déjà eu de la chance de s'en sortir cette fois-ci!

— Bon Dieu! hurla Quantrell, vous êtes en train de louper quelques vues magnifiques! Allez!

Le cameraman éclata soudainement de rire :

— Avec quoi, Jeff? Une espèce de fou, là-haut, a balancé tout mon matériel par-dessus bord!

— Il a *quoi ?*

— Parfaitement. Il m'a tiré dehors avec ma caméra; je ne comprenais pas ce qu'il voulait dire au sujet de la fillette. Il aurait de toute façon fallu alléger l'hélico pour la prendre. Et il l'a fait pour nous.

— Mais ça représentait cinq mille dollars d'équipement! hurla encore Quantrell.

L'homme haussa les épaules.

— Ne t'en prends pas à moi, Jeff. Je n'y suis pour rien. Et puis, nous sommes assurés, non?

Un des infirmiers revenait vers Infantino.

— La gosse ne va pas fort. Il faut la transférer d'urgence dans un hôpital. Elle a pris beaucoup trop de monoxyde.

— Alors, ne perdez pas de temps à me le dire. Emmenez-la. S'il y a d'autres blessés, nous avons d'autres ambulances.

L'infirmier repartit en courant, suivi de Quantrell et de son photographe. Barton gardait les yeux fixés sur l'immeuble, observant la fumée qui suintait des fenêtres des 64e et 65e étages. Infantino dit :

— Nous n'avons plus le choix. Nous ferions mieux d'appeler la 304e en renfort.

Barton se mit à courir vers le camion radio.

— Essayons de secouer le colonel Shea à l'Escadron. Il dispose de cinq hélicoptères Bell ; des modèles à sept places, si je me souviens bien.

— On peut aussi obtenir un Boeing de la garde côtière, ajouta Infantino pensivement.

— Très bien. Nous aurons besoin de tout ce qu'il sera possible d'avoir. Mais cela laissera entier le problème de l'ascenseur.

Une réponse partielle venait de surgir dans son esprit et Barton claqua soudain des doigts :

— Nous pourrions appeler le service des navettes en hélicoptères de l'aéroport international. Ils ont un Sikorsky F-106 qu'ils louent aux industriels, pour déposer de lourdes unités de conditionnement d'air au sommet des immeubles, par exemple... Il devrait être assez gros pour transporter l'ascenseur.

« Où diable ont bien pu passer Garfunkel et Donaldson ? pensa-t-il. Il faudrait qu'ils commencent à enlever de l'esplanade tous les pots de conifères. Les petits hélicoptères de reportage pouvaient se poser entre eux, mais pas un Bell transportant sept personnes. »

Il prit une profonde inspiration d'air nocturne et jeta un dernier coup d'œil au sommet de la Tour. Il allait falloir fai - vite.

52

La Furie, aux étages inférieurs, sent son énergie décliner. Elle a dévoré tout le combustible et l'arrivée d'un renfort de Southport est en train de produire ses effets. Les hommes, avec leurs lances et leurs écrans de protection repoussent lentement ses frontières, découpant de petites parties de la bête pour la noyer sous des torrents d'eau. Les équipes de sauvetage viennent derrière ces lanciers, abattent les murs, mettent à bas les longerons des plafonds, débusquent les dernières braises mourantes pour les détruire. La bête est contrainte de céder du terrain mètre après mètre; elle lutte pour sa vie, mais sent déjà que la fin est proche.

Quarante étages plus haut, elle a gardé tout son mordant. Dans la salle des machines, au-dessous de la galerie, elle dévore avec appétit barils d'huile et pots de graisse. Dans un coin, elle a trouvé un tas de supports de bois; le courant d'air, son allié, a transporté les flammes dans la réserve et les dépôts d'équipement. L'huile et la graisse ont coulé des récipients abandonnés sur les planchers des appartements non terminés de l'étage inférieur. Les bords flous de la nappe grasse brûlent et giclent sur les piles de carreaux couverts de bitume et les planches de contre-plaqué qui les soutiennent. Les flammes n'en font qu'une bouchée et passent rapidement aux boîtes de peinture, de vernis et aux cartons d'accessoires bourrés de copeaux. Dans certains appartements les fenêtres font sauter leur cadre, imitant leurs voisines des étages inférieurs. Dans un « pop » retentissant la première descend sur la ville et son envolée est d'autant plus imposante qu'elle prend son essor de plus de 250 mètres au-dessus du niveau de la rue.

Les hommes ont commencé à relier les circuits électriques du générateur de fortune aux pompes de secours dans une réserve à mi-hauteur du building. Mais il va leur falloir du temps. Le temps ne compte pas pour la bête. Tout ce qu'elle sait, c'est que, au moment où elle meurt en bas, elle revit au sommet — grâce surtout à l'incroyable réserve de nourriture mise soudain à sa portée — et apparemment rien ne peut se dresser en travers de sa route.

Elle a lancé un tentacule d'essai dans une ouverture non comblée du plafond du 64ᵉ étage, qui est aussi le plancher de la galerie. Il y a du combustible à portée immédiate, mais il y en aura probablement encore plus au restaurant de l'étage au-dessus, et elle assure son chemin le long des murs peints de la cage d'escalier.

Elle a peut-être perdu beaucoup de sa puissance aux étages inférieurs ; ici, non seulement elle est vivante, mais elle est en pleine croissance.

53

On avait accroché des lampes de secours dans le hall et Barton s'acharnait à découvrir sur les plans l'ombre d'une idée de solution. Mais seuls les prestidigitateurs savent faire sortir les lapins des chapeaux quand ils le veulent.

— Laisse tomber, Craig, l'interrompit Infantino ; d'ici une heure les pompes de secours seront branchées sur les dynamos auxiliaires.

— Et dans moins d'une heure le toit entier de la Tour ne sera plus qu'une énorme torche.

— La pompe de Southport peut encore arriver à temps.

Barton frappa du poing sur la table.

— Je n'y crois pas plus que tu n'en es persuadé, Mario.

Un coursier interrompit la conversation pour confirmer que l'incendie des étages inférieurs était maintenant circonscrit, suivi de près par un gars du camion radio qui s'adressa lui aussi à Infantino :

— Mon commandant, le colonel Shea communique que ses UH-1 ont pris l'air. On devrait les apercevoir d'ici une quinzaine de minutes.

— Et le Sikorsky ? demanda Barton.

— On recherche toujours les propriétaires. La navette des hélicos ne fonctionne pas le soir.

— Continuez à chercher. Quand vous les aurez trouvés, poussez-les au cul. Il nous faut ce monstre le plus vite possible. Une dizaine de vies humaines, au moins, en dépendent.

— Est-ce qu'on peut utiliser des treuils sur les UH-1 ? demanda Infantino.

— J'en doute. Pas quand ces oiseaux sont en vol. Et je ne vois pas comment on pourrait les ancrer sur le toit pour leur donner plus d'assise.

— Le colonel dit qu'il nous envoie aussi une demi-douzaine de torches pyrotechniques, ajouta le radio.

Shevelson jeta à Barton un regard interrogateur :

— Qu'est-ce que c'est que ces engins-là ?

— Très sommairement, ce sont des fusées à autoapprovisionnement solide. Elles donnent une flamme riche en oxygène, qui brûle une minute environ et peut couper n'importe quel métal. J'avais demandé des chalumeaux à oxyacétylène, mais ceux-là sont plus précis.

— Je ne comprends toujours pas, dit Shevelson. Qu'est-ce que vous voulez en faire?

— Au cas où nous aurions à couper les câbles de l'ascenseur.

Shevelson le regarda un moment en silence :

— Je ne sais pas ce que vous avez en tête, mais je suis heureux de ne pas être à votre place.

— Ne vous en faites pas pour ça, dit sèchement Barton qui se tourna vers Infantino. Le seul problème reste le feu au sommet. Alors?

Infantino s'appuya des deux mains sur la table.

— Exact, Craig. Mais jusqu'à ce que la Seagrave arrive ou que les pompes de secours soient branchées, il n'y a pas grand-chose à faire.

— Il y a encore les cinq étages d'appartements en construction pour alimenter le feu pendant l'heure qui vient. Combien crois-tu qu'il restera de chances de sauver l'immeuble à ce moment-là?

— Nous le sauverons sans doute, rétorqua calmement Infantino. Sans les étages supérieurs, évidemment.

— Et si d'autres explosions se produisent dans le puits de service?

— Les paris sont clos, et tu le sais...

Il marqua un temps.

— ... Tu as une idée, hein?

Barton désigna Shevelson de la tête.

— Pas moi. Lui.

Il fouilla dans les plans, à la recherche de ceux de la salle des machines et de la galerie panoramique, repéra les réservoirs de Fréon, celui de l'eau servant au conditionneur d'air, le système d'évacuation à l'étage des machines et la tuyauterie du système d'évaporation, sur le toit, près du penthouse.

— Je sais à quoi vous pensez, dit Infantino. Je ne suis pas d'accord, c'est trop risqué.

— Vous ignorez, objecta Shevelson, les dommages que les explosifs vont occasionner à la structure de l'immeuble.

— Personne n'est sûr de rien, fit remarquer Barton. Mais nous constatons tous les dégâts que le feu est en train de faire, non?

Il pointa le doigt sur les deux genres de réservoir. Les poutres de métal qui les maintenaient ressortaient nettement sur le plan.

— Nous pouvons calculer les dimensions réelles à partir du plan, et monter, ici même, un ensemble cordeau + explosif. Il suffit de disposer trois charges aux croisements des poutres et les autres se mettront automatiquement en place quand le cordeau sera tendu. Ce qui signifie que nous pouvons faire sauter tous les supports de cet étage, au même moment, avec une seule détonation.

— Et l'intégrité de l'immeuble? demanda Infantino.

— Ces charges sont directionnelles. Tant que nous n'endommagerons pas le bâti extérieur, les étages inférieurs ne bougeront pas. Bien sûr, la vague de choc va les ébranler : l'explosif du Primacord est assez puissant. J'espère seulement que les étages inférieurs tiendront le coup sous le poids de l'eau. C'est une masse sacrément importante.

— Pour atteindre l'objectif visé, les charges devront exploser simultanément, fit remarquer Shevelson.

— C'est l'intérêt même du Primacord, expliqua Barton. L'onde de choc s'y propage à une vitesse approximative de six kilomètres à la seconde. Ce qui fait moins d'une seconde pour la totalité des charges.

Shevelson en restait bouche bée :

— Mais, bon Dieu, si vous faites sauter la galerie, ça veut dire...

— ... que l'eau et le Fréon noieront le feu dans la salle des machines située en dessous.

Shevelson secoua la tête.

— Mais ils ne s'arrêteront pas là, Barton. Au moins pour une partie de la Tour. Les explosions plus le poids de l'eau briseront aussi le sol de l'étage des machines.

Barton acquiesça.

— Justement. L'eau s'engouffrera par le plancher crevé jusqu'à l'étage 63, où les appartements vides sont en train de brûler. Je l'espère du moins. Je le souhaite désespérément. Mais je crains, en fait, que cela ne s'arrête pas là : la plus grande partie de l'eau dévalera la cage d'escalier et les puits d'ascenseurs.

Un long silence accueillit cette prédiction, puis Shevelson reprit :

— Et les évaporateurs sur le toit, avec l'eau qu'ils contiennent ?

— Le plancher tombé, on crève les tuyaux, et cette eau-là aussi sert d'extincteur.

Barton se tourna enfin vers Infantino.

— Qu'est-ce que tu en penses, Mario ? C'est toi le responsable.

L'interpellé haussa les épaules :

— C'est une idée magnifique, si elle marche. Si elle foire, je n'ai plus qu'à me chercher un autre boulot.

54

Dans le restaurant, la fumée se faisait de plus en plus épaisse. Une cinquantaine de locataires se pressaient dans un coin. Quelqu'un avait tenté de donner un peu d'aération en brisant, à l'aide d'une chaise, le verre épais, mais le vent soufflait dans la mauvaise direction et seuls de rares coups de vent apportaient un souffle d'air par la baie ouverte. Douglas admirait Quinn, circulant parmi les rescapés et dispensant des paroles rassurantes. Ses tentatives semblaient d'ailleurs sans effet et plusieurs femmes étaient en pleine crise de nerfs. Quant à leurs maris, il n'étaient guère plus brillants.

Douglas fut soudain saisi d'une violente quinte de toux. Il réussit à se contrôler au moment où Quinn parvenait jusqu'à lui. Elle lui annonça :

— Nous ne pourrons plus rester longtemps ici.

Douglas défit son col. En dépit de la fenêtre brisée, la chaleur avait encore augmenté.

— Je le sais bien, Quinn, dit-il pensivement. — Puis : — Et le penthouse? Un moyen d'y arriver?

— Un escalier dérobé juste à la sortie du couloir qui va à la cuisine. Pour que celui qui loue le local puisse prendre l'ascenseur jusqu'ici, se glisser dans le couloir et monter tranquillement.

Jésus, assis derrière eux, avait surpris une partie de leur conversation. Il secoua la tête.

— Sans espoir, mec. J'ai inspecté les environs. Si

votre escalier rejoint l'autre il est rempli d'une fumée à couper au couteau. Vous n'y ferez monter personne.

Albina, jusque-là tranquillement assise dans son coin, essayait de venir vers lui, marmonnant quelque chose en espagnol. Le visage de l'adolescent se tendit.

— Maman ne se sent pas bien. Ses jambes lui font mal et elle a mal au cœur.

— Nous en sommes tous au même point, rétorqua Quinn.

Douglas regarda Jésus, qui avait passé un bras autour des épaules de sa mère. Il leur en aurait fallu du temps à ceux-là, pensa-t-il. Il se retourna vers Quinn.

— Il n'y a qu'un passage, Quinn. Nous allons devoir hisser tout le monde par la trappe.

— Mais c'est le pôle Nord, là-haut, protesta-t-elle. En moins de dix minutes, nous serons tous gelés!

Douglas eut un geste d'impuissance.

— Nous pouvons rester ici, Quinn... et mourir étouffés, ou pire.

Il désigna les escaliers du fond, cachés dans un recoin, où une épaisse fumée commençait à se répandre et où l'on entrevoyait de plus en plus souvent la lueur des flammes.

— En montant sur le toit, nous vivrons au moins un peu plus longtemps. Et s'il faut choisir entre mourir de chaud ou de froid je trouve la dernière solution moins désagréable.

Elle acquiesça.

— Très bien. Je peux faire quelque chose?

— Rassembler les nappes, les manteaux, les tabliers de cuisine, tout ce qui peut servir à couper le vent. Nous les distribuerons aux gens, puis nous les aiderons à monter.

— Je doute qu'ils vous suivent, dit Quinn en secouant la tête.

Sans un mot, Douglas désigna de nouveau l'escalier derrière elle. On voyait de plus en plus nettement les flammes.

— Qu'ils discutent, Quinn. Dans cinq minutes, toute discussion sera devenue oiseuse...

Et s'adressant à Jésus :

— ... Aide-la à rassembler tout ça, mon gars. Et regarde si tu trouves du plastique. Ça coupe le vent.

— D'accord, mec, dit Jésus en suivant Quinn vers les vestiaires.

Douglas se dirigea alors vers le groupe de locataires qui avaient suivi avec attention la conversation.

— Le restaurant se remplit de fumée et le feu sera là d'ici cinq minutes, dit-il tout de go ; nous allons devoir monter sur le toit.

— Avec cette neige et ce vent? Vous êtes cinglé!

— Mlle Reynolds s'occupe de rassembler toutes les pièces de tissu disponibles, pour couper le vent.

Il y eut un rire dans l'assistance.

— On va monter les nappes là-haut? C'est un pique-nique, ma parole!

L'homme qui avait réagi le premier reprit :

— Mon vieux, moi je ne vais nulle part. Quand je verrai le feu, j'aurai le temps de me décider.

— Quand vous verrez le feu, vous n'aurez plus de temps du tout, rétorqua Douglas. La seule voie d'accès, c'est l'échelle de la cuisine. Quand le feu sera ici, je ne vous donne pas une chance sur mille de l'atteindre.

— Et une fois là-haut? ricana une femme.

Changement rapide, remarqua Douglas. Il y a une minute, elle était en pleine crise de nerfs.

Et puis, il réalisa qu'à moins de leur raconter des histoires, il ne convaincrait aucun d'eux. N'importe comment, il y avait une toute petite chance pour que ce ne soient pas des mensonges.

— La seule manière de nous tirer d'ici, c'est en hélicoptère, dit-il, se souvenant de l'épisode de la petite fille. Quand ils atterriront là-haut, il faudra être déjà sur place. Il sera un peu tard pour escalader l'échelle, à ce moment-là. Surtout, si on a, entre-temps, été complètement asphyxiés, ou même carbonisés.

— Écoute, mec. Moi, je n'y vais pas.

Douglas eut un sourire forcé.

— Faites ce que vous voulez. Je ne peux pas vous forcer. Mais vous n'aurez pas plus de cinq minutes pour vous décider.

Il les abandonna pour se diriger vers le vestiaire. La plupart le suivirent. Il entendit l'homme discuter avec sa femme de ce qu'ils allaient faire. « Ils viendront », pensa-t-il.

Quinn distribuait les vestes, les nappes, les toiles cirées ; elle avait aussi déniché plusieurs couvertures épaisses et les avait coupées en deux.

— Suivez Mlle Reynolds dans la cuisine ; elle vous montrera l'échelle et la trappe conduisant au toit.

Les locataires s'alignèrent en silence et suivirent Quinn. Douglas inspecta les alentours. Albina était restée sur sa chaise. Jésus apparut avec une veste de fourrure et l'enveloppa dedans. Eh bien! je pourrai difficilement le blâmer, pensa Douglas. Il regarda la fourrure.

— Un bon renard, dit-il sans s'engager.

— Nooon, sourit Jésus. C'est du synthétique, mais du bon.

Douglas jeta un dernier coup d'œil sur le restaurant. Vide. Non, pas exactement. A une table éloignée, un homme vieillissant était assis, regardant au-dehors la chute dansante des flocons.

Douglas se précipita vers lui.

— Monsieur Claiborne, il faut y aller!

Harlee Claiborne ne bougea pas et Douglas s'aperçut que ses yeux étaient noyés de larmes.

— Je crois que je vais attendre ici, jusqu'au retour de Lisolette. Je dois lui montrer par où il faut passer.

Douglas, immobile, cherchait ce qu'il pouvait lui dire de plus correct pour le convaincre. Finalement :

— Pensez-vous que Mlle Mueller aimerait que vous l'attendiez ?

Claiborne réfléchit un long moment puis se mit sur ses pieds, tremblant légèrement.

— Non. Je pense qu'elle n'aimerait pas, dit-il tristement.

Il suivit Douglas vers la cuisine. Celui-ci remarqua qu'avant de quitter la pièce, Claiborne ôtait la fleur de sa boutonnière et la laissait tomber sur le sol. Il fit celui qui n'avait rien vu.

55

Il fallait faire de la place pour que les hélicoptères puissent atterrir. Barton chargea Donaldson et quelques hommes des services de sécurité et de l'équipe de nuit de dégager l'esplanade de ses pots de céramique, puis retourna dans le hall.

Il utilisa les dix minutes suivantes à couper le Primacord aux longueurs désirées. Un des radios se dirigea vers Infantino.

— Commandant, l'hélico de tête est en ligne.

— J'arrive.

Ils venaient juste de terminer l'assemblage de cordeau et d'explosifs aux mesures calculées à partir des plans de Shevelson. Le montage se composait de deux parties, de façon à pouvoir être transporté par les deux hommes ; elles seraient ensuite assemblées là-haut.

— Mettez ça dans deux musettes, dit-il au pompier qui les avait aidés. Viens, Craig.

Barton clopina derrière lui vers le camion radio, interrogeant le coursier :

— Des nouvelles du Sikorsky?

— Deux ou trois minutes après le groupe qui arrive.

Ils grimpèrent dans le camion, et, dès l'entrée, Barton perçut le bruit d'une voix, dans l'appareil :

— Ici Burleigh. Distance, une minute.

Barton sourit franchement. Burleigh! le premier coup de chance de cette putain de nuit! Il n'aurait pu souhaiter meilleur pilote. Un Texan cinglé, capitaine breveté, qui pouvait descendre plus de scotch qu'aucun autre être humain à sa connaissance. Un des piliers de leur unité de réserve. Un gars avec deux ans de Viêt-nam derrière lui.

— Laisse-moi lui parler, Mario!

— Le micro est à toi, Craig!

— Tex! ici Barton.

— Je ne savais pas que vous étiez là, capitaine. Où voulez-vous qu'on aille?

— Il y a environ cinquante personnes bloquées dans le restaurant du sommet de la Tour. Nous ne pouvons pas les faire descendre. Pouvez-vous poser vos oiseaux sur le toit?

— Quelle place aurons-nous?

— Il y a un penthouse et quelques jardins autour, plus les évaporateurs d'air conditionné et un abri pour le moteur de l'ascenseur extérieur. Je dirais que vous pouvez poser deux UH-1 en même temps. Au moins un, en tout cas.

— Pas d'antennes TV ?

— Une antenne commune.

— Espérons que ça ira. Mais c'est assez risqué. On va y aller un par un.

— Tex, ajouta Barton, avez-vous aperçu un Sikorsky F-106 ? On en a demandé un à la navette de la ville.

— Une seconde... dans ce foutu goudron ! Pourquoi n'allumez-vous pas vos incendies en plein midi ? Attendez. Oui, je vois le coucou. A près de trois kilomètres, à moins que je ne me goure de lumières.

— Vous avez des torches pyro ?

— Oui. Vous voulez que je les décharge où ?

— Tex, c'est précisément le problème. Je vais avoir besoin de vous. Laissez les autres se charger de l'évacuation. Et demandez au copilote de vous cracher sur le toit.

— Et pourquoi, bon Dieu ?

— Laissez-moi une minute pour vous expliquer !

Barton exposa succinctement son plan. Burleigh semblait dubitatif.

— Je ne sais pas, capitaine. J'ai le matériel qu'a réclamé le colonel ; trois pinces à épisser, si on peut les fixer sur les câbles. Mais il faut quelqu'un pour le faire, de toute façon.

— Pouvez-vous assurer l'accrochage de la cabine ?

Burleigh se tut un instant.

— Je crois. Mais avec ce temps, ça va être juste.

— Il y a au moins dix personnes dans cet ascenseur, dit calmement Barton. Et j'ai de bonnes raisons de penser que ma femme se trouve parmi elles.

Un long sifflement accueillit cette déclaration.

— Je vais faire l'impossible, capitaine.

Il coupa la communication. Barton s'adressa au radio :

— Branchez-moi sur le pilote du Sikorsky dès que possible.

Il ferma le micro et se laissa aller sur sa chaise, brutalement submergé par la fatigue. Si quelqu'un pouvait réussir, ce serait Burleigh.

— J'espère que ça marchera, dit Infantino.

— Si tu as une meilleure idée, ne t'en prive pas.

Puis avec désespoir :

— Mario, ça doit marcher. Nous n'aurons pas le temps d'essayer autre chose.

56

« Ça ne marchera pas », pensa Douglas. Ils n'avaient pas une chance. Impossible de retourner dans le restaurant : la fumée était trop épaisse. Et d'ici vingt à trente minutes, ils seraient morts de froid sur ce toit. A moins que le feu, parvenant jusque-là, ne les contraigne à se jeter par-dessus bord.

La toile cirée dont il s'était enveloppé, raidie par le froid, n'offrait qu'une bien piètre protection contre le vent. Plusieurs locataires avaient cherché un abri sous le penthouse, mais la fumée les en avait rapidement chassés et ils étaient de retour sur le toit, serrés contre le mur le plus proche qui leur dispensait une protection sommaire. Au moins, Larry serait pourvu, pensa Douglas. L'assurance s'en chargerait et pourrait même lui offrir une deuxième chance s'il voulait rester dans le métier.

Plus nerveux que les autres, un des locataires rejoignit Douglas.

— Qu'est-ce qu'on est censés faire? Rester assis et geler lentement?

Douglas haussa les épaules.

— Vous pouvez redescendre dans le feu. C'est vous que ça regarde!

L'homme rejoignit les autres.

— Qui vient avec moi? On retourne au restaurant et on prend les escaliers de l'autre côté.

Plusieurs se redressèrent pour le suivre. Les autres hésitaient. Douglas jura et se leva.

— Vous allez devoir traverser un étage en feu. Vous n'y parviendrez jamais.

— Et les hélicoptères? hurla un autre homme. Vous nous avez dit qu'ils arrivaient!

Eh oui, pensa Douglas, et il aurait bien donné dix ans de sa vie pour avoir été dans le vrai. Il avait fait un pari et il semblait bien proche de l'avoir perdu.

Le premier homme lança à Douglas un regard rusé.

— Vous savez, gros lard, il n'y a rien à attendre ici. Vous nous avez raconté des craques.

Il se retourna.

— Viens, Martha!

Une lourde femme, engoncée dans un épais manteau de fourrure, sortit du groupe et tous deux disparurent par la trappe de la cuisine enfumée.

— Vous allez à la mort! leur hurla Douglas.

Quelques-uns coururent à leur suite, regardèrent la fumée, et pris d'une soudaine hésitation revinrent silencieusement en se protégeant le plus possible du vent.

Douglas commençait à trembler de froid. Jésus le rejoignit.

— Monsieur Douglas, dit-il calmement, vous ne m'avez pas menti une seule fois, cette nuit. Quelqu'un sait-il que nous sommes ici ? Attendons-nous vraiment des hélicoptères ?

Il lut la réponse dans les yeux de Douglas avant que celui-ci ait eu la possibilité de prononcer un mot.

— Mec, toute ma vie, des gens m'ont menti ! Cette fois-ci, je sais pourquoi vous le faites. C'est déjà quelque chose.

— Je suis désolé, murmura Douglas d'une voix rauque. Je ne sais que te dire d'autre...

Et soudain, un hurlement : « Écoutez ! »

Au loin, très loin au-dessus d'eux, Douglas perçut un whop ! whop ! whop ! assourdi.

— C'est un hélicoptère ! cria une voix.

Douglas tendit l'oreille. C'était bien un hélico. Plus d'un, même. Ils allaient avoir besoin de place pour atterrir. Il regarda rapidement autour de lui.

— Ils ne peuvent pas atterrir avec l'antenne TV au milieu ! beugla-t-il. Il faut l'abattre !

Donnant l'exemple, il attrapa le croisillon le plus proche et commença à tirer. Jésus regarda les tiges de métal. « Je reviens tout de suite » dit-il sobrement, et il se précipita vers la trappe. Un instant plus tard, toussant et crachant, il faisait sa réapparition, tenant à la main un énorme hachoir de cuisine.

— Les deux qui viennent de descendre, vous les rappelez ?

Douglas hocha la tête en silence.

— Ils n'ont pas pu passer, mec. On ne respire plus en bas.

Il se mit à taper de toutes ses forces sur les tiges que Douglas pliait vers lui. En un instant ils avaient mis l'antenne à bas. C'est alors que le premier hélicoptère fit son apparition.

Il toucha la plate-forme. La porte latérale s'ouvrit en glissant sur les roulements bien graissés. Un homme maigre, avec un air de vagabond et une épaisse moustache fit son apparition. Il stoppa net, d'un beuglement, la ruée des réfugiés.

— Une minute, les gars, une minute! nous ne pouvons prendre que sept personnes à la fois. Il y aura un second bus, d'ici peu. Contentez-vous d'avoir des billets en règle.

Il se retourna, sortit un sac à outils et deux longues boîtes de l'appareil.

— Et si quelqu'un me donnait un coup de main?

Douglas et Jésus se précipitèrent. Les autres commençaient à se bousculer et Burleigh hurla à nouveau :

— Sept à la fois, pas plus, bordel!

Il se tourna vers Jésus.

— Compte ceux qui montent, mon gars. Pas plus de sept. Il y aura d'autres moulinettes. Si tu as des problèmes, appelle-moi.

Jésus eut un demi-sourire.

— Il n'y aura pas de problème, mec.

Le soldat s'adressa alors à Douglas :

— Je m'appelle Burleigh. Si vous m'aidiez un peu à porter ces boîtes?

Douglas s'exécuta. Burleigh força les coffres : à l'intérieur il y avait deux appareils en forme de tubes. Ça ressemblait beaucoup à des fusées de cinquante centimètres de long.

— Vous avez une idée de l'endroit où se trouve l'ascenseur en panne?

Douglas fit, des yeux, le tour des lieux. Le hangar! ça ne pouvait être que là!

— Là-bas, dit-il, désignant le bord du toit, à plus de trente mètres.

Burleigh trotta jusqu'à l'endroit désigné. Douglas s'apprêtait à le suivre quand il entendit la voix de Jésus.

— Stop, mec. Attendez votre tour. On a dit, les femmes d'abord, et vous ne semblez pas porter de jupe.

L'autre tenta un marmonnement du style « enculé de métèque », mais sans insister outre mesure. Douglas jeta un coup d'œil en arrière avant de rejoindre Burleigh. Jésus, à la porte de l'hélico, tendait la main aux dames pour les aider à monter à bord ; dans l'autre main, il tenait fermement le hachoir. Il n'y aurait pas d'ennuis de ce côté-là.

Le hangar qui abritait les moteurs et les poulies sur lesquelles coulissaient les câbles était en tôle d'aluminium rivetée à un cadre de même composition. La porte était bloquée par une serrure apparemment peu solide. Burleigh l'arracha et enfonça la porte d'un coup de pied. Il pénétra dans l'obscurité du hangar.

— Il faut le démolir pour dégager les câbles. Quelle est la résistance des parois ?

Il donna un coup de pied dans l'une d'elles, et celle-ci se dégagea partiellement de ses rivets inférieurs.

— Filez-moi un coup de main, pour les autres.

A coups de pied, Douglas démolit les rivets puis tira les pans détachés en les tordant vers le haut. La plupart tombaient à l'endroit même, mais quelques-uns se détachèrent et filèrent par-dessus bord. Burleigh sortit une lourde pince de son sac et commença à marteler le toit au-dessus de lui. En quelques minutes, il ne restait rien du hangar, à l'exception de son frêle cadre. A l'intérieur, ils découvrirent le panneau de contrôle, la dynamo, le démarreur et le moteur à prise directe sous lequel les poulies secondaires étaient suspendues. Fort heureusement, le cadre ne les gênait pas dans leur travail.

Burleigh contempla l'assemblage un instant, puis les poulies pendant dans le vide et les câbles disparaissant dans l'obscurité. Il secoua la tête.

— Ça va être un drôle de merdier.

Douglas regarda les locataires groupés au milieu du toit. Le premier hélico, rempli, prenait son vol, et il disparut bientôt dans le ciel. Un second vint aussitôt prendre sa place. Les gens s'étaient sagement mis en ligne sous la direction un peu bruyante de Jésus. Quelque part, ce garçon trouvera sa place, pensa Douglas.

Un chop, chop, plus puissant retentit au-dessus d'eux et, levant la tête vers le ciel nocturne, Douglas aperçut l'hélicoptère le plus énorme qu'il ait jamais vu. L'appareil descendait vers le toit, un câble de gros calibre dansant sous lui.

57

Barton et Infantino attendaient que le premier hélicoptère surgi de la nuit se pose sur l'énorme esplanade encerclant la Tour. Les pots de conifères avaient été enlevés, et les lances déplacées. L'appareil atterrit enfin et les portes s'ouvrirent pendant que les pales ralentissaient. Plusieurs policiers et infirmiers se ruèrent pour venir en aide aux passagers qui sortaient en titubant. Nombre d'entre eux toussaient salement ; tous semblaient glacés et mouillés.

Infantino beugla aux ambulanciers :

— Emmenez directement à l'hôpital les blessés et les intoxiqués. Que les autres se rendent au poste de secours du hall.

Barton dévisageait frénétiquement les visages de ceux qui descendaient.

— Quinn! Ici, Quinn!

Elle se retourna et eut un sourire pâlot. Barton se précipita vers elle :

— Où est Jenny?

Le sourire disparut.

— Désolée, Craig. Elle était, avec les Leroux, parmi les derniers passagers qui ont pris l'ascenseur.

Elle regarda brièvement autour d'elle, comme pour chercher quelqu'un, puis demanda :

— C'est vraiment très grave?

— Très. Mais nous avons encore une chance d'atteindre la cabine.

Reporters et photographes commençaient maintenant à les entourer. Barton entr'aperçut Quantrell et ses assistants parlant à des locataires qu'on emmenait vers les ambulances. Puis il se sentit subitement repoussé.

— Quinn! Mon Dieu, Quinn!

Un homme grand, un peu plus jeune que lui, le dépassa; Quinn se retrouva dans ses bras. Barton les observa un instant. Les yeux de la jeune femme étaient clos, mais il pouvait voir les larmes sillonner son visage.

— Leslie, je t'en prie, emmène-moi hors d'ici.

— Oui, Quinn. Ma voiture est à un demi-bloc; la police me laissera passer.

Il enleva sa veste et l'en enveloppa, puis lui ouvrit la marche. Elle regarda une dernière fois en arrière et dit :

— Bonne chance, Craig.

Puis elle se serra contre l'homme à son côté. Son self-contrôle l'abandonnait très vite maintenant, et Barton remarqua qu'elle sanglotait.

Barton pensa brièvement à Jenny, puis retourna vers la foule compacte et hurla aux policiers :

— Faites-les reculer! Faites-les dégager! Un autre hélicoptère va se poser d'ici une ou deux minutes!

Infantino, après avoir échangé quelques mots rapides

l'assemblage de fils qui avait constitué le filin. Puis il cria :

— Le câble de l'hélico!

Douglas relâcha un instant son étreinte, et, quelques secondes plus tard, le câble fouettait l'air tout près du visage de Burleigh. Voilà le passage difficile, pensa-t-il : il fallait placer le filin dans l'extrémité fixe de l'épisseuse et ce fichu câble glissait et cherchait à lui échapper. Burleigh sentait dans ses doigts les vibrations de l'hélicoptère. Il y avait cependant suffisamment de jeu pour que les sursauts du Sikorsky ne le gênent pas trop. Il trouva enfin l'extrémité et, après deux tentatives malheureuses, réussit à lui faire décrire une boucle dans le trou de l'épisseuse. Il resserra alors le deuxième boulon.

De retour sur le toit, il eut un sourire triomphant à l'adresse de Douglas et ressortit le talkie-walkie.

— Okay, allez-y doucement! très doucement. Juste pour réduire le mou.

Et, quand le câble fut tendu :

— Très bien, ne bougez plus. Quand je couperai ce truc, il ne faut pas qu'il tombe trop vite.

Enfilant une paire de lunettes de protection, il prit une des torches et hurla à l'intention de Douglas :

— C'est dangereux, ça. Reculez-vous un peu.

Il retira le cran de sécurité, poussa le levier de mise à feu, dirigeant le jet vers la nuit. La torche prit feu avec un long sifflement et cracha des flammes d'au moins 30 centimètres. Un lourd nuage blanc se tordait autour du jet à l'éclat d'aluminium fondu. Burleigh contourna le puits, pour s'approcher du câble qui n'avait pas été accroché. Le feu le coupa lentement, dans une gerbe d'étincelles. Le bruit de la rupture retentit comme un pétard de feu d'artifice. Malgré le fil de fer, plusieurs fils vinrent fouetter l'air comme des serpents.

Couper le dernier câble fut plus facile. Le métal vira

au rouge, puis au blanc et fondit littéralement. Le filin se tordit un instant, et disparut : au-dessus de lui, le filin du Sikorsky hurla sous la brusque tension.

Burleigh appela de nouveau l'appareil.

— C'est au poil, ici. Commencez à rembobiner. Quand je vous ferai signe que vous êtes dégagé, foutez le camp. Mais faites attention de ne pas faire heurter l'immeuble à la cabine.

Il fit signe à Douglas de reculer. Inutile de lui faire partager un risque supplémentaire. Le Sikorsky halait maintenant la cage, la faisant glisser le long du mur. Il y avait près de 100 mètres à parcourir et la montée était lente. Burleigh entendit un grattement lointain, puis de plus en plus proche ; tout près maintenant. Il jeta un coup d'œil par-dessus le toit : le haut de la cabine atteignait l'étage en dessous. Ce devait être le bout de la course.

Il tripota de nouveau le talkie.

— Allez-y. Écartez-vous, maintenant.

Il rejoignit Douglas au centre du toit. Le Sikorsky s'élevait lentement, s'éloignant de la Tour. Brusquement, la cabine apparut, balancée par le vent, l'amplitude du mouvement diminuant à mesure que le câble se raccourcissait.

— A vous de faire!

Burleigh envoya un autre signal lumineux au pilote. L'hélico amorça un virage suivi d'une descente précautionneuse. Il posa enfin la cabine près d'un UH-1 qui venait juste d'atterrir.

Douglas, brusquement, riait, en s'appuyant sur l'épaule de Burleigh.

— Eh! dit Burleigh, soudain conscient de la sueur coulant de ses aisselles. On a réussi.

— Vous y croyiez?

— Mon vieux, c'est quelque chose que je ne confierai

jamais à personne, même sur mon lit de mort! — Il se mit à courir vers la cabine. — Venez! il faut encore sortir ces gens de là.

59

A l'exception d'un bruit de sanglots, tout était calme dans la cabine d'ascenseur plongée dans le noir. Il fallut une bonne minute à Leroux pour réaliser que c'était un homme qui pleurait, ce même homme lourd qui avait fait tant de difficultés quelques instants plus tôt. Il frissonna ; au-dehors, la neige battait les parois de verre de la cage et il sentait le froid transpercer son mince smoking. Quelqu'un se serrait contre lui et à son léger parfum il reconnut Thelma.

— Que va-t-il se passer, Wyn?

Il l'étreignit tendrement et déposa un baiser sur son oreille.

— Je ne sais pas. Nous allons rester suspendus là un certain temps, je pense.

Un vent violent s'empara soudain de la cabine et la détacha de l'immeuble pour la laisser revenir contre la paroi de béton. Elle se tordit dans ses câbles et s'écrasa légèrement de côté. L'une des vitres latérales se brisa et une femme qui se tenait près de Leroux perdit l'équilibre, son cri se perdant dans une subite explosion de hurlements. Leroux se tendit. La cabine ne supporterait pas longtemps un tel traitement, sans parler des câbles. Il n'en restait que très peu.

— Écoutez! lança quelqu'un.

Il y eut un claquement sec au-dessus d'eux et Leroux s'obligea à scruter la nuit. Quelques secondes encore et de lourds débris s'abattaient sur les murs de verre. Leroux ne pouvait pas être totalement affirmatif, mais ça ressemblait à des morceaux d'aluminium et peut-être à un mince triangle de fer. Il resta perplexe un moment, puis se rappela soudain la machinerie de la Cage de Verre, là-haut. Mon Dieu, si elle était en train de partir en morceaux...

Il sentit Thelma lui agripper le bras.

— Qu'est-ce que c'est, Wyn?

Leroux pencha la tête, à l'affût des moindres sons. Ce lointain chop-chop-chop au-dessus d'eux. Pas un de ces hélicoptères légers qu'il avait vus quelques minutes plus tôt, mais probablement le grand frère, peut-être un Sikorsky F-106 comme celui qu'ils avaient utilisé pour transporter du matériel lourd pendant la construction de l'immeuble. On pouvait faire confiance à Barton pour y avoir pensé. Ils allaient sans doute essayer de pratiquer une épissure de filins et de les enlever comme ça. Il haussa la voix :

— Que tout le monde se tienne tranquille et m'écoute! Ils ont amené un hélicoptère avec grappin et je pense qu'ils vont l'utiliser pour nous transporter. Ça va remuer sérieusement et je suggère que vous vous allongiez tous par terre.

— Et qu'est-ce que vous en savez? brailla le type lourd. Vous n'avez pas eu de prévisions tellement brillantes pour votre immeuble, jusqu'à maintenant!

Les autres passagers avaient entrepris de trouver une place sur le sol. Quelqu'un marmonna :

— Faites un peu attention à votre fichu genou!

En fin de compte, ils se casèrent tous, sauf le gros type, toujours debout, amarré à la paroi dont la vitre avait claqué.

— Par terre! avertit Leroux. Cette cabine va aller s'écraser une douzaine de fois contre le mur avant qu'ils puissent nous hisser jusqu'au sommet.

— Allez vous faire foutre! répondit l'autre.

Il ne le persuaderait pas, se dit Leroux. Et il ne pouvait pas le forcer à se coucher.

— Débrouillez-vous, dit-il sobrement.

Thelma et lui s'étaient étendus côte à côte ; il l'entoura soudain de ses bras et la serra contre lui. Ils réussiraient ou pas, mais s'ils échouaient, il voulait sentir le corps de sa femme une dernière fois contre le sien.

— Écoute! chuchota Thelma.

Le vent sifflait dans les câbles. Soudain, l'un d'eux passa devant la cabine en tombant. L'ascenseur descendit de quelques centimètres. Leroux resserra son étreinte autour de sa femme. Un second câble cingla la cabine au passage et disparut dans la nuit.

— Le suivant sera le dernier qu'ils couperont, expliqua-t-il calmement à Thelma. Prions pour que leur épissure soit bonne.

Le dernier câble lâcha et la cabine descendit encore d'une vingtaine de centimètres. Quelque part, dans l'amoncellement de corps au sol, une femme étouffa un début de cri. La cabine tournoya de manière alarmante quelques instants, puis commença à s'élever le long de l'immeuble, centimètre par centimètre. Il y avait des bruits effrayants de craquements et de chocs, et Leroux sentait son cœur battre de manière incontrôlable. Ce ne serait plus long maintenant, pensa-t-il. Ils y étaient presque. Quelle incroyable ironie si, au dernier moment... Non, il ne devait pas penser à ça. Ils atteignaient maintenant l'étage de service et Leroux pouvait voir la lueur rouge et fumeuse des flammes. Puis ils commencèrent à se balancer, détachés de l'immeuble au point qu'ils semblaient flotter au-dessus de la ville étendue au-dessous d'eux, battus par la neige et le vent. La cabine dansait de plus en plus fort et une rafale particulièrement violente les expédia assez loin de l'immeuble pour que le plancher s'inclinât notablement. Leroux vit clairement ce qui allait se passer et il cria :

— Couchez-vous! Aplatissez-vous!

La cage amorçait un mouvement de retour de balancier et ils étaient toujours au niveau de l'immeuble. Il y eut un violent cahot, un fracas et, presque immédiatement, un cri qui s'évanouit rapidement à cause de la distance. Une voix hurla :

— Je me suis coupé!

Une bouffée d'air glacial apprit à Leroux ce qui s'était passé. Ils avaient encore heurté l'immeuble de côté et une nouvelle vitre s'était brisée. Le gros homme qui s'y agrippait, n'avait rien eu pour se retenir et était passé par-dessus bord.

Leroux ferma les yeux et soupira. Puis la cabine se stabilisa. Il la sentait encore monter, hissée par l'hélicoptère ; un léger balancement pour mieux la positionner au-dessus du toit, et s'amorça la lente descente. Il était fatigué, bien trop fatigué pour même regarder...

Un instant plus tard, la cage prit lourdement contact avec le toit. Leroux déboula sous l'impact, sa tête allant heurter la paroi. Le silence. Le sifflement du vent. Ils étaient saufs, réalisa-t-il. Sauvés.

Et puis ce fut le bruit des hommes à l'extérieur, retirant délicatement les éclats de verre de l'une des parois. Les passagers furent sortis de la cage par des mains secourables. Thelma dit :

— Nous sommes sauvés, Wyn.

Et elle éclata en sanglots.

Il l'entoura de ses bras, puis ils escaladèrent à leur tour la paroi brisée. Il avait déjà la tête à autre chose.

Ils étaient sauvés, pensa-t-il. Tous, sauf lui-même. Au sol, en bas, l'attendraient les journalistes, les pompiers, les enquêteurs, et probablement toute une escouade de gens expédiés depuis Washington.

Tous sauvés, pensa-t-il encore.

Sauf lui.

60

Barton luttait toujours avec sa combinaison de protection, quand l'UH-1 d'évacuation se posa sur l'esplanade pour décharger ses passagers. Infantino était déjà prêt et attendait avec impatience que Barton eût terminé.

— Des nouvelles du Sikorsky ? demanda Barton.

— Tout ce que je sais, c'est que Burleigh travaille à l'assemblage. D'ici qu'on soit là-haut, ils nous auront peut-être déjà battus avec l'ascenseur. Une chose est sûre : on ne peut pas faire sauter ces charges avec du monde sur le toit. Attends, laisse-moi t'aider à attacher ce masque !

Il passa derrière Barton pour ajuster les sangles.

— As-tu ordonné à tes hommes d'évacuer les escaliers ?

— Les étages supérieurs sont vides. Je ne pense pas qu'il faille nous soucier de ceux d'en bas.

— Et les rues?

— La police a donné des ordres. — Il fronça les sourcils. — Je ne devrais pas t'entraîner dans cette aventure.

— Tu as quelqu'un d'autre sous la main qui sache utiliser des explosifs? Et qui connaisse l'immeuble?

Le copilote de l'hélicoptère courut vers eux.

— Ça y est, ils sont tous sortis, sauf les passagers de l'ascenseur. Vous êtes prêts, vous deux?

Barton acquiesça. Il ramassa le lourd sac de toile qui contenait les charges explosives connectées avec le cordeau. Infantino finit d'ajuster son propre masque, puis se saisit de l'autre sacoche. Une fois sur la galerie du Panoramic, ils n'auraient plus qu'à relier les deux charges l'une à l'autre. Ils traversèrent lourdement l'esplanade en direction de l'UH-1, dont les pales nettoyaient au passage le ciel chargé de neige. Le copilote aida Infantino et Barton à grimper dans l'appareil et ils s'attachèrent sur leur siège. Le pilote jeta un dernier coup d'œil vers l'arrière, à destination de Barton, et demanda :

— Tout est au poil, capitaine? Alors, on y va.

Barton hocha la tête et le pilote actionna les quatre pédales. Aussitôt, ils furent en l'air, s'élevant rapidement dans l'obscurité.

— Je ne peux pas le poser trop près du restaurant, leur lança le pilote ; ils sont en train de charger un autre UH-1 et le Sikorsky est encore devant. Le déplacement d'air nous mettrait en pièces.

— Essayez le hangar, hurla Barton en retour. Il y a des jardins qui le séparent de l'étage panoramique — vous ne pourriez pas atterrir là. Il faudra utiliser le toit.

Il se tourna vers Infantino et déclara d'une voix rêveuse :

— Ça allait devenir la meilleure adresse de la ville. Vous avez une idée de la raison pour laquelle on louait ce penthouse?

Infantino ne parut pas impressionné.

— Pour l'instant, il n'est bon qu'à une chose et après ça, il ne servira plus guère...

— On arrive! hurla le pilote.

L'hélicoptère glissa de côté, en direction du toit scintillant, croisant un UH-1 chargé, et alla atterrir sur le petit toit du penthouse chargé de neige. Infantino et Barton dégrafèrent leur ceinture et Barton tira sur la porte. Ils sortirent rapidement. Barton jeta un coup d'œil en arrière vers l'étage panoramique, juste au moment où le Sikorsky balançait la cabine de l'ascenseur puis la posait doucement sur le toit. Deux silhouettes coururent vers le Sikorsky, en espérant que les portes seraient ouvertes. Les gens se ruèrent vers l'UH-1 en attente ; certains d'entre eux durent y être transportés.

Même à cette distance, Barton pouvait reconnaître Leroux. Ce visage d'homme habitué à commander et ces cheveux blancs, pris un instant dans la lumière des phares de l'appareil de sauvetage, ne pouvaient pas tromper. Le cœur de Barton bondit de soulagement. Derrière Leroux, se tenait Jenny, et elle regardait dans leur direction, se demandant probablement qui ils étaient et ce qu'ils faisaient. Aucune chance qu'elle le reconnaisse, recouvert comme il l'était de sa combinaison de protection. Il entreprit de faire de grands gestes, mais Leroux et elle avaient déjà disparu dans l'hélicoptère. Un autre UH-1 planait au-dessus de l'immeuble pour prendre en charge les derniers passagers.

Infantino s'activait, descendait les sacoches de leur propre appareil. Le dernier objet sorti était une lanterne électrique qu'il alluma.

— On a tout? demanda-t-il.

— Absolument tout, répondit Barton.

Il réussit à mettre son masque en marche, puis s'arrêta.

— Vérifiez bien que le cordeau s'adapte parfaitement

sous la dépouille de la charge. Ces charges doivent être de niveau sur le sol et il leur faut un espace vide pour concentrer leur puissance.

— Compris, dit Infantino en train d'ajuster son masque.

Il fit signe à Barton d'en faire autant. Maintenant, Barton se sentait enfermé dans son propre monde, sa respiration sifflant à travers la valve du masque. Le vent violent battait le toit, et, un court instant, l'hélicoptère derrière eux bascula légèrement, puis se redressa.

— Eh, les gars! Vous feriez mieux de vous dépêcher! leur hurla le pilote. On ne peut pas rester en plein vent trop longtemps!

Le copilote rabattit la porte et son compagnon se renfonça sur son siège. Barton et Infantino ramassèrent les lourds sacs de toile et entreprirent leur pénible marche sur le toit du penthouse. Ce serait du suicide d'essayer de grimper par la trappe du restaurant et d'atteindre la cuisine par l'escalier, pensa Barton, même s'ils y arrivaient en traversant les jardins en direction du toit verglacé de l'étage panoramique. Pas avec leur accoutrement et les sacs d'explosifs. A l'intérieur du penthouse, il y avait un escalier qui menait aux cuisines et, de là, ils pourraient atteindre la galerie.

Ils poussèrent la porte d'accès au toit et descendirent avec précaution les marches de l'antichambre du penthouse.

La porte intérieure était fermée à clef. Infantino, après avoir essayé par deux fois de l'ouvrir, recula et lui décocha un magistral coup de pied qui eut l'effet escompté. Dans l'obscurité du penthouse, ils tentèrent à nouveau de s'orienter. La fumée était épaisse, ce qui expliquait que les locataires n'avaient pu y trouver refuge. Infantino promena sa lanterne tout autour de la pièce, découvrit l'escalier et en prit la direction. Ils empruntèrent les marches recouvertes de moquette qui conduisaient à l'entrée de la cuisine, et de là, la cage d'escalier pleine de fumée de la galerie panoramique. Cette fumée les aveuglait complètement et Infantino fit signe à Barton de se tenir au mur.

Dans l'escalier ils trébuchèrent sur deux corps. Un homme et sa femme, sans doute. Elle portait un lourd manteau de fourrure, et lui une nappe enroulée autour de la tête et des épaules. Barton supposa que c'étaient des locataires qui avaient changé d'avis avant que les hélicoptères ne se présentent sur le toit. Ils avaient essayé de redescendre et étaient morts asphyxiés dans l'escalier. Il retira un de ses gants et s'agenouilla pour leur prendre le pouls. Rien. Il leva les yeux vers Infantino qui secoua la tête en montrant leurs sacs. Barton se redressa et, enjambant les deux corps, ils poursuivirent leur route.

Une fois dans la galerie, l'air devint plus froid, bien que la fumée fût aussi épaisse. Barton se débarrassa de son sac de toile et Infantino suivit son exemple. Barton dirigeait la manœuvre quant à la place des charges et cherchait le coin qu'il avait choisi sur les plans de Shevelson. Il plaça la première charge et prit soigneusement des mesures pour poser la seconde. Ces deux-là une fois en place, ils n'avaient plus qu'à dérouler le cordeau pour positionner les autres. Infantino relia ses charges en ligne et les plaça de l'autre côté de la pièce centrale. Barton vérifia rapidement qu'elles étaient toutes bien connectées, puis relia un morceau du cordeau des charges d'Infantino au cordeau principal nouant les siennes. Il en restait trois, et Barton entreprit de dérouler le cordeau restant en direction de la pièce centrale. Infantino cala la porte pour qu'elle restât ouverte et, une fois à l'intérieur, Barton installa une des charges à la base du réservoir de Fréon et les deux autres de part et d'autre des réservoirs d'eau.

Barton ayant signalé à Infantino qu'il avait terminé, ils revinrent vers la galerie proprement dite. Barton brancha un détonateur sur l'une des extrémités du cordeau et inséra une amorce à retardement. A l'aide d'un fer à souder, il riva le manche de cuivre du détonateur à l'amorce. Une fois les charges installées, il y avait de grandes chances de souffler l'étage tout entier ; ça créerait certainement des trous par lesquels l'eau et le Fréon déferleraient vers l'étage du dessous. Et s'ils n'avaient pas de chance, les étages en feu iraient s'écraser les uns sur les autres, comme des crêpes.

Barton ne trouvait plus le briquet à butane dans le sac de toile ; il fouilla frénétiquement, puis finit par le dénicher dans un repli. Il l'actionna et approcha la flamme de l'amorce jusqu'à ce qu'elle commence à fuser, puis s'enflamme en rugissant. Infantino et lui coururent vers l'escalier et, quelques secondes plus tard, ils se retrouvaient dans le penthouse, escaladant à toute allure l'échelle menant au toit.

A l'extérieur, l'UH-1 les attendait, le copilote tenant la porte ouverte. Au-dessus d'eux, les pales tournoyaient dans l'air lourd et l'appareil se balançait légèrement. Barton arracha son masque en tâtonnant et grimpa en toute hâte à l'intérieur.

— On a cinquante secondes. Allons-y!

Infantino le suivait. Ils bouclèrent leur ceinture.

Le pilote saisit le manche et mit les gaz. Il y eut un lourd bredouillement, puis le silence, tandis que les pales arrêtaient leur tournoiement.

— Doit y avoir de l'eau dans le circuit d'allumage, grogna le pilote.

Il tira de nouveau sur le démarreur, qui toussa, et les pales firent un tour.

— Il ne nous reste plus que trente secondes avant que l'enfer se déchaîne, dit Barton, tendu.

— Je fais mon possible, capitaine.

La légère pellicule de sueur sur le visage du pilote luisait dans la lumière du tableau de bord. Il essaya encore et Barton soupira avec reconnaissance quand le moteur se mit à tousser et que les pales reprirent leur ronde sur le rotor en s'accélérant. L'hélicoptère frémit dans le vent, se souleva de quelques mètres et se mit à tourner lentement. Une rafale s'en empara et il s'éleva plus vite encore. La cabine tournait et se stabilisait, le pilote s'activant fébrilement sur les pédales antiroulis. Ils s'étaient éloignés de 500 mètres de la Tour de Verre, en direction de l'est.

Barton regarda en arrière. A ce moment précis, les charges explosives et le Primacord explosèrent simultanément. La galerie s'emplit de feu et de fumée tourbillonnante. Les fenêtres, sur le côté, se fracassèrent en éclats meurtriers qui vinrent s'écraser dans les rues alentour. Le toit se souleva légèrement sous la poussée et retomba en plein milieu des jardins. Des pans entiers de revêtement d'aluminium, soufflés à l'extérieur, se fendirent et furent arrachés de leurs cadres d'acier.

A l'intérieur de l'immeuble, le sol de béton de la galerie panoramique gronda et sortit des poutrelles de support. D'énormes morceaux retombèrent sur la machinerie de l'étage inférieur. Des nuages de vapeur et de Fréon à demi vaporisé se précipitaient dans les trous, comme mus par des pistons. L'incendie de la machinerie fut étouffé instantanément. Le poids de la masse de béton et le déluge subit de centaines de mètres cubes d'eau ravagèrent le sol de la machinerie qui s'effondra vers le centre. L'eau et le Fréon s'engouffrèrent par la déclivité jusqu'à l'appartement en flammes de l'étage du dessous, étouffant les feux, puis dévalant les escaliers et les cages d'ascenseurs.

Tout fut terminé en quinze secondes. Dans l'hélicoptère, Infantino et Barton avaient contemplé en silence le désastre. Barton eut soudain la nausée. L'immeuble semblait avoir été écrabouillé par des serres géantes, qui lui auraient labouré la peau et les muscles, creusant profondément jusqu'aux organes vitaux.

Ç'avait été son enfant, pensa Barton. Il l'avait conçu et vu accoucher de sa table à dessin entre les mains de Leroux, qui avait servi de sage-femme. Et maintenant il venait d'aider à son assassinat.

61

L'UH-1 atterrit lentement sur l'esplanade en rebondissant ; le pilote coupa le moteur et les rotors ralentirent. Infantino dit :

— On y est, Craig.

Barton cligna des paupières et défit sa ceinture. Il se sentait vieux, fatigué et il avait désespérément besoin d'un bain et d'un lit. Il repoussa la porte de l'hélico et sortit dans le froid. De petits flocons de neige continuaient à tomber et le vent fouettait toujours, inlassablement, l'esplanade.

— C'est fini, dit tranquillement Infantino.

— Pas complètement.

Le ton de Barton était sec. Un groupe de reporters et de cameraman avait entouré l'appareil et s'était rué à l'assaut, dès l'arrêt des pales.

Des flashes trouaient la nuit et les questions — dont la moitié était emportée par le vent — leur tombaient dessus les unes après les autres.

— Plus tard! hurla Barton. Plus tard! Nous avons encore un tas de choses à faire!

Il se fraya un chemin parmi la foule des journalistes, qui retournaient maintenant leurs tirs de questions sur Infantino.

Au bord de la meute, il eut la sensation que quelqu'un se trouvait à ses côtés :

— Mr Barton?

Il jeta un coup d'œil, prêt à pourfendre un autre reporter, puis se détendit :

— Ho, Dan! Comment va Griff?

— Les médecins disent qu'il s'en sortira.

Garfunkel montra de la tête le groupe de journalistes et de rescapés, à une trentaine de mètres de là.

— Votre femme et les Leroux s'en sont tirés. Ils sont un peu secoués, et Leroux a un poignet foulé, mais rien de vraiment sérieux.

— Merci, Dan.

Barton inspira un bon coup.

— Y a-t-il un bilan final? Quelqu'un est-il encore porté disparu?

— Les pompiers ont bien épluché étage par étage, dit Garfunkel lentement. Il y avait plus d'accidentés que nous ne l'avions pensé. Trente et un morts pour causes diverses, la plupart brûlés ou asphyxiés. Dieu merci, c'était le début d'un long week-end. Certains locataires n'ont pas pu être découverts. Je suppose qu'on les trouvera en dégageant les décombres.

Il fit un geste vers la forme couverte de toile goudronnée.

— On n'a pas encore identifié la femme de façon certaine.

Un homme tiré à quatre épingles se dirigea vers eux et les interrompit soudain :

— Mr Barton, dit-il d'une voix égale, je désirerais discuter un moment avec vous. Brian, de l'International Surety. Nous...

— Mr Brian, dit Barton en pesant ses mots avec soin, vous ne voulez pas vraiment me parler et, pour être franc, je ne veux pas non plus vous parler. Je ne suis même plus sûr de travailler pour la Curtainwall. Celui que vous voulez voir est Wyndom Leroux.

— Mais... ça ne prendra que...

— Monsieur, dit Barton épuisé et exaspéré, je suis foutrement trop fatigué pour être poli avec vous ou avec qui que ce soit d'autre. Maintenant, filez, allez voir Leroux. C'est son immeuble.

L'homme le regarda fixement un instant, puis fit un brusque demi-tour et se dirigea, moitié marchant, moitié courant, vers un groupe éloigné, au milieu duquel se tenait Leroux. Barton chercha Infantino des yeux, remarqua qu'il s'était débarrassé des reporters et qu'il était au camion radio, se dépouillant de sa combinaison. Bonne idée, pensa Barton ; et il entreprit de déboutonner la sienne.

Les choses se tassaient, pensa Infantino. Les équipes allaient encore avoir du travail pour tout le début de la matinée, mais ce seraient surtout des équipes de sauvetage. La majeure partie des compagnies avait terminé sa mission et s'occupait à ramener les lances sur l'esplanade et à les enrouler. D'autres ramassaient les outils et les masques ; d'autres encore prenaient une tasse de café sur le pouce, dans la cafétéria, avant de rentrer à la caserne.

Il contacta les chefs de bataillon un par un, prenant assez de temps pour discuter un peu et les féliciter, avant de distribuer les derniers ordres. Jorgenson sortit du hall, une tasse de café dans une main et, dans l'autre, un sucre d'orge qu'il avait chipé au stand des cigares.

— Comment pouvons-nous vous remercier?

Jorgenson sourit :

— Ne vous en faites pas pour ça. La ville vous enverra la note. Et puis, il y a toujours la possibilité que nous réclamions votre aide un de ces jours...

Ils se serrèrent la main et Jorgenson s'éloigna.

Infantino trouva le capitaine Miller dans le hall et lui réclama un rapport sur les accidents. Miller sortit un carnet de sa poche et se lança dans des détails déprimants. Gilman, Lencho, une douzaine d'autres...

— Et Fuchs? se décida-t-il à demander.

Miller secoua la tête :

— Les deux jambes brisées. Il perdra probablement un poumon. On le garde aux urgences pour... eh bien, il vaudrait mieux demander aux médecins ; ils ne savaient pas quand je leur ai posé la question il y a quelques minutes. Il s'en sortira, mais il est bon pour se contenter, désormais, d'un strict travail de bureau. Il ne retournera jamais plus au feu.

Le vieil homme aurait dû faire plus attention, pensa aigrement Infantino. Mais s'il s'était agi de lui et de son fils, qui sait?...

— Et le jeune Fuchs?

Des blessures légères ; ils vont probablement le garder un jour et le relâcher.

Miller ajouta automatiquement :

— Bonne recrue, à propos...

— Oui, je sais. Son père lui a appris.

Un inspecteur du département s'approcha et lui tendit un billet. Il le lut lentement, remercia l'homme et sortit sur l'esplanade. Sa voiture était garée le long du trottoir. Il enleva son casque et se frotta les yeux, se demandant comment elle avait bien pu se débrouiller pour passer les barrages de police ; puis il remarqua que Doris avait la place du passager et que c'était l'une des jeunes recrues qui conduisait. Il se dirigea vers la voiture ; elle le vit et descendit la vitre :

— Tu devrais être au lit, dit-il calmement.

Il la buvait des yeux.

— Toi aussi.

— Il y a encore des détails à régler, mais je pense qu'ils peuvent se débrouiller sans moi. Inquiète?

— Pas trop, dit-elle.

Mais Infantino était sûr qu'elle mentait. A travers la vitre, il lui serra la main, puis ouvrit la portière arrière et s'assit. Elle vint l'y rejoindre.

— Il y a quelque chose à manger à la maison?

— Il y a un steak dans le réfrigérateur.

— Ça ira, dit-il doucement. Ça sera parfait.

Il repéra soudain Barton traversant la route et hurla par la vitre ouverte à son adresse :

— Eh, Craig! Je pourrais te voir dès que tu seras libre?

Barton lança :

— Je reviens dans une minute.

Infantino se cala dans son siège :

— Bon Dieu, ce que je suis fatigué!

Il s'appuyait contre le corps tiède de sa femme et il s'assoupit quelques secondes. Doris glissa son bras autour de lui et ne bougea plus, même lorsqu'une petite crampe la saisit. Elle passait légèrement les doigts dans les cheveux de son mari et regardait la parade des hommes exténués qui enroulaient leurs lances sur l'esplanade, puis grimpaient dans les camions qui s'éloignaient silencieusement. Son regard fut attiré par une ambulance et quelques voitures ; elle les observa avec curiosité quelques instants. Une femme — une femme de ménage, d'après sa tenue — fut montée dans l'ambulance, tandis qu'un homme un peu lourd, dans les quarante ans, ainsi qu'un jeune homme, assistaient à l'opération. Elle se demanda vaguement s'ils étaient parents. Les portes de l'ambulance se refermèrent.

Douglas se tourna vers Jésus et dit :

— Ne t'en fais pas. Tout ira bien. Un peu de fumée et la foulure. Ils la laisseront sans doute sortir dans un jour ou deux.

— Bien sûr, mec, je sais, dit Jésus.

Il évitait le regard de Douglas. Il recommençait à trembler.

— Tu viens avec nous, petit? demanda le conducteur.

— Oui. Je vous accompagne! hurla Jésus.

Il se retourna vers Douglas, le regardant maintenant droit dans les yeux :

— Dis donc, mec, tu viendrais avec nous? Maman aimerait que tu viennes et moi aussi.

— J'aimerais bien, répondit Douglas. Mais je ne peux pas. Je dois voir quelqu'un.

Les yeux de Jésus clignotèrent à nouveau :

— Bien sûr, mec, je comprends.

Ils restèrent là, côte à côte, Jésus petit et maigrichon dans la vieille veste d'uniforme qu'un pompier lui avait donnée.

— La rue est une rude école pour un être humain, dit enfin Douglas. Ce n'est pas mes oignons, mais j'aimerais bien que tu t'en sortes.

— Si, c'est tes oignons, mec! lança Jésus violemment.

Il secoua la tête, essayant de dire quelque chose. Puis :

— Bon, bon d'accord, j'essaierai.

— Je connais des gens qui pourraient sans doute te trouver du boulot, commença Douglas.

Jésus l'interrompit :

— Vous avez vraiment été très chouette, mec.

Il serra soudain le bras de Douglas, qui avança la main d'un air absent et saisit la sienne. Il resta ainsi un moment puis lui donna une solide poignée de main. Jésus transmit une légère étreinte en retour, s'en alla vers l'ambulance et grimpa à l'intérieur. Il se retourna et cria :

— T'en fais pas, gros lard! Ça ira!

Douglas fut touché.

— Je connais un fourreur qui aurait besoin d'un aide dans son magasin...

Jésus marqua une pause, à moitié grimpé dans l'ambulance. Douglas constatait que ses tendances au repli réapparaissaient maintenant que l'excitation s'était envolée. Jésus sourit, les yeux brillants :

— Vous disiez ça sérieusement, mec? Je peux reconnaître un renard d'un lapin à au moins 30 mètres! Je vous verrai demain matin... non, lundi! Et la prochaine fois, je frapperai même avant d'entrer!

— Je t'attends! lui cria Douglas.

Le chauffeur arriva alors et poussa Jésus à l'intérieur. L'ambulance démarra. Douglas fit un signe d'adieu de la main et les regarda partir. Certainement pas lundi, pensa-t-il. Le gosse serait encore en train de chercher une dose. Peut-être dans une semaine? dans un mois? Il se retourna pour partir, puis jeta un dernier coup d'œil sur l'ambulance qui tournait le coin. Ce n'était pas si facile ; vous ne pouvez pas tourner tout simplement la page et vous en aller... Il connaissait des médecins, des assistantes sociales, qui pourraient mettre Jésus sous méthadone et le désintoxiquer. Ce dont Jésus avait réellement besoin, c'était de quelqu'un qui ne s'en foute pas.

L'euphorie et l'excitation s'évanouirent, et il réalisa subitement combien il était seul, seul avec sur les bras ces deux catastrophes d'une carrière fichue et de l'échec d'une relation dont il n'était pas certain de pouvoir se passer, mais la question était de savoir si la vie valait la peine d'être vécue. Il traversa lentement l'esplanade enjambant les lances et faisant inconsciemment un large détour pour éviter la sculpture bâchée.

— Ian! Ian Douglas!

Il se retourna. Larry courait vers lui, un sourire de soulagement intense sur le visage. En un instant, il fut sur Douglas, le serrant dans ses bras.

— Mon Dieu, Ian!... Ils m'ont tout raconté. Ils m'ont tout raconté sur ce que vous aviez fait!

Douglas souffla :

— Ils ne vous ont pas tout dit.

Il expliqua tristement que la firme était en faillite.

Larry parut troublé :

— Mais Ian, nous ne sommes pas en faillite. Nous en sommes loin et nous n'irons pas jusque-là.

Il fallait crever l'abcès, pensa Douglas. S'il le traînait en plein milieu de l'esplanade, il lui fallait absolument vider l'abcès.

— Écoutez, Larry. Je me fais vieux. C'est une chose difficile à admettre ; je suppose que c'est une chose que personne ne trouve facile à admettre. Il me semble naturel que... eh bien, que vous commenciez à vous intéresser à quelqu'un d'autre...

Larry était de plus en plus troublé :

— Ian, je ne comprends pas... Je n'ai aucune idée de ce dont vous êtes en train de parler...

— Je vous ai vu au déjeuner, commença Douglas, Oh! ce n'est pas mes affaires, mais...

— Ah! Vous voulez parler de Mitch, dit finalement Larry. Le type avec qui j'ai déjeuné un jour au Belcher. C'est un vieil ami... un *ami*, Ian. Il est marié, heureux de l'être et il a quatre enfants. Il dirige une chaîne de motels et nous étions en train de discuter un contrat de décoration pour le Midwest.

Il donna une grande claque dans le dos de Douglas :

— Et on l'a décroché, Ian! Même si on ne fait rien d'autre pendant les deux années à venir, on va se faire une fortune!

Il s'interrompit et se calma un peu :

— Ian, aussi loin que je me le rappelle, c'est vous qui avez tout assumé pour nous deux. J'ai pensé qu'il était temps que je m'y mette.

— J'aurais aimé que vous me le disiez, dit Douglas.

Il était vaguement piqué.

— Vous auriez voulu me priver de la surprise, Ian?

— Non, probablement pas.

— Ian, dit Larry, pourquoi avez-vous douté de moi?

— J'étais jaloux, je pense... admit Douglas.

Son regard devint vague et sa voix craqua soudain :

— Je crois que je me fais vieux.

Le bras de son ami vint entourer ses épaules.

— Ian, j'ai des nouvelles pour vous : je ne connais personne qui rajeunisse. La voiture est par là, en bas.

Larry s'était garé juste devant la Mustang de Jernigan, bien reconnaissable à sa large bande bleue : Douglas l'aurait reconnue entre mille. La femme de Jernigan était au volant. Il la connaissait peu, mais la salua au passage. En démarrant, il put voir Jernigan, accompagné de Garfunkel, se diriger vers la voiture...

— Quelle nuit! s'exclama Garfunkel. Vous ne pouvez plus faire grand-chose ici... Rentrez chez vous avec votre femme.

Jernigan approuva :

— Merci beaucoup, Dan. Mais vous êtes sûr de ne plus avoir besoin de moi?

— Oui, absolument sûr.

Il marqua une pause.

— Quelque chose à vous demander : vous avez souvent joué au ballon?

Jernigan parut surpris :

— Non... Pourquoi cette question?

— J'ai entendu parler de la manière dont vous attrapez les gens au vol. Je pensais que... bref... que vous aviez peut-être une expérience professionnelle en la matière...

— Désolé de vous décevoir. Dan. Je vais y penser... Mais la seule chose que j'aie jamais attrapé de ma vie, c'est un rhume.

Ils restèrent là, gênés, près de la voiture, Jernigan attendant que Garfunkel ajoute quelque chose. Celui-ci essuya distraitement un grain de poussière sur la portière, puis déclara :

— Cette femme qui travaille avec Marnie... Elle n'a pas besoin d'être draguée ou quoi... Je veux dire, vous savez..., que c'est peut-être agréable d'être avec elle... Je me fais un peu vieux pour le genre petit renard.

Jernigan grimaça :

— Marnie lui a beaucoup parlé de vous. Je pense que vous vous plairiez beaucoup. Et ne vous en faites pas au sujet de Leroy. Je suppose que nous ne mangerons pas avant le début de la soirée ; aussi, vous aurez le temps de faire un petit somme avant de venir.

Il s'avança et étreignit l'épaule de Garfunkel :

— Marnie est une sacrément bonne cuisinière, mon vieux, vous ne pouvez pas vous imaginer!

Jernigan ouvrit la portière et se glissa sur le siège de droite.

— Tu conduis, Marnie. Je suis crevé.

— J'imagine... De quoi vous discutiez, Garfunkel et toi?

— Je suis désolé. J'aurais dû t'en parler avant. Tu auras une bouche supplémentaire à nourrir ce soir.

Mr Garfunkel nous fera le plaisir d'être des nôtres. Et ne te monte pas la tête pour le dîner. Je crois qu'il veut surtout rencontrer ton amie.

Marnie soupira et démarra.

— Ça fait trois bouches supplémentaires.

— Trois?

Il était tout à coup parfaitement réveillé :

— Qu'est-ce que tu veux dire par trois?

— Jimmy et sa femme ont été expulsés. Il est arrivé avec ses bagages et m'a déclaré qu'il était prêt à passer sur le déplaisir qu'il éprouvait à te voir, et à nous honorer de sa présence.

— C'est exactement ce dont j'ai besoin, fit Jernigan fatigué. Où diable va-t-on les mettre?

— Je trouverai un endroit.

— Tant qu'ils ne viendront pas dormir dans notre lit!

Marnie rit sous cape : aucune chance!

— Alors, je m'en fiche complètement, dit Jernigan.

Il bâilla, se blottit plus près de sa femme et sombra immédiatement dans le sommeil. Elle tourna le démarreur et conduisit lentement à travers les rues, cornant à l'adresse de Garfunkel qui revenait lentement vers l'immeuble. Il se retourna, fit un signe de la main, et disparut en bas des escaliers du hall principal...

Garfunkel se servit un café, y ajouta de la crème et deux cuillerées de sucre, et chercha des yeux un endroit où s'asseoir. La plupart des tables étaient occupées par des pompiers et des policiers ayant terminé leur service. Il repéra enfin Donaldson, installé tout seul à une table, ses cheveux roux striés de suie et complètement dépeignés autour de la tonsure.

— Je peux m'asseoir?

— Vous l'êtes déjà, précisa Donaldson. De toute façon, ça fera quelqu'un avec qui parler d'autre chose que de pompes et de haches. Vous savez quelque chose à propos de Griff?

— Il vivra. Ce n'était pas aussi grave qu'on l'avait craint. Il pourra même revenir travailler.

Donaldson s'épanouit :

— Ce sera bon de revoir sa bonne grosse bouille m'expliquant comment faire mon travail...

Garfunkel but une gorgée de café, puis remarqua soudain Lisolette Mueller et un homme plus âgé — comment s'appelait-il donc? Claiborne? — une table plus loin. Il nota qu'ils se tenaient la main par-dessus la table. Il poussa Donaldson du coude :

— Je suppose qu'on n'est jamais trop vieux pour ça...

Donaldson suivit son regard :

— Seigneur! J'espère bien que non, dit-il avec ferveur...

A l'autre table, Lisolette observa tranquillement :

— Je suis désolée de vous avoir causé tant de souci, Harlee, mais j'avais si peur que personne ne pense aux Albrecht.

— Je ne savais pas où vous étiez, répondit Claiborne, essayant d'expliquer, mais n'y arrivant pas : j'étais... assez... inquiet.

— Je ne pouvais pas vous laisser un mot. Ça aurait pris trop de temps. Et si j'avais attendu votre retour, vous auriez probablement trouvé un tas de raisons logiques pour me retenir.

— C'était un acte très courageux, dit-il calmement.

Mais la tension et la fatigue eurent alors raison de Lisolette et les larmes commencèrent à ruisseler sur ses joues.

— Vous pensez qu'ils s'en sortiront, Harlee?

Il repoussa sa chaise en arrière pour mieux lui entourer les épaules :

— J'en suis sûr. J'en suis à peu près certain.

Il marqua une pause.

— Leur oncle est venu pour les enfants. Ils ne voulaient plus vous quitter.

Elle acquiesça et retrouva un peu le contrôle d'elle-même.

— Et vous, qu'allez-vous faire maintenant?

— Je ne sais pas, répondit-il pensivement. Je n'ai aucun parent qui me retienne, et si peu d'amis...

Lisolette se rejeta en arrière, très étonnée :

— Et moi alors?

— Lisa, dit-il lentement, j'ai essayé de vous voler votre argent. On appelle cela « escroquer » quelqu'un. J'offre un peu de charme aux gens et, en échange, ils m'offrent un peu d'argent. Ce n'est pas une très jolie façon de vivre.

— Et il ne vous arrive jamais de... d'aimer vos « clientes »?

— Lisa, je les aime toutes! dit-il fièrement.

L'étincelle était réapparue dans les yeux de Lisolette.

— On pardonne à un gentleman ses indélicatesses...

— Un gentleman?

— Oui.

Elle se carra dans sa chaise et ne fut plus soudain qu'une « femme d'affaires ».

— Harlee, j'ai un ami qui travaille dans une agence de voyages et qui serait absolument ravi d'avoir un tel séducteur parmi ses employés.

Comme il allait répondre, elle lui posa une main sur la bouche :

— ... Ce n'est pas de la charité. Il faut organiser des circuits pour des retraités, ou des enseignants, plus intéressés par les ruines grecques que par les cabarets d'Athènes. Vous voyez le genre... Ils n'ont aucune confiance dans les jeunes, dans des gens qui n'ont jamais vu le monde, comme je suis sûre que vous l'avez vu.

— Merci beaucoup, Lisa, dit-il sincèrement, mais il y a quelques problèmes légaux...

Elle sourit :

— Je doute que la plupart de vos clientes aient le cœur plus enclin à la vengeance qu'à la restitution.

— Et vous?

Il y avait un vague sourire sur son visage maintenant, cette sorte de sourire qui la faisait paraître des années plus jeune et qui la rendait un peu opaque pour lui. Depuis combien de temps n'avait-il pas ressenti ce trouble auprès d'une femme?

— Hé, les gars, regardez ce que j'ai trouvé errant aux environs du 35e étage!

Lisolette et Harlee se tournèrent automatiquement vers la porte. Un pompier tenait un chat crachotant, tout humide.

— Schiller!

Le chat bondit en avant et Lisolette le prit sur sa poitrine, le caressant du nez dans l'odeur de fumée de sa fourrure légèrement roussie. Le pompier s'approcha et ôta son casque :

— Je suis heureux qu'il soit à vous, Madame, quoique mes gosses l'auraient bien aimé. Je suppose qu'il a laissé là-haut au moins huit de ses neuf vies pour essayer de survivre, et qu'il ne lui en reste plus qu'une.

— Merci beaucoup, beaucoup, bégaya Lisolette.

Elle se mit debout et Harlee la suivit vers les taxis alignés du côté le plus éloigné de l'esplanade.

— Nous pourrions aussi bien séjourner dans le même hôtel, jusqu'à ce que nous réintégrions nos appartements ici, dit-il.

Puis il ajouta avec fermeté :

— Je n'ai nullement l'intention de perdre votre trace, savez-vous.

Il tint la porte du taxi ouverte pour elle et salua deux

femmes qui passaient. Elles faisaient partie du groupe assis derrière eux à l'étage panoramique... Thelma Leroux nota le salut et continua à parler avec fièvre à Jenny :

— J'espère ne pas avoir été trop loin... Il y avait beaucoup de choses à dire cette nuit, et il semblait que l'opportunité ne s'en présenterait jamais plus.

— Non, rétorqua calmement Jenny. On aurait dû me le dire depuis longtemps. C'est très dur pour quelqu'un comme moi de concevoir la vie sous cet angle. Mais j'essaierai.

— Ce n'est pas si mal que ça. Et vous avez un excellent mari. Il tente réellement de s'accrocher.

Impulsivement, Jenny embrassa son aînée.

— Thelma, merci, mille fois.

Celle-ci sourit et dit :

— Je ferais mieux de rejoindre Wyn. Les journalistes l'ont coincé et il va avoir besoin d'un soutien moral.

Elle s'éloigna rapidement, se retourna pour faire signe de la main, puis disparut dans la foule.

Jenny chercha Barton des yeux et le localisa à l'extrémité de l'esplanade, en profonde conversation avec un homme corpulent, quelqu'un qu'elle ne connaissait pas du tout. Elle hésita un moment, soucieuse de ne pas interrompre...

Will Shevelson disait :

— Eh bien, Barton, je suppose que vous n'avez plus besoin de moi...

— Que pourrais-je dire, Will ? Sans les plans...

Shevelson haussa les épaules :

— Faites-moi une faveur : gardez-les.

Il leva brièvement les yeux sur l'immeuble.

— Quoi que j'aie pu ressentir à son égard, c'est fini maintenant. Ce n'est rien qu'une photo de plus à coller sur les murs de mon repaire.

Il rit un peu.

— Juste une autre belle gueule.

Il s'éloigna.

— Portez-vous bien, Barton.

— Vous aussi, Will.

Jenny avança alors. Sans un mot, Barton lui entoura les épaules de son bras et l'entraîna vers la foule. Leroux avait réussi à échapper pour un moment aux journalistes, la police contenant les cameramen. Barton dit doucement :

— Je veux lui parler seul à seul un moment, Jenny.

Leroux venait de l'apercevoir et éloignait également Thelma :

— Je sais ce que vous allez dire, Craig.

— Que je démissionne ? C'est exact. Une raison pour ne pas le faire ?

Leroux était particulièrement tendu et, pendant une seconde, l'esplanade et la nuit parurent disparaître, laissant les deux hommes coupés du reste du monde.

— Un paquet de raisons, Craig. Professionnelles. Personnelles. Et la plus importante de toutes certainement : j'ai besoin de vous, aujourd'hui plus que jamais.

Barton resta calme un long moment et le monde reprit peu à peu sa réalité. La neige frappait, fondait et coulait sur son visage. Le vent était à nouveau très froid dans son dos ; l'esplanade puait la fumée, le feu et la mort. L'homme en face de lui lui sembla soudain diminuer de stature. C'était quelqu'un qui demandait et non qui offrait. Un homme devenant joufflu et vieux, qui avait eu trop peur pour continuer à mener le jeu.

— Nous n'avons plus rien en commun, Wyn. Je suis las de travailler pour un constructeur de pyramides. Peut-être parce que, selon moi, les pyramides sont démodées. Je voudrais construire des endroits où les gens puissent vivre, plutôt que des entrepôts où on les stocke.

— C'était votre enfant, dit doucement Leroux. La

Tour peut être reconstruite, de la façon dont vous la vouliez. Elle a encore une structure saine. Vous savez bien qu'on peut faire ça.

Barton contempla le bâtiment serti de glace derrière Leroux, et, pour la première fois, n'y reconnut plus rien de lui-même. Ce n'était pas l'immeuble qu'il avait dessiné, pensa-t-il. Il n'y avait aucune raison de feindre un attachement qui n'avait plus de sens.

— Désolé, Wyn. Cela ne m'intéresse pas.

Le visage de Leroux devint celui d'un étranger.

— Très bien, Barton. Je vous souhaite de ne jamais le regretter. Parce que moi, je ne vous réengagerai jamais.

Il se tourna pour partir, mais il n'avait pas fait trois pas quand Barton lui demanda abruptement :

— Pourquoi avez-vous fait ça, Wyn?

Leroux hésita, puis revint vers lui :

— L'un de nos financiers a lâché au dernier moment, dit-il calmement. Nous ne pouvions plus trouver des fonds supplémentaires en temps utile. C'était un choix : réduire la taille de l'immeuble, ou faire des compromis. Trop de choses en dépendaient, Barton. Je n'ai pas construit la Tour dont vous rêviez, soit. Mais, si cela peut vous faire plaisir, je n'ai pas bâti non plus celle que je désirais.

Barton le regarda traverser l'esplanade pour rejoindre Thelma. Sans pouvoir en être sûr, il lui sembla cependant que l'homme s'appuyait sur elle pour quitter les lieux.

Jenny l'avait rejoint et demanda :

— Ça a été difficile?

— D'abandonner? — Il secoua la tête. — Non, facile.

Il se tut un moment.

— Il n'est pas unique, Jenny. Il a arrondi beaucoup d'angles, mais la plupart des promoteurs le font. La tragédie réelle est qu'il n'est pas l'homme qu'il croyait être.

Ils marchaient lentement le long de l'alignement de

voitures vers celle d'Infantino. A travers la vitre, Barton voyait le commandant assoupi sur l'épaule de sa femme. Elle entreprit de le réveiller ; Barton fit un léger bruit du doigt, puis, à travers la fenêtre à moitié ouverte, secoua doucement l'épaule d'Infantino.

— Eh, mangeur de fumée! Réveille-toi!

Infantino s'ébroua, regarda Barton, sembla vouloir dire quelque chose, mais se renfrogna soudain.

Derrière eux, Barton entendit Quantrell hurler :

— Une information de dernière minute, commandant? Aucun indice sur un incendiaire présumé, ou sur les causes du sinistre?

Il fallut un instant à Infantino pour ajuster sa vision. Il dit alors :

— Le service des relations publiques publiera un communiqué dans la matinée. Si vous vous dépêchez, vous serez peut-être le quatrième à l'avoir.

Quantrell le regarda en silence, puis :

— J'ai une excellente mémoire, Infantino.

Il tourna les talons pour partir sous le dernier hurlement du commandant :

— Vous avez aussi une grande gueule!

Puis, à l'adresse de Barton :

— Craig, tu peux passer me voir, ce soir? Il nous faut une déclaration.

— Bien sûr! — Il marqua une pause. — Tu n'as vraiment aucune idée? C'était un incendiaire ou non?

— J'en ai parlé aux enquêteurs, ils ne le pensent pas. En début de soirée, ils ont trouvé un tesson de bouteille de brandy entre des nattes à demi consumées dans une pièce de service du 17e étage. Détail pittoresque, l'étiquette était encore intacte : les nattes avaient fait en partie isolant. Ils pensent que quelqu'un a renversé la bouteille, allumé une cigarette et probablement jeté l'allumette encore enflammée par terre avant de s'en aller. Mais ce n'est qu'une supposition. Difficile d'en dire plus.

— Du brandy? répéta lentement Barton. Je crois deviner qui a pu faire ça.

Il parla de Krost à Infantino, et surtout de son ivrognerie permanente.

— Pauvre connard! Stupide et incapable!

Infantino bâilla.

— Le monde en est plein, Craig. Des enfants mal grandis qui jouent avec des allumettes. Et il y en a toujours un, prêt à faire la bêtise qui déclenchera ce genre de désastre.

— Ça aurait pu être n'importe qui ; ou n'importe quel immeuble.

— Et ça peut arriver encore. Cela *arrivera* encore.

Il eut un rire sans gaieté, et reposa sa tête sur l'épaule de Doris.

— C'est comme la mort ou les impôts, Craig. On n'y échappe pas.

— C'est pourquoi les pompiers existent.

— Voilà une pensée réconfortante, Craig. Merci, merci beaucoup.

Et, sur un large sourire :

— Au plaisir de te revoir, bonhomme.

Sur un signe, la voiture démarra. La tête d'Infantino retomba brusquement sur le côté. Il dormait déjà.

Barton regarda la voiture se perdre dans le trafic, puis, se tournant vers Jenny :

— Où va-t-on, Jenny?

— A la maison, dit-elle simplement.

Il fronça les sourcils.

— C'est loin, Southport.

— Je ne parle pas de Southport. J'ai dit chez *nous* : et notre « chez nous », c'est l'endroit où on est ensemble. L'hôtel le plus proche sera le mieux. Nous avons tous deux besoin d'un peu de sommeil. Après... — Elle marqua une pause. — Après, je pense que nous devrons commencer à apprendre à nous connaître.

Il lui prit le bras, et ils se dirigèrent vers la station de taxis.

Les nuages se referment maintenant sur l'immeuble blessé; l'air froid et la neige l'enveloppent de leur caresse. La matinée est encore jeune et les équipes de secours traquent les dernières étincelles pour les détruire. Dans un coin du penthouse, que les pompiers n'ont pas encore atteint, une étincelle brille de toute sa force dans un morceau arraché du panneau. Un souffle d'air passe. Le brandon flamboie, touche une pièce de bois éclatée, et, pour un instant, le pâle fantôme de la bête se profile à nouveau dans l'air glacial du matin. Mais le vent froid amène avec lui la pluie et la neige à moitié fondue. La flamme crachote, noircit, et seul un petit tortillon de fumée marque bientôt l'endroit où elle a vécu.

La bête est morte.

TABLE DES MATIÈRES

ACHEVÉ D'IMPRIMER LE
3 DÉCEMBRE 1975 SUR LES
PRESSES DE L'IMPRIMERIE
BUSSIÈRE, SAINT-AMAND (CHER)

— N° d'édit. 973. — N° d'imp. 1882. —
Dépôt légal : 3e trimestre 1975.

Imprimé en France